Laugh it off!

By Jim Fabiano

The outrageous real life misadventures of York's
funniest newspaper columnist.

Illustrated by Suzanne Magee Woodworth

The Independent Publishing Group, York, Maine

Published by The Independent Publishing Group,
York, Maine 03909

Cover art by Suzanne Magee Woodworth

Illustrations by Suzanne Magee Woodworth

Production by Juanita Reed, Moonlight Graphics,
Cape Neddick, Maine

Laugh It Off By Jim Fabiano

ISBN 0-9742897-0-1

Printed in Canada

Hignell Book Printing

To my beautiful, long suffering wife, Debbie.

Maybe we'll get a good meal out of this kid – and I promise not to spill it everywhere.

Table of Contents

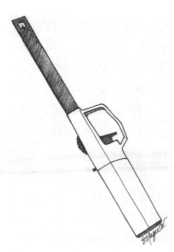

The Barbecue

The summer season ushers in many familiar traditions. The beaches fill with sun-lovers, the parks fill with Frisbees and the air overflows with the smell of steaks and hamburgers sizzling on barbecues the length and breadth of our fair town.

I have always loved to cook outside during the warmer months. The only problem is that every time I pick up a spatula and head for the great outdoors I have a near death experience, and, as long time readers of this column will know, I am one of those men who has never shown any ability whatsoever to learn from experience.

I guess that just makes me typical of my species.

My first experience with cooking outdoors was when I lived in an apartment, I was newly married and I wanted to show my impressionable young wife that I was a pretty handy kind of a guy with a suave and cosmopolitan air. So, I purchased a small Hibachi style grill, some charcoal briquettes and some lighter fluid.

The fire I started actually required the fire department to put out and it took us a year to pay for the damage to the balcony. My wife pleaded with me never to attempt to cook outside again.

In a couple of years we decided to start a family and so we bought a house and moved out of the apartment. About a year later I found myself a proud father, a proud homeowner and the proud owner of my first real barbecue grill. It was big and black and had a large curved dome on top so it kind of looked like a nuclear reactor.

My wife was frightened I might burn down our new home but I told her I was much more knowledgeable and mature than before. She shook her head and took our infant daughter to the far side of the house.

Despite her forebodings, my first experience with this particular grill was not quite as spectacular as the one with the Hibachi, but it did show me that the larger the grill the hotter the fire. Being a science teacher I was fascinated to discover that I may have disproved the Law of Conservation of Matter, which states that matter cannot be created or destroyed. I know I put a couple of steaks on the grill and after a mere 45 minutes of cooking they had both disappeared.

My scientific conclusion was that it was probably better to keep an eye on the barbecue than on the Red Sox game.

After a few dozen more brushes with failure I somehow convinced my wife to allow me to buy our first gas grill. I assured her that this was a newer, safer, more foolproof type of grill that made grilling an easy task even for me. Reluctantly she agreed and we brought home our first non-lighter fluid outside cooking device that also cost the same amount as a small car.

The only problem was that I had to put the thing together. The manual said it would take 45 minutes to assemble. The author of the manual rubbed salt into the wound by stating that a child could put it together. A couple of days later, after calling on the help of my brother-in-law, the grill was ready to use. I turned on the gas and waited a few minutes, like the instructions said. I then pushed down the red automatic starter button on the side of the grill and learned why the button was a bright red color.

My error, it appeared, was that after I turned on the gas I forgot to open up the cover of the grill. I have no clear recollection of what happened next except there was a loud bang, a rushing noise in my ears and I found myself sprawled on my butt 20 feet away on the front lawn. The cover of the grill ended up 50 feet away, embedded in my neighbor's lawn. I also found myself promising my wife that, yes, I would immediately repair all of the windows that had been blown out along the side of the house.

I am happy to report, however, that I did not have to call on the assistance of the fire department or to replace my deck.

To my surprise the grill never worked again. I thought of taking it back to the store but I knew it would have been difficult to explain why the grill cover looked like a spent meteorite. I also thought that because the grill no longer had a bottom it was probably best to eat my losses.

A few years later I again convinced my wife to allow me to buy a new gas grill. I told her grill technology had been perfected and I promised to go a step further and read the instructions this time before igniting it.

For some reason she gave in and I was once again in possession of a mighty gas powered grilling device.

This time I was smart. I paid extra to have the store build the grill. I proudly loaded it into my truck, set it up on our deck and was ready to cook perfect hamburgers.

To my surprise – and the surprise of my wife- I succeeded. And, for the next few months I was a grilling fiend. I bought all of the utensils necessary to be considered a barbecue professional, an apron with a stupid motto on the front and a grill cover that would allow me to cook deep into the winter season.

The cover didn't survive its first nor'easter.

Still, I grilled deep into November. I even attempted to cook some hot dogs in December until the temperatures plummeted and my grill froze shut.

Spring took an eternity to arrive but as soon as the snow had melted from the deck I was out there with my barbecue utensils, my stupid apron, and some hamburgers to celebrate the new season.

When I opened the grill I was shocked to see that aliens had taken it over. The briquettes swarmed with small black bugs that had obviously established an important new colony for their species. No problem, I thought, the first good barbecue blaze would kill them off.

I lit the grill and waited for the bugs to flee or fry but they did neither. They were completely unaffected by the fire that engulfed them. For a moment I thought I might have accidentally created some kind of super bug that would take over the planet – and I would be blamed for it.

So I decided to let the grill burn for a couple of hours to see if that got rid of the little buggers. I actually let it burn way too long because the top of the grill warped and the grates that were supposed to hold the food melted.

I let the grill cool overnight and went out the next morning to see if I was successful in my quest to rid my grill of the uninvited guests. I had failed.

They were still there. In fact, there seemed to be more of them. I think they thrived in the warmer temperatures.

So, I did the only thing I could do. I threw the grill away and purchased a new one.

By this time my wife had given up trying to reason with me because she knew I was an addicted barbecuer. This time I purchased the Cadillac of all grills. I became the proud owner of a new Webber. This grill had no lava stones and was guaranteed for life. My wife asked me whose life they were talking about.

I set it up on our deck and took out some magnificent swordfish steaks for our first barbecue of the season. I had also read the instructions carefully so as not to make the slightest mistake. I turned the gas on, lifted the top, and once again pushed down that red button.

My neighbor said later he thought I had accidentally detonated a small thermonuclear device on my deck. Apparently a huge, flame tinged mushroom cloud rose high above the rooftops and the blast shook every house in the neighborhood.

I don't exactly recall what happened because I regained consciousness a moment later in the garden, dazed and singed and surrounded by chunks of blackened swordfish.

I was told by the store that the mini-explosion had nothing to do with anything I had done and that this time there actually was a problem with the grill. They wanted to give me a new one but my wife threatened to divorce me and I had reluctantly come to the conclusion that outdoor cooking was not something I was destined to do.

I have since learned the George Foreman electric grill makes hamburgers almost as good as any outside grilling device. I just wish it wouldn't shock me all the time.

Saltwater Baptism

If you have been following my columns over the past few years it should be obvious that I like to observe.

The primary reason is that there is so much in our fair town to observe. The other day as I was sitting in my old dilapidated beach chair knee deep in the ocean I was allowed to watch the birth of a new beach kid.

When they arrive it is evident that the whole family has been waiting a long time to visit our beaches. They are loaded with every type of umbrella, stroller, towels, coolers and, of course, beach chairs. But, it is also obvious that the family is most excited about introducing their newest of themselves to the ocean. The kid, usually one year old, doesn't have a clue what is about to happen.

After staking out their tight little section of territory on the beach it is always the father who brings the newest member of his family down to the immense, cold and dangerous ocean. As he carries his kid he explains in a calming voice where they are going. The kid is always smiling because they know they are in safe hands.

When the father reaches the water he then prepares his infant progeny by lifting it playfully up and down with the ebb and flow of the water, occasionally brushing the kids' toes in the white foam, giving it a foretaste of what is to come.

Sometimes this sudden dipping and swooping causes the kid to barf all over the dad and the ocean but hey, it washes off.

If the child can hang onto its Wheaties or Kibble or whatever it is kids eat these days the father then strides boldly forward into the ocean, pausing every few feet to murmur a few more words of encouragement along the lines of: "Who's a brave little boy/girl then?"

At this stage brave little boy/girl is still smiling because, what could possibly go wrong? They are safe and secure in the hands of almighty Zeus.

Back onshore the rest of the family watches in deep apprehension. Especially mom who knows by now that dad is not Zeus in any way, shape or form. It is this part I like best because I can read the thoughts through the expressions on their faces.

Usually, these thoughts are something like: "If he hurts my kid we're drowning him and saving the kid."

At last the moment of truth comes. The father is now waist deep in the ocean and bobbing up and down with the bigger swells, trying hard not to fall over. But the father perseveres because this is a bonding moment between father and child that father wants to remember for the rest of his life, however short that may be.

The child is often laughing at this stage because he/she is still safe and bobbing up and down and catching the occasional tickle of spray.

Then, in one sudden bonding movement the father bends his knees and drops himself and his child down into the water until both are completely submerged. In less than a second father and child bob up again and father's face is transformed into an expression of gleeful anticipation.

The child, on the other hand, has the expression of a deer caught in the headlights. The child has absolutely no idea what just happened except that it got very cold and dark…and he/she couldn't breathe.

In that moment of truth the child will decide whether they like the ocean or not…whether they will be a beach kid.

If there's a smile it is the beginning of a lifelong love affair with the beach. If there's a laugh, even better, this is a kid who will eat sand, chase crabs, build sand castles and hurl themselves into the waves with gleeful abandon.

If there's a scream or protest, a cry of betrayal, a high, plaintive wail of abandonment then this is a kid who is not only never going near the ocean again but who will probably grow up to be a mall rat.

On this occasion the shock was replaced by a big gummy grin. The smile stretched from ear to ear and "I like it" was written all over his/her face.

Back onshore the expressions of apprehension on the faces of the rest of the family have been replaced by expressions of joy. Mom looks relieved, the aunts and uncles look like they knew everything was going to turn out alright anyway and the brothers and sisters know they've got a new playmate for the beach. Father then walks his kid proudly back up to the beach, sometimes holding him or her by the arms, swinging them over the waves so they can laugh and kick beads of spray into the air.

I've had the pleasure of watching this little saltwater baptism at York Beach for 26 summers now - and it never gets old.

Wienie Roast

Have you ever walked through a campground, trailer park or a street filled with summer cottages during the summer months? Have you ever wondered why people build small campfires and surround the fires with their beach chairs? I found out last week. I was invited to a wienie roast.

Like everything in this world, even the wienie roast has its rules. My brother-in-law, James, made them very clear. All one could bring to the roast was wienies, marshmallows, beer, and chips. The wienies had to be real. No turkey wienies or low cal wienies permitted. He even told me I couldn't bring a light beer. No salads of any kind were permitted. No potato or macaroni salad. No pasta or Cole slaw was allowed. The only things permitted were weenies, marshmallows, beer, and chips.

One also had to bring their own chair. This had to be a beach chair. No others were allowed so that no one would have an advantage over the other. Everyone had to have an equal shot at the fire. Different people were assigned to bring various items. Weenie buns, firewood, condiments, and of course, the sticks to cook the weenies and marshmallows with. These were pledged by all who would attend.

The sticks created a kind of social structure. Everyone applauded when one of the neighbors brought twigs that were eight feet long. He had even sharpened them at the end so the marshmallow or wiener could be easily held. The only problem with these sticks was that, after being placed in the fire, they had a tendency to wilt. Don't we all.

The yuppies in the group brought pre-made metal skewers with insulators at the end so they would not burn their hands. The only problem was they were only eighteen inches long. Their hands were fine. Their legs should start growing hair again sometime in the next year or two.

There were various other rules in place. The more intelligent of the group sat on the side of the fire where the breeze didn't blow in their face. The others sat with their hands over their mouths and noses hoping that the wind would soon change direction. The older people always sat in the front row. I especially like this rule because I am one of the older people. I just wish the wind would be a little more consistent in which way it blows.

As the hours passed the characters of the roast emerged. There was the traditional drunk who tried and failed to talk intelligently with anyone, the beer guzzling uncle who was surrounded by mountains of empty beer cans, and of course the technical wizard who built a kind of lever system to cook his wienie without ever holding the stick. The cigar smokers were out in force and they all sat with their backs to the wind, adding to the torment of those who sat downwind.

Children were allowed to join the roast when the adults finished their wienies. A person was only allowed to put one wienie on the stick. Two marshmallows were allowed. Never, ever were any more permitted.

There is also always somebody in the group who attempts to toast their roll. You guessed it. They sat with the wind in their faces. Anybody who dropped something in the fire was fined a beer.

As dusk fell more and more people joined the roast. There were now three or four rows of chairs encircling the fire. Most of the later invitees did not eat. They either forgot their sticks or couldn't get near the fire. As time passed by James became ever more generous and began inviting strangers who were passing by to come and join in. Few took up his invitation. Probably because he kept yelling at them to grab their weenies and put them in the fire.

The next day James was the hit of the beach. Everybody wanted to be invited to next year's weenie roast. I just hope he buys enough chips.

The Banquet of Life

"Did you eat the croutons?"

I was working in my office when I heard my wife's shrill question up the stairs.

I decided to exercise a prerogative of old age by pretending I was deaf and couldn't hear.

A moment later I heard the question again, this time from the top of the stairs, at the door to my office, in a voice that blew out both ear drums and made my face shrivel with pain. After the pain passed the only answer I could think of was: "What croutons?"

This proved to be the wrong answer.

Not long ago my daughter used to live with us so it was easy to blame her for everything. Being a teenager the only times she came home were to eat and occasionally change clothes, so it was easy to use her to cover my tracks. Of course, I was never around when my wife interrogated her as to whether she was the phantom muncher. Now that my daughter lives away from home the only one I can blame is my cat. This has not proven to be effective.

Disregarding my answer my wife then went on to lecture me that croutons were for salads and not for a quick snack. As she stomped back down the stairs to look for the can of dried onion rings I had eaten earlier that afternoon I thought of all the other things that were never intended to be snacks but which taste so good.

The first that came to mind was those single slices of individually wrapped American cheese that are always found on the door of the refrigerator. For the past few years my wife has opted to buy the low calorie variety. I don't mind because I can get more of them in my mouth for that quick 'bulk cheese' fix without having to feel guilty. Plus, they come in those perfect, mouth sized slices. Well, for my mouth they do.

Once, when I thought I heard my wife coming into the kitchen, I shoved one in my mouth before I took it out of its plastic wrapper. I think my wife knew because, for the rest of the evening, she never left my side and kept looking at me with a weird kind of smile. I learned that night that man does not have the gastronomic juices of a shark, that this kind of plastic does not easily dissolve in saliva or stomach acid.

When I am in a mood to actually taste the cheese I cover it with mustard, preferably Grey Poupon, so that my esophagus stings a bit as it slides deliciously down into my stomach.

Pancake syrup is another favorite snack of mine. Pancake syrup used to come in glass bottles, which meant I had to hold the bottle up over my head, tilt my head back and let it drizzle into my mouth. Sometimes this used to give me a neck ache. Now, manufacturers of pancake syrup have recognized that some consumers like to take the middle man out of the equation, ie; the pancake, and guzzle the syrup right out of the bottle, so they started selling it in squeezable plastic bottles. All I have to do is pump it straight down my throat in whatever quantity I want.

Once again taste has very little to do with it. My body tells me it craves sweetness and I pump in an instant shot of sweetness without the inconvenience of actually having to chew anything.

Cocktail sauce is another favorite means of quelling afternoon or late evening hunger pangs. There is a particular brand called, "Helluva Good Cocktail Sauce" that is my favorite. It comes in a wide mouthed jar so that I can get at it with a tablespoon instead of a teaspoon. This is important when one is standing at the refrigerator door trying to eat fast without being caught by one's better half.

I once tried using a cocktail sauce that came in a plastic container and all it did was make a helluva mess.

My wife is famous for her pesto. I am equally famous for being a pesto eater. During the summer months we make scores of jars of the green stuff made with basil, pine nuts, garlic, olive oil, and pecorino cheese. For years my wife couldn't figure out how we could go through two jars a week, even though we only used it for cooking and, every now and then, a weekend dip. One day she caught me with my fingers in my mouth while trying to put the lid quietly back on the jar with one hand so she wouldn't hear.

I told her the jar fell out when I opened the refrigerator door and I just happened to catch it but then she asked me why my beard was green.

Ken's Low Calorie Caesar Dressing is one of my favorite refrigerator door meals. It comes in a bottle that promises never to drip and has a cap that can be put back on in a microsecond. The bottle is also very thin so it will fit neatly between the milk jug and the orange juice. On behalf of refrigerator prowlers everywhere I applaud the food technician who engineered this particular container.

Because we have been trying to control our weight over the past few years my wife and I have gone to many low calorie products. We no longer drink whole milk or even 2% milk. We only purchase skim milk. All of our condiments, such as margarine, mayonnaise, relish, and salad dressings are labeled low calorie. I think there would be a little more truth in advertising if they labeled them: 'You Have To Eat More To Feel Full.'

In other words, what I used to eat a little of I now eat a lot of. This is a good marketing technique because we now have to buy a lot more of them.

But, reigning supreme, as my favorite snack food of all time is the heavyweight champ of them all: A-1 sauce. I consider A-1 sauce to be the ambrosia of the gods. When we get home with the groceries I can wipe out one of those rectangular little bottles between the time my wife gets out of the car and opens the side door to the house.

What is best about this particular sauce is that it is contained inside a dark brown bottle. The bottle is also heavy, whether it is empty or not. No one, not even my wife, can tell whether it is full or empty. Again, I applaud the brilliance of today's modern day food packaging technicians and their consideration for husbands everywhere.

Another one of the finest tastes in the entire world is a thick spiced cracker covered in a coat of butter. A few weeks ago my wife visited one of her favorite stores, The Christmas Tree Shop in Portland, and purchased a few hundred boxes of a type of cracker that was over a quarter inch thick. It was not only thick but also sturdy enough to withstand the heaviest application of butter without breaking. What I was most impressed with was that it left no evidence. Not one small crumb was left behind. I am starting to adore today's food technology.

I always promise myself I will eat only one. But, as soon as the thick coat of butter starts to melt in my mouth and the last cracker is ground into delicious pulp that makes my taste buds explode in a kind of rapture, second only to a hearty swig of A-1 sauce straight from the bottle, I can't wait for my wife to return to the Christmas Tree Shop to buy more.

Suddenly, I found myself jolted rudely back from my daydream.

My wife's voice echoed up the stairs like an air raid siren.

"Did you eat the relish?"

Again I was tempted to pretend deafness but my ears were still ringing from the last time. I thought that if I hid under my desk she might think I had gone out for a walk.

"Did you eat the relish?" she asked again, her patience ebbing with every syllable.

"I think the cat must have knocked it off the counter," I said.

Silence.

My hamburger was very dry that night.

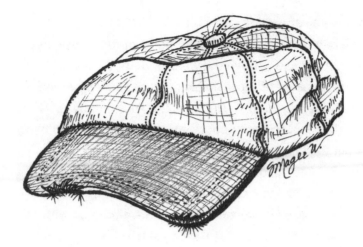

Favorite Things

Rrrrrrriiiipppp !! All of a sudden I felt cold air envelop my back.

My wife finally got her way. She hated that old shirt of mine. For the past few weeks, or is it months, she told me that shirt made me look like a bum. She was embarrassed to be seen with me. Once, in a drug store, she told me to wait at the back to the store while she got her prescriptions. I was in a substantially playful mode and began to tell everyone in the store that I was her husband. She started talking to me again around mid-August.

Maybe women don't have favorite things. At least that is what my wife says. Things that go along with what you represent. Things that feel like you were meant to wear or use them. Things that always seem to be there. My now two piece shirt was one of those things. It used to be green. With the passing of the years it became an almost pastel olive color. It never had a collar, just buttons down the front. It was made out of pure cotton and it fit loosely around my ever expanding middle. That shirt of mine was with me many a summer on the beach, in the campgrounds, at my favorite bar and grill, and of course in bed. I loved that shirt and now it was gone.

I have other favorite things. Like my sneakers. They are old Nikes that I wear to mow my lawn and, of course, go to the beach. They are black and I think they are made of some sort of velvet. The soles are pretty well worn down but in reality they don't look all that bad. I have washed them before in bleach and detergent. After one day on the beach they come back to

15

where they were supposed to be.

My wife hated those sneakers. She had a point because they did smell. A couple of times I had to open the window of my Jeep in order not to lose consciousness because of those sneakers. Once, I made the mistake of going to the dentist wearing them. As I left I watched them spray down the waiting room. But, they feel so damn good. My wife hasn't gotten her hands on those yet but the year is still young.

Another favorite thing to wear is my Maine baseball cap. It is totally faded and looks at least 10 years old. Now that I think of it, it probably is. It fits perfectly on my head and covers what was once covered with hair. It used to be blue. Now it is the color of the ocean in the winter; a grayish blue. I think the stitches are all gone. In fact, I don't know how the thing stays together. My wife will not allow me to wear it out with her. If I do she makes me take it off before we arrive at where we are supposed to be.

A month ago my daughter bought me a new summer hat. I think it said Calvin Klein. My head was not meant to be covered by anything that said Calvin Klein. Needless to say she is now wearing it.

My combination shorts, bathing suit, and pajamas is another of my favorite things. It is long and black. I used to think black was a good color to help hide my growing weight. I now believe I've hit the point where no color existing today can hide my bulk. The shorts are very loose and never make me feel fat. This is another item I am not allowed to wear in public, or at least the public where my wife is included. She makes me wear shorts that need a belt and look best when a shirt is tucked in them. I always watch what I eat and drink when I wear the more dignified shorts. That is because I don't want to stop circulation to my feet. The beach crowd I hang out with doesn't mind my shirt, hat, or shorts. But then again, they look worse than I do.

An automobile can be a favorite thing. I now drive a 1994 Jeep. It is white and I feel very comfortable driving it. It has been everywhere with me. The beaches, salt marshes, mud flats, etc. It has the look and smell of the ocean. The last time my wife and I went anywhere together in my car she asked me if I had ever washed it since I bought it. I lied. I told her I washed it once. The inside just felt like it was made for me. I think the floor has mats and the back of the Jeep is full of papers and other important stuff. Things that I have forgotten why they are important. I also think the seats are clean but it is hard to tell. Their color is that of sand and dirt. I think they were always that color. Another nice part about the Jeep is that it takes me where I want to go.

Well, I lost one of my favorite things. My shirt is now deep into the bowels of my garbage. As I was closing the house that night, getting ready for bed my wife called down from our bedroom and asked where her pajamas were. I smiled. I thought she didn't have any favorite things.

Trailerville

The toilet works,
The water is on,
The electricity is hooked up,
And the telephone rings.
Yes, we are happy now.
All is well in trailerville.

Now that summer is here, this song is being sung up and down the coast of Maine and New Hampshire. The kids will be out of school soon and the population of our town will triple. Most of us who live year-round on the coast can never figure out where all these people stay when they are here. The answer is simple - they live their summer lives in the endless network of summer trailer camps.

The stories that come out of these camps are some of the most talked about of the season. In fact, many of these stories keep us New Englanders warm with laughter during the coldest winter nights.

The septic systems are the cause of some of the best anecdotes since the systems at most camps leave much to be desired. The main pipe servicing all of the trailers is often the same size as for a medium-sized house. So the campers are warned not to flush at the same time. I've often wondered if they had some sort of communication system set up behind the toilet seats for this purpose.

What these camps lack in sanitation they more then make up for in security. The camps are always set up so that the owner's house, notice I didn't say trailer, sits beside the only opening to the camp.

The house is usually flanked by a large propane tank and ice machine, which the inhabitants of the camp are expected to use even though the price of these necessities is three times more expensive than what is offered outside the camp. If the campers plan to return the following year, they had better support all the facilities of the camp.

An old yet very functional rusted fence usually surrounds the camp. The warning system set up for sanitation must be similar to the system that alerts the owners of the camp that someone is entering their domain. Every time someone approaches the owner appears with a crocodile grin and an application for entry in their hands.

The owners always seem to be a husband and wife team. He is usually retired from years of service from some utility company and she just lets her family increase from four to four hundred every summer season.

He is seen by his personal golf cart at the front of the camp wearing a white baseball cap that usually has gold military wings attached to its rim. The wife can be distinguished from the crowds of campers by the number of wrinkles created by the hours of worry concerning the profit margin of the camp.

How they became the owners of the camp is inconsequential when compared to how they run the camp. German POW camps have nothing on the rules and regulations of the seasonal trailer camp.

Adding to the toilet flushing regulations are rules covering the number of cars allowed in front of each trailer and the number of people allowed visiting at any particular time. These conditions come with a price of at least $10 a visitor and up to $20 a vehicle. The visitor, of course, must leave at a respectable hour because no one is allowed to stay the night. That could mean an extra flush.

The uneducated visitor might think these rules impossible to enforce. They have never heard of the "golf cart brigade". There are usually two or three of these vehicles, depending on the size of the camp, operated by the sons of the camp owner.I have never seen a daughter operate one. The lead vehicle, operated by the owner of the camp, is always the fastest and the quietest. It has a radio used to inform the command post if it is necessary to close the gates, thus preventing any escape by retreating visitors who have not paid their fee.

The surrounding homes and cottages are always buzzing with groups of people enjoying their vacations or weekends. A party at the trailer camp is out of the question. The residents of the camp are expected to enjoy their summers in total silence. They are expected to leave their summer domain early in the morning and return minutes before bedtime.

An outsider might wonder how these camps survive with all their rules and regulations, but every year the water goes on, the electricity gets hooked up, the phone rings, the toilet flushes and all is well once again in Trailerville. Just open it and they will come.

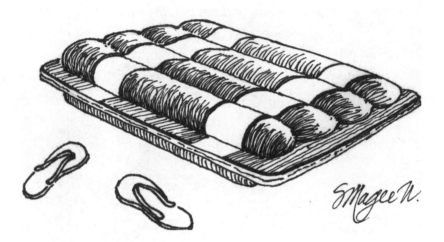

The Kid Zone

It was the hottest day of the summer. I had lived on the beach almost every day since the monsoons of June left us. July was a beautiful month for the beach. The temperatures averaged between 75 and 85 degrees. In fact, I don't think it ever hit near 90 over the early and middle part of the month. Then the humidity and heat came in force. Today it hit over 95 degrees with more than 80 % humidity. Yep, it was the hottest part of the summer.

I arrived at the beach early intent on enjoying the day. I set my aging and disintegrating beach chair on the soft sand but didn't even get to sit down. The heat was too intense. I felt like I was wearing aluminum foil in the middle of Kenmore Square. I decided to take a chance. A chance necessitated by the need to survive the heat. I decided to enter the kid zone.

The kid zone is located where the cool ocean waters meet the beach. In my mind's eye I saw myself sitting in the water with my butt being cooled by each approaching wave. My feet would dig two holes until the receding water would make them disappear. The kid zone is the ultimate experience on the beaches of New England. Of course, that would be without the kids.

In my quest toward the zone I passed the little societies that were busy claiming their parts of the beach. I observed how umbrellas were placed in the middle of little communities much like churches were placed in the middle of villages. The peripheral material around the umbrella included coolers, blankets, toys and the ever popular beach games. When each little beach community was complete instructions were given to the inhabitants.

Ninety-nine percent of the time these instructions were given by the matriarch of the community. The children and the other adults were the ones receiving the instructions.

Everything was developing nicely on the beach when I finally approached my destination. I could feel the air grow pleasantly cooler as I came close to where the ocean met the beach. It was surprisingly quiet. In fact, it was almost empty. I was thrilled. I planted my chair six inches deep in the water, lit up one of my favorite cigars, took hold of a book I've been reading for the last 10 years and off into serenity I went.

Then I heard it. At first it was just a slight vibration in my chair. Then the vibration turned to a rumble. Then I knew what it was like to be a salmon trying to go upstream. I was engulfed by shoals of children running screaming into the surf with their pails, floats, and balls. It was almost like being in the midst of a locust attack. After the first wave of children came the children's keepers. Sometimes they were paired up, sometimes they were in groups of over six or seven. They came with their arms crossed and stood solidly in the shallows, peering into the ocean making sure that their offspring were safe.

I was usually met with a look that asked: "Why the hell are you here?" Or the ever popular: "How dare you smoke that thing around my children?"

Being a professional beach person I ignored them all. That is until some of the children started their rush back from the ocean to the beach to eat something. They never walked out of the ocean, they always ran, kicking up waves of water as they dashed past me. I felt like I was in a nor'easter. The cigar situation was quickly eliminated.

The parents looked at me as if to say: "Had enough yet?"

I tried to ignore the children running in and out of the water until I spotted a small yellow float that had just caught a wave. It looked like a small fisherman's buoy but it was actually a child's float, though there was no child attached to it. Instead it seemed to want to attach itself to my chair. With each incoming wave it rushed up to my chair then receded a little, bobbing brightly, as if tied to my chair by a piece of elastic. Then a bigger wave came in and the float attempted to leap up onto my lap so, naturally, I batted it away with my foot.

Then the mother of the float, and presumably the missing child, appeared, glared at me and picked up the float. Then she turned to the kids nearby and warned them to stay away from "the strange man."

My beach, my town, but I was suddenly a stranger.

Nevertheless, I attempted to hold my ground and ignore the kicking, screaming, splashing kids that surrounded me. Every so often some brave youngster would walk up and stare at me as if I were an exhibit in a zoo.

I would say hello and smile only to have the mother swoop in and snatch her child away as if I were about to turn it into a grinder. Which would not have been an all bad idea.

Then the big kids arrived.

Until then I thought the little kids were boisterous but the big kids were worse than I could possibly have imagined. Whatever beach activity they wanted to pursue they did with me there as if I were the invisible man.

On this particular day they wanted to play football. Naturally this was a game of football that necessitated flying tackles in the shallows that threw up even bigger waves of water until, after a couple of minutes, I was dripping salt water from head to toe.

Then I saw a teenage boy hurl himself in my direction with arm outstretched and I looked around for the ball only to have it land squarely in my lap. The kid actually started to apologize but I tossed the ball back and waved him away. I knew it would take me three or four minutes to uncross my eyes and maybe longer to get my voice back.

I decided then that I was destined not to spend my day in the kid zone. As soon as I was able to walk I picked up my beach chair and trekked back up to the dry sand and the full glare of the sun. The crowds on the beach watched my retreat with knowing eyes. I set my chair down resignedly and joined them.

A few minutes later I watched as another middle aged guy wandered unwittingly into the kid zone and put down his chair. I smiled and made myself comfortable, wondering how long it would take him to fail the zone.

The Pesto Nazi

My wife and I were watching the news on TV the other night when we had a visit from one of our neighbors. She came to deliver the storage jar my wife had given her earlier that contained the pesto we had been making throughout the summer and fall.

It seems my wife had told her that she would not give out anymore pesto unless the jars were returned. This is a fact she tells everyone. This particular neighbor not only brought back the one jar that used to contain the pesto but also brought two others so that my wife would be pleased with her.

This story will make no sense unless I define what pesto is. The base of this popular and zestful food garnish is the basil plant. A few years ago I decided to grow basil in my garden and found that it loved the chemistry of the soil where it was planted. It grew like a weed. In fact, before this time I always thought it was a weed.

When the glossy green leaves grow big as a tablespoon I pick them and bring them to my wife. She then cleans them and shreds them in our food processor with fresh garlic, pepper, and Pecorino Romano cheese. After this treatment it looks like the mulch I produce with my lawnmower. My wife

27

then adds extra extra virgin olive oil and pine nuts. Before this time I never knew what a pine nut was. Today I know they cost over $8.00 for a small bag. I once suggested that my wife substitute walnuts for the pine nuts. She gave me a look that would turn a lesser man to stone.

You can put pesto on everything and anything. You can use it in your sauces, in your baked breads, on fish, and on every type of meat or vegetable. You can use it as a dip with cheese and crackers. It is a great replacement for mayonnaise or mustard. A garden tomato and cheese sandwich with pesto on both sides of the bread is to die for.

You can even use it as a dip for cooked red meat, fish or chicken. This mixture of fresh herbs and spices makes everything taste simply remarkable.

You can't buy this at any store. They do sell it and call it pesto but it never has the same taste as my wife's pesto. The store's brand usually uses some sort of vegetable oil combination and substitutes walnuts or peanuts for the pine nuts. This pseudo pesto also uses Parmesan cheese instead of the Romano. To buy pesto at a store is like watching a pick up game of softball instead of going to Fenway Park.

Not everyone likes pesto. My brother-in-law told my wife that he couldn't eat anything made from basil. Considering he weighs close to 250 pounds and has a cholesterol number equal to the national debt it is no wonder. But, his wife loves the stuff. We had them over the other night and he again reiterated that he hated the smell of pesto. My wife then looked at him and exclaimed, "no more pesto for you!" I understand that this sounds like an old Seinfeld episode but the facts remain the facts. Ever since that night his wife has been apologizing for her husband's impropriety. You see she loves the taste of pesto. But, like her husband there will be no more pesto for her.

All the other members of my family adore the stuff. Many have come over our house to bring my wife pleasant tasting desserts, bunches of flowers or pretty house plants. It is like they are offering some sort of tribute so they can receive more pesto. I would call it bribery but I don't say anything because I like the desserts.

This summer season has produced a bumper crop of basil. I am beginning to think of it as a basil tree instead of a plant. My wife and I have produced more than 40 pint jars of pesto. In fact, we had to buy a freezer so we could store them all. We have given away many. These people tell my wife how her creation made all their foods taste like they were prepared by the finest of chefs. Some have even called my wife the queen of pesto.

At a football party the other day another one of my brothers-in-law made the mistake of telling my wife that he was getting a bit tired of pesto. Behind him I saw his wife's face turn deathly white as she looked at my wife and realized – no more pesto for them.

30

The Secret

I learned a long time ago that life is fickle.

One minute everything is going along splendidly and the next minute your whole life has been turned upside down by something you did that was unbelievably stupid because you're a guy and you don't know anything.

I was minding my own business at home the other day when my wife told me my daughter's boyfriend was on the 'phone. I didn't think anything odd about it except that he had never asked to speak to me on the 'phone before. I took the 'phone and said hi and he said hi and how was I doing? I told him I was doing fine and I thought how he has never addressed me by name, any name, he usually just starts talking as if he doesn't know what to call me.

He then paused and there was a long silence as I waited for him to tell me what it was he was calling about and my alarm indicator started to flash brilliant red.

My daughter is living in Boston now, she has been on her own for some time but she is still my daughter and my wife and I are condemned to worry about her for the rest of our lives.

He then told me he wanted to ask if it was alright for him to marry my daughter. For a minute I had no idea how to respond. So, I asked him if he preferred a cow over a pig for a dowry? I have absolutely no idea why I said that but the immediate effect was for my wife to smack me over the back of the head.

I immediately gave my wife the phone and she continued the conversation, during which she put her hand over the mouthpiece and told me I should have acted more excited.

But, I couldn't act excited because I was in shock.

I want to make something clear here. I like the guy. He works hard and he treats my daughter well. But, that doesn't mean I can't go into shock when he says he wants to marry my daughter..

As my wife continued the conversation, this time with my daughter, I started to feel guilty. I knew I should have shown some enthusiasm. I decided to make it up to them by going to my office upstairs to e-mail everybody in my address book that my daughter was now engaged. My address book covers two continents and has more than 200 names in it and I knew that by doing this I would show everyone in the world how happy I was with my daughter's engagement.

This did not take long because modern technology allows one to communicate with the whole world in an instant. I then went back to my wife to tell her and my daughter the good news.

As my wife saw me coming back downstairs she looked up from the 'phone again and told me not to tell anybody about the engagement because it was still a secret.

I knew I had a limited number of options as I stood there on the stairs with my mouth open: I could tell my wife I had just told the whole world, which would be like asking her to hit me over the head with a frying pan, which she has so far managed not to do in our marriage, or:

I could dive off the stairs, break both my legs and maybe win the sympathy of my wife and daughter, or: I could looked confused and ask my wife who she was and what was she doing in my house?

Many things flashed through my mind in those few seconds, none of which were good. So, I took the man's way out. I decided not to say anything. I knew my wife and daughter would find out sooner or later but right then later appealed to me a whole lot more than sooner.

For the next few hours I was obliged to sit on the couch with my wife and watch every wedding show on television, all the time, waiting for the 'phone to ring with my death sentence in the form of some excited relative or friend offering their excited congratulations to the mother of the bride to be.

Cable television is a truly wonderful invention. At any one time there are half a dozen cooking shows, fashion shows, catering shows, and, of course, wedding shows. My wife, being an expert in the art of changing channels, was able to view them all.

Once, during the afternoon, my wife asked if I was alright because I was sweating.

I told her I might be catching a cold.

Then the inevitable happened. My daughter called back and told my wife I had e-mailed the entire known universe with the news. A terrible silence filled the room.

"Honey, look at this wedding gown here," I said, staring at the TV screen.

"It's really beautiful and really, really expensive but I think maybe we could afford…"

"How could you?" my wife stopped me in a voice that has been known to freeze birds in flight.

Trapped in a room with no exit except past my wife I had to tell her the truth - I was so excited at the news that I had e-mailed the known world before I knew it was a secret. Unfortunately for me my wife and daughter are both women and this did not work.

I got on the phone with my daughter and the first thing I noticed was even the handset felt cold.

"How could you?" my daughter asked.

"Hey," I said, trying to get her to see the humor in it, "it was really quite easy…"

A week has passed since then and my wife and daughter have started talking to me again. I'm also still watching a lot of wedding shows on TV. I think I might even be allowed to attend my daughter's wedding if I promise to stand at the back and keep my mouth shut.

Sticky fingers

"You are the biggest pig I've ever known."

My wife's voice jerked my head out of the quart of Chunky Monkey I was demolishing in front of the refrigerator.

I had only meant to grab a quick spoonful but you know what they say – bet you can't just eat one. What was also amazing was that my wife was downstairs in the basement and couldn't even see me, or so I thought.

"Everything you wear is stained the first time you wear it," her voice sounded up the stairs, "I am sick and tired of buying you new clothes knowing they'll be ruined before their first wash."

I was unable to answer in my own defense because I had a huge spoonful of ice cream in my mouth. For an instant I pictured myself standing naked in front of the refrigerator eating ice cream and didn't see how my wife would approve of that as an alternative.

Then I noticed I was drizzling ice cream off the spoon and down onto the nice new tan shirt my wife had just bought me and I knew I was doomed.

I have to confess; I have had a problem with stains all my life. My mother used to yell at me when I was a kid because stains used to seek me out and stick to me no matter here I tried to hide. I remember coming home from school many an afternoon only to have my mother rip my shirt off and throw it in the washer because of some kind of stain. She did it with such ferocity I wondered if she'd spotted some kind of lethal bug on me and was just trying to save my life.

Sometimes I never made it into the house. She would see me coming up the steps and rush outside and rip the shirt off of me while I was still in the front yard. Once she ripped my shirt off and then my pants and it was mightily embarrassing to have my friends see me standing outside my house in my underwear. I dreaded what would happen if she saw a stain on those too.

Now it is my wife's turn to suffer through the "pigpen" disorder that has plagued me most of my life. They say every man marries his mother and now I am inclined to believe it.

There are times when this disorder of mine complicates life more than it should. Going out to dinner with friends at an expensive restaurant is something ordinary people enjoy but for my wife and myself it is a time of high anxiety as we both sit there wondering how long it will be before I manage to get half of what is on my plate down my front.

Which is why I always stick to a plan when we go out for dinner. First of all I never order anything that is easily spilt. Soups, appetizers with sauce and anything that sizzles I stay away from. Baked goods and foods served without sauces or gravies are what I look for. I am still not sure why because, no matter what I order, a good portion of it is destined to end up on my lap or decorating my shirt and tie.

Sometimes I even manage to get other peoples' food spilled on me.

I once dropped a piece of bread while reaching for the butter. Trying not to let the bread land on my pants I pushed my chair sharply out from under the table and opened my legs and watched with satisfaction as the bread tumbled harmlessly to the floor. Unfortunately I hit a waiter who was carrying a tray filled with desserts behind me that he promptly spilled down the back of my beautiful new suede jacket.

I didn't have to pay for the bread but I did have to pay for the order of strawberry shortcake and chocolate fudge sundae for the next table - and the dry cleaner was never able to get the stains out of the jacket.

There have been other times when I have absolutely no idea how I managed to stain my clothes. The other day I cleared my driveway and spent the whole time working in a thick white blanket of snow, yet the minute I went back into the house my wife yelled at me because I had a big black stain on the front of my shirt. I have no idea what could have caused it except to wonder if I'm one of those Americans who have grown up in such a polluted world that I now secrete W40 from my sweat glands.

If ever I wear a new pair of pajamas and lie on the couch for just five minutes, without a doubt, and without touching any food or drink, I will get up with some kind of stain down my front. My wife asks me what I was doing and I swear I was just lying there, minding my own business watching television, and she shakes her head in absolute disbelief.

I have begun to believe there is some kid of invisible doo-doo bird that follows me everywhere I go.

If staining my clothes were my only problem I probably would have an easier life, but I also have a tendency to stain everything around me.

The other day I went out into the garage to get the newspaper. I was careful only to touch the doorknob because I knew that if oil-exuding fingers ever touched the door itself it would leave a stain that could only be removed by steel wool and a new coat of paint.

When I came back into the house I found myself face to face with one very angry woman. All I could do was raise my ands and say: "What?"

She then pointed to the door. It looked like a crime scene in which an army of detectives had dusted the trim leaving five or six clearly marked fingerprints. All I could do was stare at my hands and wonder how they got away from me when I was in the garage to leave all those marks around the doorway. I also wondered if maybe this was something I should be talking about to an investigator of paranormal activity – or Stephen King.

Sometimes I wish I was one of those politicians who wears a Teflon suit that repels all stains, some kind of stray that does not allow grease or grime to become attached to my clothes or person.

But, as I tell my wife, at least she never has to ask where I've been. She can always follow the trail.

The Fuss Over Floss

One of my two most favorite months in the year is upon us. July marks the beginning of my first full month off away from school. The beaches are full of sun-loving tourists and the pale white of my skin has become a deep brown, hiding the few extra pounds put on by too much barbecue and beer. December is my second favorite month because of the Christmas season and the newness of the first snowfall. I do love these months. But, these months also represent a dark side of my life. The six month dental checkup.

I should thank my wife for forcing me to go through with this torture. If it wasn't for her I would have been gumming my food years ago. She sets up the appointment with her dentist who, by the way, is also her friend. I can't even lie my way out of it. So, this July, like every other July, arrived in all it's glory and off to the dentist I went.

I am always a nervous wreck when I go to the dentist. I shower before I go and wear my summer best. I brush my teeth four times longer than normal hoping that the last six months of brushing every now and then could be brushed away. On this particular July morning I was a bit late. For this reason I wore my beach sneakers instead of the new ones I planned to wear when I got back to school. This was a big mistake because if you have ever been in the close proximity of sneakers that have spent most of their time in the Atlantic Ocean, you would know what I mean.

I arrived at the dentist office in time, which was very important, because my wife was also a good friend of the receptionist. I checked in and sat down. I was careful not to sit near anyone in the waiting room. I thought I was going to get away with this until a young girl playing with the toys in the corner asked her mother what that smell was. I put the vintage copy of Time Magazine nearer to my face and tried to hide between Clinton and Monica Lewinsky.

Thankfully my turn arrived to enter the room where my teeth would be X-rayed and cleaned. The young woman who has cleaned my teeth for the past six years was smiling and asked if I needed to take a Valium this time. It is embarrassing when one is known too well. I told her no and sat down in my idea of a lounge chair made in hell. I immediately apologized for the sneakers I was wearing and was careful to keep them off the foot rest. She said she didn't mind and immediately put on her mask and shield. I never remembered the clip on her nose from previous visits.

First she took pictures of my teeth. To do this she had to put razor sharp pieces of plastic between my gums and cheeks. I bit down like I was told to do. Maybe the Valium wasn't too bad an idea. Next she told me to hold onto the wet vacuum pump so I could suck out the water as she cleaned my teeth with the sonar water pick.

As she cleaned my teeth my imagination had this pleasant and efficient young dental hygienist evolve into a leather clad dominatrix who used her spiked heels to poke holes in my gums. This procedure wouldn't have taken so long had it not been for the fact that I had to breathe. My mouth filled with water to the point that the vacuum pump lost its capacity to drain the water out before it ran down into my lungs. Finally the agony was over.

Now that the dental hygienist had become a pleasant young woman again she asked me to wait until the dentist came in to see me. This used to scare me. For the past five or six years I was told that my teeth were fine and all I had to do was take care of my teeth by brushing. But, this time she came in smiling. She told me that my gums were starting to recede and that it was necessary that I start to floss every day or I would need dental surgery. She also told me that I should get my wisdom teeth out. I told her that I would think about it. Probably a decade or so after I died and was cremated.

I realized the worst was over and I signed what I was supposed to sign. The receptionist told me she made my December appointment and she would tell my wife about it because I would most likely forget. I agreed and left. On the way back to my car I noticed that I forgot the little reminder card they always gave me. I turned around to go back and get it but changed my mind when I saw they were spraying something in the waiting room.

That night I remembered what the dentist told me about how important it was for me to floss my teeth. The concept of dental surgery also terrified me. My wife has never missed an evening without flossing. She gave me a new type of floss that was supposed to taste like a strawberry shake. It was fibrous and spongy. I decided to give it a try. Maybe modern day flossing wasn't so bad after all. The first piece I put in my mouth broke between my teeth. I think it actually exploded. The floss tasted like a cardboard picture of a strawberry shake. I looked at my wife and she was astonished that I had my first piece of floss now dangling down my chin. She then gave me a piece of normal floss to get the first piece of floss out.

I could not understand how anybody could manipulate their fingers to guide a piece of string between the back molars. My fingers did not fit. In fact, I couldn't even find the space between my teeth. I must have worked on the same two teeth for 10 minutes. My wife started to laugh because she said she had never seen anybody sweat from flossing his teeth before. As hard as I tried I just could not do it. I finally dropped the floss and gave up. It was too late. I already had two or three strands of mangled floss stuck between my teeth. Maybe bleeding gums were not that bad after all.

My wife was now in hysterics. I gave her a sneer and walked away. I now began to wonder if flossing wasn't some sort of a dentist's joke on their patients. I also wondered what my dentist would say if she saw me digging out the dental floss with a steak knife.

The Fantastic Voyage

The current President of the United States and myself have a lot in common.

It seems we have both been made the butt of a national joke.

I guess our wives must watch the same TV shows or read the same women's magazines. Ever since Katie Couric's husband died of colon cancer my wife has been nagging me to have a colonoscopy.

It seems to have taken hold of the national psyche as an essential medical procedure more common than the traditional appendectomy or the extraction of wisdom teeth. I guess now the President has had one everybody will want one.

This particular test is most popular with those of us who have made it over the 50-year hump. It also is said to have the capacity to allow one to drop a pound or two.

My wife started to plague me about taking the test right after my 50th birthday. She kept on telling me that I needed a 50,000-mile checkup. I took this as a compliment because I figured she wanted to keep me around for a few more miles. I tried to put it off by scheduling as many other tests as possible but eventually I was confronted with the inevitable. Earlier this summer I was scheduled to meet with the doctor who was to perform the task.

I went through all the preliminary questions about my health and insurance and, as usual, the questions about my insurance were longer and more involved than the questions about my medical history. Apparently my credit history checked out because I finally made it to the last desk where I was to make my appointment. I was confident that the procedure would be scheduled well into the next decade but to my absolute horror I was told they could fit me in the Friday after next.

The ensuing two weeks had to be the longest I had ever endured. It seemed like everything I did reminded me of what I had in sore, and every time I drove by a Dunkin' Donuts I had to avert my eyes. It also seemed like everybody I talked to had a story about how the test went wrong for them because of a twisted this or a bent that.

I began looking for an excuse to back out until my wife reminded me that she had gone through it for me and why shouldn't I do the same for her? Being the old romantic that I am I was doomed.

I was advised by all of my friends to be careful of the preparatory potion they would give me to drink and not to eat much the day before the test. I responded by eating more than at any time since I was a fat 10 year old hoping to be the new offensive tackle for the Pop Warner Football Team. I guess it was nerves or the idea that the more I put in the easier it would be to take it all out.

And take it out I did. The morning before the procedure I had to drink the foulest tasting potion I can ever remember drinking. I tried mixing it with ginger-ale but I think masking it completely would have taken something a lot stronger – like a quart of Wild Turkey.

Still, it did what it was supposed to do and I spent some serious time reacquainting myself with the wallpaper in our bathroom. Three hours later I had to drink the same awful potion again and I don't know what was in this stuff – it felt like a mild type of plastic explosive – but I swear it removed every residual particle of food that might have been left in my system since my 10th birthday.

My wife drove me to the hospital for two very good reasons; (1) because I was not supposed to drive and (2) she wanted to make sure I went through with it instead of hiding in a sports bar somewhere.

When I checked in at the reception room I felt like everybody in the waiting room was staring at me. I wondered; did they know why I was there? Did I look as terrified as I felt? Or was it the cold sweat dripping from my forehead?

I found a seat away in a corner and hoped the dozen or so people waiting there were scheduled to have their procedure first. I was also hoping the hospital might just run out of time and have to reschedule me.

I picked up some obscure nature magazine and leafed through the pages without taking in a single word. About a minute later a nurse appeared and uttered the awful words: "Mr. Fabiano, we are ready for you."

I looked around hopefully to see if there was another Mr. Fabiano in the room, some long lost relative I could flash a sympathetic smile – but there wasn't.

The nurse stared at me and repeated my name.

"Yes", I answered staring back blankly.

I didn't get up or anything, I just sat there and said, "yes" as if I had no idea what she wanted. I don't know how long I sat there, whether it was a few seconds or a few minutes but I guess it was long enough for everybody in the room to turn their attention to me too.

"We're ready for you," she repeated gently.

"Yes," I said.

But, still I wouldn't move. I felt a sudden sharp dig in the ribs from my wife.

"Get up," she whispered.

"Oh," I said numbly, as if I'd just realized I would have to stand up and physically go with the nurse. But, I knew what I was doing. I knew that as long as I sat in that chair there was nothing they could do to hurt me.

Somehow I got to my feet and followed her, like a duckling follows its mother, but feeling like it was the most unnatural thing in the world to be going off with somebody to let them do what they were going to do to me.

The nurse was wonderful. She knew I was on the verge of panic and she told me in a nice soothing voice that I had nothing to worry about and that it would be over before I knew it. All I knew at the time was that it wasn't over. She also told me that it wouldn't hurt at all. I resisted the temptation to tell her that I failed to see how having a television camera pushed up one's butt would be over before I knew it. I then asked about the drugs.

She told me that I could go one of two ways. I could take a Valium to relax me and I could follow the entire procedure on TV or I could have something "a little stronger."

I must have given her some sort of a signal because I didn't have time to answer before she said: "Demerol."

A few minutes later the doctor arrived and asked me how I was and I asked him if he was kidding. He then told me that I must have been upset that Italy lost in the World Cup and again I asked him if he was kidding.

The procedure started soon after and I found myself having a conversation with the nurse who now held my hand. Not knowing the proper etiquette for making small talk with a stranger while another stranger inserts a camera into one's posterior I started out by telling her I had recently seen Andrea Boccilli at the Fleet Center. She asked how I enjoyed it. I told her better than I was enjoying this particular experience. At that point I think the doctor made it around the first corner.

As the nurse attempted unsuccessfully to distract me with meaningless conversation I could hear the doctor mumbling to himself with ever little

45

twist and turn. I told him I didn't mind him mumbling as long as I didn't hear 'oops' or 'oh-ohhh' or 'Oh my God.'

There was a sudden twinge as he made it around the second corner. I found myself wondering how long the human colon was. It felt like it was as long and as twisty as the Big Dig and it was having fiber optic cable installed within its entire length.

The nurse asked me what I did for a living. I told her I was a teacher. She then asked me if I wanted a tape of the procedure to show my students.

That distracted me for a moment.

I thought about the first day of school and how I could take my new students on a guided tour of my colon. I could imagine the excited accounts they would take home to their parents. 'Guess what our new science teacher showed us today?'

I told her I didn't think I would be able to make use of the tape.

At last the doctor made it around the final corner and asked if I would like to take a look at the screen. Against my better judgment I glanced quickly at the monitor and, for the first time in my life, saw the inside of my large intestine. My only impression was that the cleansing potion they gave me sure did a good job. Other that that, it was not a part of my anatomy I had any great desire to see so I went back to my weird conversation with the nurse.

She asked how I was doing and I said okay, but I compared this okay with being run over by a large truck.

Then, it was over. Not exactly before I knew it but not as bad as my worst fears, which envisioned road crews working long into the night.

The nurse asked me if I wanted to lie there a bit longer to regain some composure. I thought that was very nice considering what we had just been through together. I unclenched my sweaty palm from hers and told her not to take it personally but I would much rather leave the premises as soon as possible and never see any of them again as long as I lived.

After I had dressed the doctor reappeared and told me all was fine and I shouldn't have to go through another one of these for at least a decade.

Only a decade, I thought.

That night I slept the sleep of a deeply relieved man and woke up relaxed and refreshed the next day. I went eagerly to the bathroom and stepped on the scale to see how much weight I had lost. I guess there had to be a final insult. I had gained a whole pound.

Signs

"What is a lapel?"

For a minute I couldn't believe my ears.

I had asked the young store clerk for a lapel button and she had no idea what a lapel was.

If there ever is a sign of growing old it is discovering that words and meanings and symbols we have used all our lives are now unknown to the generation that will soon replace us.

My wife and I were in the Fox Run Mall looking for small lapel pins in the form of a peace symbol. I thought they might make a neat Christmas gift as we headed into the season of peace on earth and goodwill to all men. As I searched my wife trailed exasperatedly after me reminding me that, once again, I was living in the past.

How right she was. There was not one peace symbol to be found in the entire mall. To my surprise the symbol that was so popular during the era of the Vietnam War and all through the Cold War years, no longer existed. No necklaces, badges, buttons, pins or posters of any description. I guess the idea of peace is obsolete.

My two-hour sojourn through the mall started me thinking about other signs and symbols that used to be important parts of our lives but have since disappeared to become the subjects of retro-magazines and TV shows and stories related by gassy old men to their grandchildren.

The first symbol that came to mind, especially during the holiday season, was The Salvation Army bucket and bell that used to be in front of all the major grocery stores and shops at Christmas. The bell ringers with their pots still exist but they were told they could only set up inside the malls and on street corners. They are no longer allowed in front of the larger stores because people complained that they were annoying. I have a hard time imagining an organization like The Salvation Army annoying anybody but apparently they got in the way of shoppers who couldn't think of anything more important in the whole world than buying more stuff to take home with all their other stuff. I assume the Christmas carolers are also gone because they annoyed somebody.

Gone are those little UNICEF cans that, as a child, I used to bring with me when I went out trick or treating during Halloween night. We used to bring the pennies and nickels we collected to school the next day. The kids in the class would then count what they collected and give it to the teacher whom we knew would send it to wherever it was supposed to go. I always felt a warm kind of happiness during this particular exercise. I wish I felt the same way now when I send out my annual check to The United Way Fund.

The old F. W. Woolworth sign is something I thought would never go away. Its rectangular shape and gold letters with red background always reminded me of something solid and permanent. I hated the store but its sign was something that brought a sense of security. During these troubled times I wish we had some sort of sign that inspired the same feeling but stores like Bradlees, Mammoth Mart and Ames put Woolworth's out of business and they never stuck around long enough to impart quite the same feelings of permanence because they were put out of business by Wal-Mart. I just wonder what enterprise is around the corner to put Wal-Mart out of business because I'm looking forward to that one.

The Smokey the Bear sign is another one I never thought would go away. All campgrounds and recreation areas that advertised our forest areas always posted a Smokey the Bear sign. Every now and then you see the symbol in a cartoon form on television but it is just not the same as seeing his image on an old rusted sign.

The Texaco Fire Chief sign was another favorite for people like me, who grew up in the 1950's and 1960's. I used to beg my mother and father to buy me one of those red plastic hats every time my father stopped for gas at the neighborhood Texaco station. They did once and it never fit on my oversized head.

Texaco still exists but that red plastic fireman's hat has long since been consigned to its final landfill.

The Lucky Strike advertisement that used to greet us as we checked out our groceries at the local store is long gone. The old Camel sign was also a feature of all check out counters. Not the Joe Camel figure that was created just to get more kids smoking. I am talking about the sign that simply depicted the picture of a camel that conjured up images of faraway places and did nothing to make me want to smoke. Hell, the whole corner grocery store is nothing but a memory.

One of my favorite signs of summer that has all but vanished is the Good Humor ice cream truck that used to cruise up and down the neighborhood as soon as the snow melted from our lawns. It was how I used to tell the changing of the seasons.

The truck was always brilliant white and the man who drove the truck wore a white uniform with a white cap that had on its front a sign that made our mouths water. Ice cream trucks still exist, I know, but they don't seem to have quite the same mystique.

Being an avid fan of the New England Patriots for the past three decades I was irritated when they changed from the "Joe Patriot" insignia on their helmets to today's figurehead, aka 'The Flying Elvis.' They said it made the team look more modern and they did win a championship with their new emblem.

Then, during the Thanksgiving game, the Patriots went retro and brought back Joe and my heart filled with nostalgic pride. It gave me a little bit of hope that maybe another symbol of another time might make a comeback soon because by golly we need it.

Peace

The Septic Tank

Every year at this time when my lawn finally slows down its growth and gardens begin to yield way too many vegetables I remember an annual chore that used to represent the beginning of my fall season. The task of emptying out my septic tank. Since that time I have moved to another home in York that has town sewer. But, every time the air gets that first chill I always remember a time when life offered one of its favorite perpetual glitches.

As I had done every other time over the past two decades I called my septic tank cleaning man. The funny little phrases on the side of his truck always made me chuckle in the knowledge that they made what he did for a living a little more bearable. To my dismay, I found that my septic tank cleaner man had cleaned out his last tank over six months ago. He had gone to man the big pump in the sky.

After feeling a few minutes of sadness, I called the next septic cleaner in the phone book. The secretary told me that there would be no problem. They could send the truck over first thing in the morning. All I had to do was stake the septic tank location, and the engineer (engineer?) would take care of the rest.

"Stake off where my septic tank is?"

My question to the secretary generated a long silence.

"Yes, all you have to do is place a stake over the area of your yard where the septic tank sits."

Not wanting to sound like a total moron, I simply agreed and hung up the phone.

That afternoon I set out to find my septic tank. Being the intelligent individual I always believed myself to be I found the pipe leading out of my cellar to where the tank should be. After looking up the codes I knew that it had to be approximately 10 feet from where the pipe left the foundation.

With measuring tape in hand, I told my wife to keep my coffee warm because finding the septic tank shouldn't take more than a few minutes.

Measuring the distance from the foundation, I proceeded to dig my first hole. I was convinced I'd found the right spot. I even laughed to myself, thinking how panicked I felt when I learned that I had to find my own tank.

Two and half-hours later, I finished digging my 27th hole. A gopher should hope to dig as many holes as I did that afternoon. The holes ranged in depth from four feet to half way to China. I ended up digging a trench around the corner of my house hoping to at least find the pipe that led to the now obviously invisible tank.

I couldn't even find the pipe. Did my septic tank exist? If it did, was it 10 or 12 feet down into the earth? A couple of times I thought I found the tank. As I was lying face down in the dirt with my head stuck in one of my many holes, I could hear my shovel hit something hard. "Yes!" I screamed, thinking that my task was finally complete.

I began to dig furiously, only to find that I had severed another root that led to my soon-to-be-dying blue spruce.

My wife screamed from the top of the porch to see if I was still alive. From her angle, it looked as if I'd died and fallen head first in one of my many holes. Sweat poured over my glasses as I tried to scrape out the dirt, which I prayed covered the lost tank.

After my third hour of digging I decided to surrender and call the man who had originally built my house. Maybe he could remember where the tank was. The conversation I had with him must have seemed strange. He couldn't understand how, after living in the house for over 20 years, I had no idea where the tank was.

It was obvious that he had to view the damage I had done to my yard. He agreed to come over to help me find the missing septic tank. Because he was an old, "native Yorker", he wasn't known to do a lot of smiling. After viewing my work, he destroyed that reputation forever.

"You had the right idea," he chuckled, trying not to embarrass me too much, "but you went in the wrong direction.

He then proceeded to push a long pole that he had brought with him into the ground in an opposite direction from the holes I had dug. Within minutes he found the tank, and thanked me for making his weekend.

I can't say for certain, but I thought I heard him roar with laughter as he was backing his truck out of my driveway.

It's been a few years since the search for my septic tank occurred. Now that I have a map in my desk drawer designating its location, I know such events will never occur again. Or did I place the map in one of the kitchen drawers?

The Art of the Return

We stood there staring at each other. I had just told my story to a six foot six, 250 pound Best Buy employee about why I had to return an Andrea Boccelli CD I had bought for a present for Christmas day. He had just told me that any CD that had been opened could not be returned. I explained to him that I was ill advised to purchase the CD because another clerk had told me it was his newest one. In reality it had been his first one. He then asked me why I didn't read the label before I made my purchase? I told him that I do not read Italian.

So there I stood, staring up at one of the largest individuals I have ever been that close to in my life before. After a few seconds I told him that I had purchased well over $10,000.00 at his store. He said he had bought more than that. After a few more seconds of glaring I told him: "This conversation is going nowhere and neither am I until I get my money back."

He stared back at me then sneered as if I wasn't worth any more trouble and proceeded to give me my money back. Once again I had proven that I was a master in the art of the return.

The first item I ever returned was an 8-track tape. Now if this doesn't date me I doubt if anything will. The reason I took it back was that it simply did not work. The sales clerk at the music store asked me if I was using it correctly? I answered him by asking how difficult could it be? The clerk then asked me if I was going to give him a hard time? After a few seconds of feeling bad I remembered that I was the one who was returning and the clerk was the one that was supposed to be helping.

I then pulled off one of the better Jack Lemmon impressions from the movie, "The Out of Towners." Not the re-make, the original. I demanded to see the manager and I also demanded that the clerk tell me his name so I could report him to the manager. My God, it worked. The clerk apologized and from that moment on I knew that I was destined to be a successful returner.

A few years back my wife and I decided to investigate the wonderful world of Yuppies. So, the first thing we did was buy a bread-making machine. Not that we had any massive need for bread but we were told that if you were going to visit Yuppie-land you had to have one. The first one we bought did not work. So, I returned it to the store and replaced it with another. Now this is where the mastery comes in. Because I had been so inconvenienced by the defective product I was able to pick a new machine that was one step up from the original. I did this at no extra charge. God, I realized, I was getting good at this.

I arrived home that time like a victorious soldier of fortune showing off my pillage. I told my wife the story and I know she must have thanked all of the Gods for having such a man as me as her husband. The only problem was the new machine did not work the way it was supposed to either. I discovered this later in the day when I found my wife cleaning up the half cooked bread mix that was scattered across the kitchen counter and the floor. So, for the second time in the same day I was off to return a new bread-maker.

When I got back to the store the same clerk who had returned the first bread-maker greeted me. When I explained my plight she told me she thought it best that I stop bothering them, go back home and read the instructions as to how to successfully make bread. I was shocked! I then remembered what was successful in my first attempt at the art of the return; I asked to see the manager. To my dismay she told me that she was the manager. I went to plan B.

I asked her what the address was of her central office. I didn't plan to do this but I knew that it was important to do something. For how could I possibly go home with this defective machine? She hesitated and because of this I knew that I had broken our stalemate. In the next few minutes she had given me credit on the machine.

One of my favorite returns was after my wife had washed a new set of sheets she had purchased a few weeks earlier. They were expensive and should not have shrunk down to the point of not being able to fit our bed after their first wash. My wife stuffed them into a Shop & Save bag and off to Macy's I drove.

I had to wait in line a few minutes because there were other people in line attempting to return some items they had purchased during the Christmas season. Behind the counter stood an obvious professional in the art of deflecting any attempted returns.

One after one the "anti-clerk" held her ground, convincing each customer who came before her that it was not only foolish and unreasonable to return the useless items they had purchased earlier – they should purchase more useless items in order to make up for wasting her time.

It was then my turn. Before either of us said a word we stared at each other, sizing each other up. Somehow each of us knew we were facing an expert in our chosen field.

She went first.

"Where is the original packaging?"

Good move.

I promptly countered this argument by stating that it was foolish to keep original packaging for a product that was supposed to be "the best."

She was set back for a few seconds and then asked a question I was prepared for.

"Do you have the receipt?"

I leaned over and showed her my answer.

She then hit me with her best shot.

"How could you possibly return something that you already used on your bed?"

I responded: "How could your store possibly sell something that can't survive its first wash?"

The tension became intense. All the other returners had now stopped what they were doing to watch this battle of the giants.

The clerk than hit me with her ultimate retort.

"Of course, you want a merchandize credit."

I knew then I had her, because the original sale was paid for by a credit card.

55

I told her to, "credit the card."

In the background I thought I heard one of the other returners sigh in appreciation. I think there was a smattering of applause.

My wife tells me I should open a business specializing in returning things that other people are too embarrassed to return. She says many people feel uncomfortable returning merchandize. All I would have to do was charge a small percentage of what was returned. I thought to myself that this could possibly work. I even thought of a name. "Returns R Us".

The Movies

Since I have never been a fan of any type of "reality" show on television I decided to buy a 'pay-for-view' movie from our cable company. We chose a light comedy, pushed the appropriate buttons on our remote and waited for some idiotic entertainment that was as divorced from reality as possible.

After a few seconds a notice appeared saying there was some technical difficulty and that we would have to wait for the movie. Needless to say we weren't impressed. But, rather than give up and miss the movie, the two of us sat there on the couch, staring at the screen, hoping the notice would go away and the movie would begin.

As I stared into the glowing letters on the screen my mind drifted back to a time, long, long ago, in a galaxy far, far away, when I had to wait in line at my local movie theatre to see the big movie of the week.

When I was young and living on Long Island in New York movie houses were nothing like they are today. They were grand old buildings that also used to present live theatre shows instead of canned entertainment. The big marquee out front was always brightly lit with clear light bulbs that were replaced as soon as one of them burned out. These lights blinked around a giant white sign with black and red letters that advertised whatever movie spectacular currently was being shown. From reading these marquees I learned to spell words like 'cinemascope,' 'panorama,' and the ever popular, '3-D.'

The line that formed in front of the tiny booth that housed the man or woman who sold the tickets was always long and wound down the side of the theater. The line was nearly always single file and back then nobody ever thought of cutting in or creating any kind of a scene that would attract the attention of the manager because he might refuse them admission to the theatre.

There was a window on the side of my home town movie theatre, The Westbury, that I would always remember. The window was dark and had iron bars in front of it. The bars on the window were bent as if someone had tried to break through them and when I was real small my sisters told me that Superman had bent them when he passed through our small town. After that, every time I passed that window, I dreamed of the day when I would be tall enough to touch the bars that Superman had bent.

The movie theatre lobby wasn't very big and jutted out onto the sidewalk and standing in the middle was the manager, who wore the kind of glamorous black clothes with white shirt and black tie that told me he was very rich.

After buying a ticket I would follow the crowd down a hallway that showed posters of the movies that would be playing there in the coming weeks. I always liked looking at these because they were so big and colorful and the actors and actresses in them looked so perfect. I even liked the horror movie posters even though they usually brought on nightmares. In my dreams the monster was chasing me instead of the actor in the poster. I loved being scared by them. My father used to tell me the posters were generally scarier than the movies they advertised. My father was always right.

Reaching the snack bar was like entering another world. There was a labyrinth of shiny silver bars and red velvet cords you had to negotiate to reach the popcorn and candy. My favorite candy was Raisinettes but every now and then I would buy a box of pink and white Good 'n Plenty because even though I hated the taste of licorice I loved the way my mouth would be glued together and my teeth and my tongue would turn black. This childhood habit probably started me out on my lifetime of grinding my teeth.

I remember the floor was always protected by a thick sheet of glass and the area of the snack bar was filled with the aroma of hot buttered popcorn and hot dogs. My sister once told me that the silver bars and velvet ropes had to be set up because a few years earlier there had been such a rush to get to snack counter that the little kids in front were trampled to death. I didn't think those velvet ropes could do much to hold back a stampeding crowd of ravenous movie lovers but I believed everything my sister said and I would never go to the snack bar by myself during intermission in case I got trampled to death.

When I finally reached the auditorium I remember I would look around in awe at the red and gold surroundings, the plush scarlet drapes and the gold cupids and cherubim holding swords and laurel branches. I hadn't a clue what those cupids and cherubim were supposed to be doing with those swords and laurel branches but they sure looked classy.

I always sat as close to the middle of the theatre as I could, facing those vast red curtains knowing they would open soon to reveal huge people doing glamorous and exciting things on a huge screen.

I remember looking around at the balconies, some of which were so close to the screen it seemed the occupants could reach out and touch it. Except there never were any occupants. All through my childhood I never once saw any people sitting in those balconies. I assumed they must have been reserved for visiting celebrities. I wondered if Superman ever sat in one of those balconies.

Over our heads was a large balcony that my parents said I was not allowed to visit until I was at least 12 years old. Some of my friends snuck up there once during the movie to see what was going on and when they came back they said most of the people weren't watching the movie at all but seemed more interested in each other and I thought what a waste of money.

Before the movie could begin the lights would go out. They didn't dim slowly because dimmers hadn't been invented yet, they just went out and for a few seconds you sat there in pitch blackness while people around you shuffled and giggled in the dark.

Then the screen would light up and bathe the auditorium with an eerie luminescence that lit up all the silent, upturned faces around me. First would be the coming attractions and I soon learned that these were always more exciting than the move when you saw it. After the trailers there would be my favorite commercials; a hot dog flipping into a bun followed by a parade of baton twirling ice cream bars. The music, whatever it was, was deafening and of a type I only ever heard in move theatres, most of it from obscure marches I think.

I remember the screen was always lined and pitted with funny marks and splotches that made these commercials look very old and made me feel very young and new by comparison.

The movie, whatever it was, would keep me interested for the first 10 minutes but then I would invariably drift off into the world of my own imagination as the plot or the actors on the big screen failed to hold my attention. Often the movies I made in my head were far more exciting, Sometimes I just fell asleep and would be nudged awake by a sharp elbow from my sister. Then, groggily, I would pick my way through the mountains of discarded popcorn boxes, candy wrappers and soda cups that clogged the aisles. I would always carry my popcorn box outside and put it in the near empty trash can because that was what I was taught to do.

My wife's sharp elbow prodded me back to the present and the unchanging words on the TV screen and the two of us exchanged the same look. Whatever the movie was we were waiting for probably wasn't going to be worth the wait so we shut off the TV, turned off the lights and did the smart thing. We went to bed and had a good night's sleep.

How to eat Italian

I always make the same mistake.

Coming from an Italian family I should know better, but once again I decided to wear a white shirt on the day we invited our friends over for an Italian banquet.

For once my wife didn't notice either, but there she was in the process of creating the entire feast. Our friends arrived early in the afternoon. The first thing I did was open a nice bottle of Banfi Chianti. Under normal circumstances this would have been an easy task.

For non-Italians I have to explain that a bottle of Chianti is always wrapped in a wicker basket. The basket is held to the bottle by two small bands of wicker. When one opens the bottle one should never hold the bottle by the wicker but by the stem of the bottle. After I cleaned up the mess I correctly opened up the second bottle of Chianti.

Then we sat down for the first course of a truly exceptional meal. The first course consisted of a wonderful antipasto. As I took my place at the table I noticed we were using cloth napkins instead of the more practical paper napkins. I also noticed that the dining room table was entirely concealed beneath a tablecloth. In all honesty even paper napkins are too fussy for me, a folded paper towel would have done the trick. But, there was this exquisitely ironed and folded green cloth napkin next to a plate that was now filled with a wonderful mixture of Romaine lettuce, meats and cheeses, black and green olives, and other items that I know taste great but even though I am Italian I have no idea what they are.

My next mistake was to try and impress everybody by using a fork to put an olive in my mouth. As soon as it came within an inch of my lips the olive succumbed to forces of gravity, bounced off my lap and rolled to within an inch of my wife's foot. It was hard to conceal because everybody heard it bounce off the floor. Deb took it away, muttering under her breath.

The rest of the antipasto I captured cleanly with my fork and got into my mouth. Except for the salami. Like the olive it was very slippery but unlike the olive it did not roll on the floor. It simply stuck to the floor. I attempted to peel it off without anyone noticing but after the olive incident everybody was watching me.

The salad was finally done and, I am proud to report, I did not have to use my napkin once. My wife then served a large bowl of spaghetti covered with an incredibly rich sauce made from scratch. This sauce wasn't just any spaghetti sauce, it was the Michelangelo of sauce, filled with meatballs, sausages, pork, and something called brijole. Brijole is a type of steak hammered into fine sheets then spiced and rolled into small tubes. A string holds the tubes of meat together.

I contemplated it eagerly, before digging in; a huge and luscious serving of fine Italian cuisine. Somebody then passed me a piece of Italian bread. As even non-Italians know, you can't eat Italian without plenty of bread to soak up the sauce.

This was typical Italian bread, soft, warm and delectable on the inside but a crust that can cut your gums like a razor.

I broke it open with an expert flourish, intending to deposit all the crumbs neatly on my plate - and succeeded. I then buttered the soft and fluffy inside, folded it over and dropped it face down on my pants. With me there is never a 50-50 chance that the buttered side will land face up.

I resisted the temptation to grab my clean new napkin. No, I was not going to be the first to soil its pristine perfection. I then realized that neither my wife nor our guests had noticed because they were too preoccupied now with the food. So, I decided to leave the mess on my lap and figure out how to dispose of it later on in the meal.

I then turned my attention to the main event, determined not to wear anymore of my wife's wonderful meal. The meatballs were not a problem. All I had to do was cut them in half, spear them with a fork and pop them in my mouth. I was doing well until I accidentally knocked one of the halves off my plate and onto the tablecloth. I caught my wife's warning glance and smiled reassuringly back. Hey, at least I had missed my napkin.

The sausages were a bit more difficult to cut without sliding them around my plate and spilling yet more sauce onto the tablecloth. My side of the table was now starting to look as though I had no plate under the food.

But, the mood of the dinner party was happy and light and, one by one, I had my guests pass me the salt, pepper, cheese and oil so I could surround my plate with all these condiments in order to conceal the mess I had made.

The brijole was my favorite part of the meal. It was compact enough for me to spear with a fork and put in my mouth without leaving any spillage

behind. The only problem was that I forgot to take off the string that held it together.

Once I had it in my mouth I didn't think it would be polite to take it out again and untie it so I kept on chewing and smiling, like a cow blissfully chewing the cud. I didn't mind in the least because the string was so impregnated with sauce that it really tasted very good. I also thought of secreting the well chewed string into my napkin but opted to swallow it instead. My napkin remained clean.

The spaghetti was easily the greatest challenge of the afternoon. I've had some experience at this and I really thought I could masterfully use the spoon to roll the spaghetti onto my fork and then transfer it neatly into my mouth. As I was attempting to do this I noticed that all conversation around the table had quieted down and I had become the center of attraction.

I smiled around at all of them as they watched a master at work and I continued to roll the fork deftly in my hand, convinced that I must have one very long strand of spaghetti on my plate because the rolling seemed to take forever.

After a few minutes more my wrist began to tire and I decided to put whatever I had accumulated into my mouth only to see that I had created a tightly rolled ball of spaghetti the size of a basketball. Undaunted I sucked at the loose strand, intending to bite off a small piece but sucked a little too hard so the spaghetti snapped loose like a tugboat line, wrapped itself tightly around my head and sprayed the table widely with tomato sauce and flecks of sausage meat.

I looked around at our stunned, food spattered guests and my eyes came to rest on my wife who now had a streak of tomato sauce running diagonally across her face from top to bottom.

Discreetly, I offered her my unsoiled napkin.

The big drawer

Every home has a big drawer.

It may be in the bedroom, the basement or the kitchen. It may be in the form of a closet or an old dresser or drawers in the garage, but everybody has a place they put stuff for which they have no further use but which they can't bring themselves to throw out.

The other day my wife decided to do some winter cleaning, which meant I would be doing some winter cleaning. Since there was three feet of snow on the ground and the outside temperature was similar to the outer reaches of Siberia I thought her timing was good. I was given the job of cleaning out one of the larger drawers in our kitchen.

It was like looking into the last 25 years of my life.

The first thing I did was pull out six or seven telephone books pushed to the back of the drawer. The books were long out of date but what interested me were the lists of phone numbers written on the back pages, all of them quite important to me at different times in my life. Some were for friends who had moved on and whom I hadn't seen in decades. I found myself wondering what had happened to them, where had they gone, what were they doing, what did they look like now, did they look younger than me?

There were also phone numbers for pizza parlors, doctors, dentists and even lawyers we had needed in the past, for reasons I could no longer remember. Except for the pizza parlors. But past was the key word here and into the large green garbage bag they went.

Getting rid of those old phone books was like breaking down a brick wall and discovering a time capsule buried long ago. I uncovered a pile of stuff I had long since forgotten. I pulled out menus from restaurants that have since been turned into banks or shopping malls. One was from the Spice of Life, a restaurant that once stood where Fleet Bank now stands in York Village.

Looking at its menu brought back memories of many a great evening spent there with good food and entertainment. I remember the building as very old but clean and run by a Greek gentleman whose name I couldn't remember but whose food was very popular with the then small population of York.

Other menus were from the many restaurants that tried to survive in the building that sits where Route 91 meets Route 1, now occupied by The Mandarin Inn.

When I first moved to York there was a restaurant there with an orange roof I believe was called, The Yorkway. What I do remember is that the food was great and it included meatloaf and roast beef dinners. There was also an excellent macaroni and cheese dinner that came in a casserole dish topped with spiced breadcrumbs. My favorite side dish though was the mashed potatoes drowned in real butter. I remembered the food and the prices, which were perfect because they fit easily into the budgets of young families like ours trying to survive.

After pulling out the menus I found old black plastic cassette tapes of music by people I am embarrassed to think I liked back then. They must have been left there by somebody else. Or maybe that's why I put them there in the first place. There were also instruction manuals for appliances long since consigned to the landfill. I even found a temperature probe that went with some kind of new fangled cooking device that had long since passed into history. There were cookbooks filled with the latest cooking crazes, like 'The Art of Cooking With Margarine.'

There was also an entire book about how to make different kinds of fondue.

Remember fondue?

Do you know where your fondue set is today?

Digging deeper I found seven pairs of scissors, two of which were in perfect working order. I also found a pair of shoe laces still packed in their original wrapping. The plastic on the package had yellowed to the point that I couldn't see the color of the laces. After I opened the package I understood why they were never used. Even 30 years ago I must have thought there were few places I should be seen wearing yellow and pink checked shoe laces.

I found an old pocket address book that had the date embossed in faded gold lettering in the bottom right hand corner. It was from the year 1980. After I flipped through the pages I noticed that it was empty. I guess I didn't have much of a social life back in 1980.

I found old birthday cards, some received and some from me to other people but never sent. Some of the names were a complete mystery to me.

There was even a Christmas card with a picture of a young family who had long since moved away. Figuring out the date of the card I realized the baby in the picture would be in her third year of college about now.

Some of the items I discovered had long since been compressed into tight little wads at the bottom of the drawer, like old receipts if we needed to return something. One was for a toaster oven and another for a knife sharpener that had a lifetime warranty promising to keep all of our knives sharp forever.

I guess they must have brought out the lifetime knife sharpener just a few years ahead of knives that never needed sharpening. I still have no clue where the knife sharpener would be.

I dug out old batteries that were manufactured before a battery had to have an expiration date, an extension cord that once was white but which had aged into a yellowed wire with a now obsolete two prong head, a bag of dry cleaning cloths that had become chemically bound to their plastic wrapper, felt guards the size of pennies that could never have protected anything, and some round wooden things that must never have had any use because they had been put away new.

I then realized I had filled the large plastic garbage bag to its capacity. Looking back at the drawer I was amazed to see that the bag was at least six times bigger than the drawer. Being a science teacher I wondered if I had just proven the Law of the Conservation of Matter wrong.

After throwing away the old telephone cords, some broken Christmas lights and those mysterious round wooden things the drawer was finally empty. Looking at it I realized I was no longer looking at my past, I was looking at my future. A future that would be filled gradually with other unneeded and obscure objects in the coming years that I did not think were necessary but which I could not quite bring myself to throw away.

Talk

"I wonder what dirt tastes like?"

That was how I opened my first conversation with a cousin in my parent's backyard over 50 years ago.

My cousin and I had never said much to each other before that because we'd always been in the company of grown-ups but they had put us out in the backyard to play while they tried to have some kid free time inside.

My cousin stared back at me blankly. Then he picked up a handful of dirt and shoved it in his mouth. From the instant look of horror on his face and the spitting and retching that followed I realized that dirt was probably not something one should eat.

The grown-ups all spilled out of the house to see what the problem was and I told them we were just talking. That was when I realized the power of conversation to teach you things.

Conversation became an important part of my life after that. When I entered elementary school we were actually taught how to have a conversation. I remember my teacher telling me to listen first and then add to the conversation what I thought was important. The only problem with this was that everybody thought they had something important to say and nobody wanted to listen. This problem has persisted through most of my adult life.

I remember one conversation I had when I was going into third grade. I was sitting at the front of the room because back then it was supposed to be cool to sit at the front of the room. My buddy and I were talking about the possibility of having the dreaded Miss Solomon as a teacher. She was said to be mean and what made it worse was that she had a black mole on the side of her face that was bigger than her nose. The next minute Miss Solomon walked into the room and proceeded to torture us for what would be the next nine months of our lives. That was when I realized that even the most innocent conversations could tempt fate.

Conversations at elementary school generally concerned the same subjects. Baseball was big and television had become a center of our lives with conversations about Howdy Doody and the Peanut Gallery. Of course the most exciting conversation I had with my friends was finding out that one of our families had just purchased a color television set. Even though that color was mostly green just the idea of seeing Howdy Doody's freckles and his plaid shirt was thrilling.

Then, something momentous happened toward the end of sixth grade. Until then most of my conversation revolved around baseball. Great baseball players, great baseball games and great baseball plays. My group of friends could converse on the subject for hours without getting bored. Then, one of them asked me if I had seen the new girl in school. My response was immediate and overwhelming. Just the question triggered a hormonal reflex that flooded my body and brain and I realized something fundamental had changed in my life. I had noticed the new girl in school. Not only that, I had noticed there was something different about a lot of the girls in school and even though I wasn't exactly sure what it was I knew it was important. And so, for the next six years girls and baseball became an equal part of all my conversations.

When I moved on to college my conversations still included girls but they were also becoming more philosophical in nature, more serious. Or so I thought. They concerned politics and history and a lot of righteous indignation. My friends and I couldn't figure out how our parents had managed to screw up the world as much as they had and why they wouldn't just give up their positions of power and hand it all over to us so we could fix everything they had broken.

As it came time to leave college our conversations evolved in a new direction; we talked a lot about money and how we never seemed to have enough of it. We talked about things we had never really talked about before, about the future and our place in it. Around this time some of us stopped talking about girls as just girls and started talking about what it meant to be in love with somebody other than ourselves.

For some this was an impossible concept to grasp and they rejected it outright as unrealistic and impractical. I think some of these people went on to run companies like Enron.

Those of us who were fortunate enough to find that other person went on to have different kinds of conversations. Conversations about social responsibility and our place in the world and what we could do to help. And every now and then the conversation would steer inexorably towards family and how the most responsible thing we could do was to bring up our children wisely and teach them to become good citizens.

Babies were born, which led to conversations about gastric reflux, the merits of cloth diapers versus plastic, how baby just said her first words and how daddy would keep the boogey man away.

These conversations took up the next 18 years of our lives.

Then, suddenly, our conversations were back to money and how the hell we were supposed to pay for four years of college without losing the home we had worked so hard to acquire. These conversations were followed almost immediately by discussions about how much it cost to pay for the average wedding and did this quote from the caterer include a special appearance by Barbra Streisand?

At social gatherings we no longer talked about justice and social equality, we talked about Botox injections, the fascination of following your own colonoscopy on a TV monitor and how this old college roommate had just been told by his doctor that he had a prostate the size of a hubcap.

Now, I look to the future and I see myself, sitting on a rocker on the front porch of some overpriced nursing home, telling everybody how wonderful my grandchildren are and, here, wouldn't you like to see this accordion sized reel of pictures of them?

And one bright summer day, I expect, I'll turn to some old geezer rocking next to me and say: "I wonder what dirt tastes like?"

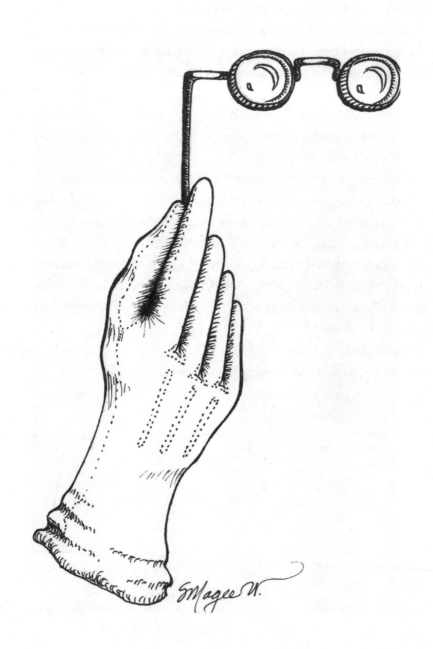

A night at the opera

I've always loved the voice of Andrea Boccelli. The reason, I guess, is either my Italian heritage or my love of Italian food.

The other day some friends of my wife told her they had great tickets for a Boccelli concert at The Fleet Center in Boston. Without this opportunity I knew I could never see him live because the average price of a ticket would have required me to re-mortgage my home.

There was only one condition: I had to drive four women including my wife, to Boston and basically be their gofer. What could possibly have been easier?

I decided to wear all black for my night at the opera because I felt, as a mature urban male, it was required of me. The funny part was that my wife also decided to wear all black. I joked that if we missed the concert we could gatecrash any Italian funeral in Boston.

I picked up the other three women in Framingham, Massachusetts. They all decided to wear black too. These women were also short so that when I walked them out to the car I felt like I was leading a swarm of bats.

I thought it would be a good idea if I stayed quiet that evening. Actually I had no choice. I can't remember an instance when any of the four women took the time to inhale during the entire trip. There was a constant din all the way to Boston. It felt like I was at a roundtable discussion attempting to break Ripley's "Believe It Or Not," record of the world's longest continuous conversation. I still have no idea what they were talking about.

Before the concert my female companions decided to eat at an Italian Restaurant to get in the mood for the feast of Italian opera that was ahead of us. When we arrived everybody in the room stopped eating and stared at us; one man with four women, all of us in black. The women never noticed, they talked all the way in the door, across the room, to the table and while we were sitting down. I think they must have been breathing through their ears.

All that talking must have worked up an appetite because the conversation switched from whatever it was that was wrong with this friend of a friend to what was on the menu. Then suddenly, it stopped. They were reading.

I used the silence to order a beer then sat back and enjoyed the lull in the eye of the storm.

The first thing I did when the waitress arrived was bless her only to have my wife kick me under the table. As soon as everyone had ordered they put their napkins on their laps then jumped into the breadbasket. Believe me 'jumped' is the only word I can use to describe what they did because I held back, afraid I might lose an arm.

The salad and main course came soon afterwards and it was delicious and I actually managed to say a few words. Of course, nobody listened but I said a few words all the same to remind myself that I was there.

Then it was time to go and everyone removed their napkins and went into instant shock. It seemed that the white cloth napkins were not cut from the finest cloth in the world and had left little white pieces of lint all over our black clothes. Everybody at the table, including me, looked like they had a terminal case of dandruff.

My dinner companions reacted in the only way they knew how. They all started to scream. The whole restaurant fell silent again and the waitress came running to see who had been poisoned. When she saw what was wrong she immediately volunteered to get a lint brush out of her car. Unfortunately it wasn't enough. So, she called the manager, who was called Tony.

Then I understood the reason for the cheap white napkins. Tony produced a large roll of duct tape, wrapped it around his fingers with the sticky side up then began running his hand expertly all over the women's bodies, top to bottom. Amazingly, not one of them objected because they were more concerned about having the lint removed from their little black dresses than having a stranger feel them up in public.

When Tony had finished he turned to me and I gave him a look that told him not to push his luck. The women could be fondled by whomever they wanted but I wasn't about to have any guy remove lint from my pants while I was still in them.

At last we were back on the road again and on our way to the concert. The women picked up where they left off with a free flowing conversation that was totally devoid of punctuation, commas or pauses of any kind.

I parked at the Fleet Center and told the women to follow me up the stairs. At which point one of my wife's friends told me she couldn't walk anymore. Now, how a woman could go to a concert at the Fleet Center knowing she would not be able to walk up the stairs was beyond my comprehension. I wondered if all that talking had somehow left her paralyzed below the waist. Then I realized the part of her brain that wasn't used for talking had atrophied and she had forgotten to tell me she couldn't walk far because she had a bad back.

I told her it was physically impossible for me to carry her in and out of the Fleet Center but I'd be happy to help any other way I could. She immediately latched onto my arm with the grip of a python and we started off in search of our seats.

A mile and a half later, when we finally entered the concert, I had lost all feeling in my arm and my hand was turning blue. When I finally pried her loose I was wondering if I could pay somebody to take her back, maybe in one of those forklifts they use backstage.

It was then that we looked at our tickets and discovered that there were only four seats together with the single seat six rows in front. As gracefully as I could I volunteered to sit by myself. As I settled into my seat I rolled my eyes heavenward and uttered a heartfelt: "Thank you."

Behind me, muffled by six rows of opera lovers, I could hear four women talking about some friend who had just had something terrible happen to her and how it was all the fault of some man.

Then the arena darkened, Andrea Boccelli came into view and began to sing.

It was a truly magical experience, an unforgettable concert. His voice was as clear and as beautiful as I'd heard on any of his CD's. When the concert ended I sat on for a moment, caught in absolute rapture. Then I heard a shout from the women in black behind me.

"Andrea," they called in unison. "Look up here."

Now this threw me because I knew that they knew that Andrea Boccelli was blind.

Not that it seemed to matter because the great man raised his hand and waved and my four companions fell completely silent. At that moment I wanted to take Andrea Boccelli home with me.

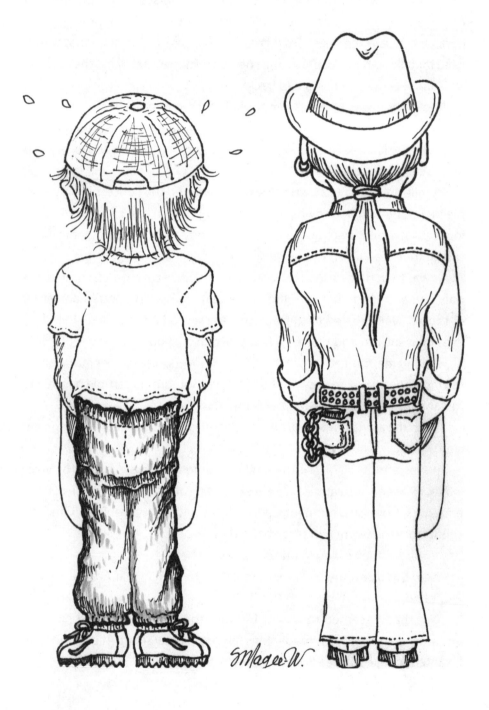

A Gift of Christmas Past

The leaves are off the trees, the raking is finished and the countdown to Christmas has begun. Shopping catalogues the size of telephone books arrive daily in the mail and weight gain is our greatest fear. Yes, the Christmas season is finally upon us with all its beauty and wonder.

For me this time of year also begins the countdown to the inevitability of old age. Each year my wife tries and fails to find the perfect wardrobe that will make me look thinner and, of course, younger. Each year my wife tries to buy me the gift that will finally induct me into the ranks of the stylish. For me, this is saying a lot because the last time I attempted to join the fashion world was when I started buying flannel shirts.

In order to discourage her from her quest, I always remind her of a particular gift of Christmas past. It was a time when the classic trend-setting style was the belt-less and fly-less elastic-band pants. This fashion promised to be the wave of the future because it shortened the time it took to put on one's pants.

At first, I enjoyed these pants because I always felt comfortable in them no matter how much I ate or drank. In fact, because of this, I decided to wear the pants to a Boston Celtics basketball game one January night.

The old Boston Garden was a fabulous stadium to watch a basketball or hockey game. First, because there is always a great chance of seeing a victory, (until the final few seasons), and second, the beer vendors were always close to all the ramps.

Nobody worried about how much beer they drank at The Garden until halftime. Then everybody in the stadium realized that it was time to lose some of that newly added weight. Remember one only rents beer, they never really buy it.

My experience in the men's room that night was more interesting and bizarre than any Fellini film could ever be. First, the encounters in the lines were a psychologist's dream. Nobody dared look at the person nearby. If your eyes met it would immediately designate you as "strange".

No matter how much I had to go, I was damned if I would ever look at the guy in front or behind me to check my position in line. Of course, no one would ever look to their right or left either. It simply was not done. I was doing a great job until it was my turn to position myself in front of that most sought after destination.

With great pride I reached for the front of my pants and was momentarily mystified by what wasn't there. My beloved wife's present to me from the past Christmas; the zipper-less pants.

I had encountered the ultimate dilemma. Sweat beaded on my brow. Even today, I try not to remember how my insides felt at that moment. After a couple of seconds of panic I realized I had three choices.

First, I could pull my pants down to my knees and do what I had to do. But, I figured that if I did that, I was destined to become a headline for the, "National Inquirer" or even worse, "The Boston Herald."

Second, I could have mumbled something about not having to go. But, if I did that, I would be considered a total maniac. Who in their right mind would want to join hoards of men to the men's room at The Old Garden at halftime for no apparent reason. Being called stupid was just a step below being called strange.

So I decided to exercise my third and final option. Fake it. To my surprise I was really good at it. I gave that all-too-familiar relieved look as I stared into the dirty wall in front of me. I even swayed my hips back and forth to prove to all that no tell tale stain would threaten the front of my now hated pants.

I was successful in my charade. I turned around, not daring to look at anybody around me, left the bathroom and returned to my seat. At this time I thought it best not to pick up my second half beer that I always brought back with me after my excursion to the rest room. My bladder would not stand for that. I then waited until well into the middle of the third quarter to return to the men's room, where I found an empty stall just in the nick of time.

My wife was asleep when I arrived home. I quickly got undressed and went to bed. About five minutes later my wife was awakened by an odd smell emanating from our fireplace.

She was at first alarmed by the smell. I comforted her by explaining that is was only one of those gifts from Christmas past.

Real men don't eat paté

This is definitely one of my favorite times of year. I just cut my lawn for the last time, the leaves have fallen from the trees, and, most important of all, we are in the midst of a Patriots football schedule that has the boys of red, white, and blue carrying the hopes of all of us in New England that they make it into the playoffs this year.

Tradition has it that every Sunday afternoon my friends and relatives meet in my basement, which I call "the hole," to eat chips, drink beer and watch our mighty Pats beat up the best the National Football League has to offer. At least it used to be that way until our wives decided to show us the way the festivities should be enjoyed.

In the midst of the cheese trays, pate' balls, and vegetable trays I could remember a time when watching a football game was not as regulated as it has become today. The boys used to show up around 11 in the morning to watch the pre-pre-pre-game reports and everybody brought a six-pack or two in a cooler that was always topped off with plenty of melted ice. My primary responsibility at that time was to make sure the old and rotted trash can from years gone by was empty and that I had plenty of potato chips and onion dip on hand. This food was never placed in a bowl. The bags were just thrown in the middle of the room so that anyone who needed a salt rush could find them. The dips were also placed next to the chip bags for anybody who wanted them. Napkins and small paper plates were not important back then.

Today no one is allowed to come over before 12:45 because it would be unfair to the women of the group to interrupt their preparation time. Plus the downstairs recreation room, that once was called "the hole," had to be cleaned and vacuumed. It is also important to have enough chilled Chardonnay on hand for the wives. It became my responsibility to fill the ice buckets so that if anyone's wine or aperitif were not cold enough there would be easy access to the ice. I also had to make sure that the recycling bin was empty and that it had a new plastic liner in so not a drop of Chardonnay would spill onto the rug.

The football games of yesterday had a bunch of frustrated athletes screaming at the TV telling the inept coaches of the game hear that any of us sitting in "the hole" could do a better job. Highly descriptive adverbs, adjectives and many other inventive grammatical terms were used without hesitation. I remember some words being screamed at officials that to this day I still have no idea what they meant.

Today language is kept in check. It is also impolite to raise one's voice above a normal speaking level because that would show that we did not respect our wives. Children are now allowed to join us in our weekly tradition. Some of them are much too young to enjoy what is going on in front of them. Many are now seen in front of the TV playing some sort of board game as the rest of us pray that they don't stand up and block our view. I sincerely believe that the blood pressure of all the guys is higher than it was a few years back because we are no longer allowed to expel any of the naturally occurring gases that our bodies accumulate during the course of a football game. It used to be that we would erupt in cheers at those among us who could generate a particularly mighty fart or belch, in genuine appreciation of the extraordinary sounds our mortal forms were capable of producing. Women, apparently, do not share this same appreciation, so all bodily gases are kept in check, thereby shortening our life spans by about 15 years, which is probably what our wives have in mind.

I also notice that the attire of my friends has changed appreciably during the past couple of years. Years ago they would arrive in dingy old jeans and sweatshirts, many of which were stained with oil or grass cuttings. Generally, the dirtier one arrived the more respected he was. Many of my friends actually smelled of the chores they had recently completed during the first part of their weekend. Some even smelled of the greasy breakfast they had just enjoyed over at Rick's. But, they smelled like men having a good time. Needless to say, all that had to be stopped.

Today my friends arrive well groomed and in their casual best. Jeans are rarely seen except for those who purchased dress jeans just for this type of an occasion. The women are also in their Sunday best with the children still dressed from church or Sunday school. Most of my friends now smell of cologne or some soap that their wives bought for them. A few years back, if you turned up smelling of cologne you were relegated to the folding chair at the back of the room.

The seating arrangement was never important when Sundays were filled with a bunch of guys just blowing off steam and engaging in the time honored practice of trying to make fools out of each other. Back then we found the best seat in front of the television or planted ourselves on the floor and leaned against the pole that was there to hold up my house. The front row was important here because one could see the best and one could yell directly at the officials who perpetually screwed our Patriots.

Today I am told to set up specific chairs for specific areas. I am also told to set up certain tables to be distributed around the room so the food can be more easily enjoyed. Certain sized bowls are color coordinated so their contents don't clash. The dips, or I should now say spreads, come in little decorated bowls with little decorated knives. Many of these decorations include cute little doggies, horsies or pussycats on the handles.

None of us has found the courage yet to tell our wives that we don't enjoy our Sunday football games the way we used to because that would be a betrayal of contemporary family values. And besides, some of us still like having sex. But every now and again I find myself sitting there, amidst all this sweet scented prettiness, surrounded by little plates of pate, yearning for one of my buddies to let loose with the kind of fart that would rattle the doors off a barn followed by a spontaneous lusty cheer and a mass rush of women and children for the door.

I guess one of these days I'm just going to have to take matters into my own hands.

Would somebody pass the bean dip and the sauerkraut please?

The Toxic Avenger

"Hey, you up there?"

I was upstairs at the time, working at my computer, and when I looked out the window I saw my neighbor in the yard below waving his hands wildly around his head.

When I looked closely I could see little black dots flying around him

He yelled that 'they' must have arrived overnight and they had already eaten most of our trees and half the garden we shared.

I immediately knew it was time once again to summon up all my superhuman reserves of strength and determination and invoke my secret identity to go out and confront a new invasion of the Japanese beetle.

It was time for the return of 'Bug Man.'

My super hero costume consisted of a long sleeved white T-shirt with a picture of a large Japanese beetle on the front in a red circle with a bar through it, and an old pair of jeans I kept in the garage because my wife wouldn't let me bring them into the house – mostly because they still reeked of insecticide from last year and she was afraid they would burn a hole in the floor.

For headgear I had planned on wearing my indestructible 'Made in Maine' baseball cap but, unfortunately, all that was left was a sweat stained rim with a distinct whiff of insecticide. I think 'Made in the USA' toxic chemicals had eaten away the rest of it. Instead, I grabbed my, 'think Independent' cap, confident in the knowledge that it would repel all known enemies of civilization.

I also knew it was time to unveil my secret weapon, so to speak, as I went into the battle against the armored anthropods. In a corner of the garage was a wooden box the size of a soda crate. It took me a few minutes to break it open because it was nailed tightly shut and with good reason. Inside was the newest, deadliest and most technologically advanced form of beetle killing device yet devised by the mind of man in the endless war against the insect empire. This weapon consisted of a long stainless steel cylinder with heavy-duty black tubes at both ends. There were identical nozzles on the end of each tube so it didn't matter which end I hooked up to the black insecticide storage cylinder with the thick leather shoulder straps. Also in the crate was a variable gauge sprayer with a head that looked like it could generate enough velocity to blow off the top of a 10-story building.

Ghostbusters, eat your heart out. Just strapping it on made me hyperventilate with excitement.

Then I took it off again. Before I could do anything I had to head over to my local True Value Hardware Store to get the right insecticide.

The only thing that worried me as I surveyed the various payloads was that they were all made in Japan, the ancestral home of the invader. I found myself wondering if they had already developed an antidote.

As I went to the counter the gentleman at the checkout looked me over closely. He then pointed to a Japanese beetle sitting comfortably on my shoulder.

Just as I thought, the little buggers were spying on me.

The gentleman then told me I should probably buy a mask to cover my mouth and nose while I sprayed but I told him this was personal. I wanted them to see me laughing as they went through their death throes.

He wished me luck and off I went; the battle was about to begin.

When I got home I topped up the spray gun cylinder with the beetle juice. The label warned that I should dilute the solution to one part in twenty. The hell with that, I thought, I didn't want to injure them, I wanted them dead. I wanted my property littered with corpses.

I filled the container to the top, full strength, then strapped on the lethal apparatus, opened the garage doors and strode purposefully out into the driveway.

I think every beetle in the neighborhood stopped chomping to take a good look at me. Up and down the street my neighbors stopped whatever they were doing, hurried their children and pets indoors and shut their doors and windows.

I walked over to my favorite sugar maple that was laden with the little hard shelled critters, aimed the nozzle toward the top of the tree and opened up. I then realized that it was important which nozzle was hooked up to which tube as a jet of white liquid shot up behind my back and covered me heat to toe in a fountain of toxic white slime.

I staggered backwards, struggled out of the apparatus, grabbed the garden hose and frantically washed myself off, relieved that I had already fathered all the children I wanted.

Up and down the street I heard the beetles chomping happily on and I think I heard a couple of my neighbors guffawing loudly behind closed doors.

More determined than ever, I swapped over the nozzle attachments, strapped on my assault gear again and launched a second attack. This time I covered the tree, top to bottom with the foul, dripping white gunk. I figured that if I didn't poison them I might at least drown them.

After the sugar maple I decided to rescue my spruce trees.

But, I couldn't move. My first thought was that I had inhaled too much of the poison and had been paralyzed. Then I realized I had sprayed so much I had glued my feet to the ground. It took a couple of minutes but I worked my feet loose and set off in a new direction whiled the soles of my sneakers dissolved underneath me.

At this point I knew it was a suicide attack and if I was going down I was going to take down as many of the little 'sons of beetles' as I could with me. I wandered around the garden spaying everything within reach, coating my entire property with a fine white spray so it soon looked like a movie set that had been turned into a winter wonderland by a fake Hollywood snowstorm.

My trees all turned white and started to wilt before my eyes. My red geraniums turned ghostly white and started to shrivel. I sprayed my garden, my lawn, my walkway, and my deck. I even sprayed my mailbox in case the little varmints were using it as a bunker.

When I ran out of spray I went back and got more, filling the cylinder again and again until every last drop was gone. Finally I was done and I took off the gear and returned it to the crate. As I packed everything away I saw that my hands were coated so thickly they looked like I was wearing white gloves.

I wondered if the pins and needles I felt in my fingers were due to the constant pulling and releasing of the firing mechanism or because my nervous system was collapsing.

My wife wouldn't let me in the house until I had removed everything and promised to bury it. It took me almost an hour of washing myself with the garden hose before she decided I was safe enough to be let in the house so I could use the shower.

Feeling a little weak, either from my exertions or chemical poisoning, I decided to take a nap, figuring that if I woke up I could view the carnage later. The last thing I saw before I drifted off was a Japanese beetle perched on my night table and I swear he was grinning at me.

The Car Wash

There are certain chores one should never attempt in the winter. After living in York for the past 26 years you would think I'd have that figured out by now.

The other day my wife complained that her car was so filthy with winter grime she couldn't see what color it was. I reminded her that the last car we washed and waxed during the winter months was so badly scratched by the car wash company we had to take it to an auto body shop in the spring.

Then I remembered a new car wash place that just opened in Kittery with one of those machines that uses a self-service spray system to clean off the salt and grime so you have nobody to blame but yourself if anything goes wrong. I knew right away that this was the place for me.

My wife and I found the car wash, went around to the back of the building and parked her car in an open-ended garage. There were a few other people there vacuuming out their cars or wiping off the water left from the car wash. On the ceiling of the stall was a long hose attached to a rotating disc that let you walk around the car with the hose without the hose touching the car itself. I took one look at it and gave myself a dope slap for allowing somebody else to come up with such a marvelous idea.

I then went over to the corner of the stall and read the instructions so I could clean my car. The instructions were a little confusing and I couldn't figure out why there were so many different buttons to press so I decided to start simple, put in my quarters and just rinse off my car.

I then realized I didn't have enough quarters to make the three bucks necessary to run the machine for four minutes. Imagine my surprise when, next to the stall, I discovered a small service room where I could get change. Except the quarter machine was out of quarters. But, there was a token machine that would dispense tokens for cash, so I spent $10 on eight tokens, figuring I might need them.

I can understand why there are no kids outside doing car washes in winter but if they did I think they'd make a lot of money.

I put my tokens in the machine; it made a gurgling noise and emitted a thin dribble of water from the nozzle. I then noticed the timer counting down the four minutes at a speed that seemed a lot faster than Fabiano time.

I also noticed my wife sitting in the car, watching me and wondering if I would figure out how to put some water on her car before her next birthday.

I hurried around the car applying this pathetic stream of water to the thick coat of grime wondering if the hose was set up to run like this because of the sub zero temperatures outside and they didn't want glaciers forming inside their car washes.

After three minutes my hands had lost all feeling and there was no noticeable difference to the car except I had turned some of the grime into slurry that was now freezing into a thick gray coat.

Then the timer ran out.

My wife stared at me in disbelief and I gave her a reassuring smile and told her no problem. I still had some tokens left. I went back to the instructions in the corner of the stall, read them again and realized I had not pressed the right buttons. I turned and gave my wife the thumbs up, put in the tokens, pressed the right buttons in the right sequence and was lifted off my feet, hurled six feet backwards and slammed against the wall.

A powerful jet of water lashed around the stall, blasting everything in sight and pounding the car with the force of Niagara Falls. My wife was nowhere to be seen. I guessed she had thrown herself onto the floor of the car.

I struggled to bring the hose under control wishing I had a couple of York fire fighters there to help me out. The science teacher in me came to the fore as I realized that for each and every action there is an equal and opposite reaction. I felt like I was wrestling a giant anaconda during a torrential downpour up the Amazon. I could not believe how difficult it was to control. As I struggled to keep my balance I was pushed around the car wash like a garbage can in a hurricane. Outside I saw people running in every direction as great whooshing jets of water shot out of the building trying to make them part of the frozen landscape.

If I could just get this thing trained on the car, I thought, it would take the grime off in about two seconds and maybe some of the paint.

Back and forth I struggled across the stall, literally bouncing off one wall to the other.

I noticed my wife's head had peeked back into view through the window and she was laughing hysterically.

I finally got a good grip with both hands and wrestled the bulging hose into some kind of submission. I planted my feet squarely on the ground and trained the jet at the car. Then I realized I was moving very steadily backwards out of the stall.

I had by now succeeded in covering the floor with so much water it had turned into an ice rink and I was sliding across it like an out of control Zamboni.

I tried to jam myself against the wall and aim the nozzle directly at the car. Unfortunately I succeeded and rediscovered another long forgotten science lesson; water propelled with force onto a hard surface is inclined to bounce off and propel itself back in the direction from which it came.

The torrent of water, only slightly diffused by its impact with the car, hit me with such force I thought it would scour my beard right off my face. My cheeks vibrated so hard that my yell of pain sounded like Donald Duck having his butt rubbed against a washboard at 5,000 revs per minute.

I swung the hose down and succeeded only in hosing myself from top to bottom. I was instantly drenched and, because it was so cold, the water immediately began to form ice crystals. I looked down at my clothes and realized I was starting to look like the tin man from the Wizard of Oz.

My wife told me later that I looked like a knight in shining armor fighting a losing battle with a dragon that breathed not fire but ice.

I knew that my only hope for survival was the timer and I prayed for my tokens in the machine to run out. It felt like I had been fighting this infernal water demon for hours not minutes.

I strained through the ice fog to see the timer and saw that I still had three minutes to go.

For a second I was tempted to drop the damn thing and run outside like everybody else but I knew I would never hear the last of it if I left my wife alone in the car with the serpent from hell, even though she was almost paralyzed with laughter. Finally the machine spit its last drop of water. Finally I stopped sliding around the car wash. Finally I let the hose slip from my cramped fingers.

I strained to see through the ice that had formed on my glasses and when I scraped away the glaze realized that the force of the water had cracked one of the lenses. I looked down at myself and saw that there were actually icicles hanging off me. I shook them off and heard them fall to the floor with a tinkling sound. Then I slid over to the car, scraped the ice from the side window and saw that my wife was at the stage where she was so weak she couldn't laugh anymore and was struggling to catch her breath between faint sobs.

I looked around and saw that I had created a kind of frozen Armageddon, an ice cave with my wife's car at the center, its coat of winter grime still miraculously untouched.

I realized then that there are some chores one should never attempt in winter - and washing the car comes top of the list.

The Pothole

All change comes with certain unmistakable signs, if only you know how to read them. Even something as profound as a change of season presents itself first as a series of subtle signs that the transition process has finally begun.

Unfortunately, this particular transition between winter and spring is having a bit of a tough time transitioning. Possibly because it is mid-March and the snow packed around my house is still three feet deep. Possibly because the air temperatures are staying at record lows and the winds of winter have continued their attack on what is left of the shingles on my roof. But, if you observe everything around you carefully, signs of our changing season are there.

The other day I saw my first robin. Of course it was frozen to the driveway and stone dead but it still was there. Later that same day I discovered a bunch of the red-breasted harbingers of spring gathered together in a huddle, shivering as they tried to stay alive. I think one of them gave me a questioning look, as if asking if I knew what was wrong with the climate, but I just shrugged. I was kind of wondering the same thing myself.

By far the most important sign of the time when winter starts to give way to spring is the discovery of the first major pothole as you unsuspectingly drive down a back road in order to get to your home. I hit one the other day and it hurt – not just the car but me. It had to be at least a foot deep and it made a trench across the entire width of the road. If I had a choice I would rather have hit a tree trying to get around it and probably would have done less damage to the car.

At first I thought my engine had exploded. The front end of the car actually dipped, like I was going over a cliff, while I assumed a sudden weightlessness, which resulted in my head crashing into the roof of my car, thereby proving Newton's third law of motion. I also learned that seatbelts might stop your head from going through the windshield of your car, but do little to keep your head from going through the roof.

What made it worse was that I was wearing a hat with one of those little metal buttons on the top. I now have the word 'Levi' stamped permanently into the top of my skull.

Still, the launch was only half of it; there was still the landing. The impact of my head hitting the roof instantly propelled me down again with my teeth rattling, my tongue protruding and a strangled scream swelling up out of my throat. As I came down my face met a stack of CD cases still on their way up to the roof and the effect, I guess, was the same as a punching bag feels after a session with Lennox Lewis. What I couldn't understand was how every case managed to hit me corner first, leaving me with a rash of little red welts and nicks all over my face. Another injury that I have to explain to my doctor, who has long since given up asking me how I managed to do this or that to myself, which is the primary reason I like going to him.

At that point the flying flock of CD cases collided with the roof and came cascading down around me so that I had to swat them away from my head, like giant carnivorous butterflies, before they did me any further damage. At which point I realized that I was now steering the car with my knees…and then the back wheels of the car hit the pothole.

With a mighty wallop the rear of my car fell into what had to be a major crack in the earth. At this point the hood of the car reared skyward like it was about to take off into space and I actually felt the G-force of a blast-off flatten my cheeks against my face. I even heard the rumble of rocket engines that later turned out to be the sound of my rear axle being torn loose.

Of course, what goes up has to come down. Before my car actually succeeded in breaking free of the gravitational pull of the earth, the front end slammed down again and bounced like a basketball dropped from a 10-story building. I felt like a guy in a barrel going over Niagara Falls as my entire body was thrown around the inside of my car like the seat belts were bungee cords.

I heard a terrible cry of fear and pain and realized it was coming from me. Then I stopped in complete amazement as I saw my car keys and motor vehicle registration float past my eyes. Little balls of Kleenex I had stuffed in my glove box that had burst open looked like pretty little white doves flying around inside the cab of my car. This was followed by a miniature sandstorm as all the sand and grit of the last five winters that had accumulated on the floor of my car became airborne.

For a minute I actually lost track of where I was. My knees were no longer steering the car but were somewhere up around my ears. Instinctively I raised my hands to protect myself against a second metal stamp in the top of my head, but instead of finding the roof I felt the car seat where my butt was supposed to be, and realized that either I, or the car was now upside down.

At this point time seemed to slow down as my mind refused to accept what was happening to me. With nobody steering it anymore and the engine dead, the car rolled to a stop against somebody's mailbox half buried in a snow bank. When I opened my eyes the first thing I saw was an old watch that I hadn't seen in years and which had become wedged between a seat spring and the seat cushion. Which should give you some idea of the position I was in.

Not wanting to move too quickly in case I inflicted more injury upon myself, I paused to take inventory. The first thing I noticed was a powerful cold weight against the back of my neck and the clammy feel of wet rubber which I realized was the weight of my body pressing me into the floor mat. Looking up past my legs waving feebly in the air, I parted my feet and noticed that the little dent my hat stud had made in the roof of the car was in exact proportion to the little dent I now had permanently in the top of my head.

Slowly, and not without some difficulty I might tell you, I righted myself and looked around at the disaster of my car that now looked like it had been hit by a tornado.

Shakily I put the keys back in the ignition, turned the engine and heard the kind of expensive grinding noises you hear when somebody is using a lathe to cut metal.

Carefully I made the turn toward my house and tried to limp into the garage, ignoring the shrieking sounds from my engine and wondering if my wife would actually believe that a single pothole had done all this damage.

Glancing behind me in disbelief, I saw a warning sign before the crack in the earth that said simply: 'Bump.'

I would say I just bumped into spring.

Spring chores

Some of the most enjoyable activities of spring have little or nothing to do with any logical thought process.

During the seemingly endless days of winter our minds have a tendency to zero in on what we think matters, to plan for the future, to worry about things that we absolutely must do when the weather improves. Then, as soon as spring loosens winter's grip we flee from our homes to do things we know are absolutely unimportant.

One of my favorite mindless activities is mowing the lawn. I actually become excited about taking my lawnmower out for its first excursion through the yard. This lasts about five minutes until I realize I'm going to be doing this every week for the next six months, then I feel depressed. My next step is to embrace the zen of mowing. While I am mowing the lawn the lawnmower is my guru and its rhythmic thrashing my mantra. I enter a void in which the lawnmower drowns out all other sound.

My mind becomes a complete blank and I don't really have to think about anything, which is very restful.

If wives knew their husbands actually enjoyed some aspects of lawn mowing they'd probably try to put a stop to it so the idea is not to look too content so they don't feel they have to come outside and talk to us.

Every now and again I am jerked back to reality as I swerve to avoid a monstrous pile of doggy doo in the grass, which is annoying because we don't have a dog. Or something will catch in the blades and there will be a horrible crunching, gnashing, shrieking sound and I hope it is a piece of wood and not a squirrel.

Otherwise I don't think about anything at all when I mow my lawn. Some people tell me they think about their plans for the upcoming week or they try to work their way through some problem that is bothering them. I, however, think of absolutely nothing, and I make it look easy.

Another springtime activity that is on the same zen plane as mowing the lawn is raking up the cuttings afterwards, except it requires a certain fatalistic tolerance for pain. This is a chore that has to be done promptly because spring grass grows faster than bamboo and, after it is cut, all that is left are mountains of cuttings that would kill the lawn faster than the grubs can eat it.

Every year before I cut the lawn for the first time I buy a pair of garden gloves that will help keep some of the feeling in my hands after I rake the lawn. I always buy them a week before I do the first mowing only to discover, on the day, that I can't find them. After I put the rake away and wrap my blistered and bloodstained hands I always find them in the place I put them so I wouldn't lose them. If anybody needs a couple of dozen pairs of almost new garden gloves just give me a call.

Another necessarily mindless activity is fertilizing the lawn. This actually requires some thought because if you miss the line made from the spreader on one of your sweeps through the lawn your grass will look striped. Every year before I begin the process I tell myself that I will push my spreader both vertically and horizontally in order to spread the fertilizer evenly. Every year I tell my wife that the striped appearance of our lawn is something to be proud of. I don't think she believes me.

The good part about fertilizing is you only have to do it three times a year. At least this is how I approach it. The first excursion is supposed to fertilize the grass, the second excursion is supposed to take care of the dandelions and the third excursion is supposed to take care of the grubs. Needless to say my excuse to my wife is that the yellow blossoms embedded stubbornly between the multi-colored lines in my lawn are an expression of my independence. As for the grubs killing sections of the lawn, I tell her it is a good idea to replace one's lawn at least five times a decade. I don't think she believes me.

Another mindless activity of spring is washing the windows of the house. The nice part about this chore is that it only has to be done twice a year. The hardest part is assembling the materials necessary to complete the task. There are also two requirements before beginning. First of all you should never wear loose clothing. This is because if you ever get a loose sweatshirt stuck in a jammed window it is literally impossible to remove the shirt from the window. A couple of years ago I did this to a window in my office. To this day my wife keeps asking me why I have this same sweatshirt neatly folded on the windowsill. I keep telling her it has sentimental value. She still hasn't tried to remove it.

One should also never wash their windows on a windy day. The spray from glass cleaner has the capacity to burn off the outer layers of one's face.

Washing the car is another of those activities that takes little intellectual effort. My wife keeps her car in perfect order whereas my truck looks like a truck is supposed to look. The last time I cleaned the inside of my truck I discovered it came with car mats. I also discovered a set of keys I lost a few years ago that went with a truck I had to turn in because I couldn't find its keys. As to how they ended up in the new truck is one of those mysteries of life I am destined never to understand.

Tilling the garden is another of those spring chores that need little thought. The most important part of this task is making sure you are on the right side of the tiller. This may seem obvious but not that many years ago I started a rented tiller in front of what I thought was the back of the machine. The machine attacked, I jumped out of the way and I only caught up with it as it ate its way through my neighbor's flower beds.

So, another spring has sprung and the mindless chores of the season await. My wife likes to remind me about the disasters of past seasons and tells me to use some forethought before I start this year. I tell her that would defeat the entire purpose.

Survivor

We just survived the longest winter in the history of me.

Looking out my window I am finally not blinded by a scene of nothing but white and when I step outside my front door there are no more sub-zero winds to take my breath away. This can mean only one thing; it is time for the first jog of the season.

This is a bit of a tradition in my house. As soon as I find the energy to move my ever expanding butt off the couch I look for my jogging clothes and Christmas sneakers that my wife bought me because she knew that this day would eventually come.

Before I venture outside I always view my image in the full-length mirror on the back of our bedroom door. This year I took one look at myself and laughed because I looked like an oversized elf in my green "Maine" sweatshirt and red jogging pants.

My wife won't admit it but I swear she buys me that particular color of jogging pants to get back at me for all the aggravation I have caused her during our long winter hibernation.

Once I recover from the shock of seeing how my body has degraded over the past few months I put on the new sneakers. Because these are modern sneakers, lacing them requires a tool kit and a manual in five languages, and when I finally straighten up I am already out of breath.

Undaunted I stride manfully out the front door, down to the end of the drive and give my wife a devil-may-care wave before I go through my warm-ups. My wife doesn't wave back. I know she is wondering if this will be the year she has to call an ambulance.

As I loosen up I notice the air is warm and spring like and filled with the sweet sound of bird song. Then I leave my driveway.

The neighborhood dogs have their own communication system that tells them exactly when I emerge each spring. Within seconds I am swarmed by small yapping dogs nipping at my new red jogging pants like bulls swooping at a matador's cape. Because they are small I outrun them fairly easily only to run into a second swarm of dogs waiting in ambush on the next block.

I think these dogs have been trained to throw themselves under my feet and then feign injury so their owners can sue me, so I spend most of this block dodging and weaving, skipping and dancing trying not to hurt either them or myself. Finally I outmaneuver them but only after they have slathered my new sneakers and the bottom half of my jogging pants with dog drool.

As always it's the little dogs that give the most trouble. A few years ago I thought I had outrun the pack of nuisance hounds when I felt an odd drag on my left shin and saw a bulge under my pants. Because I could feel something warm and wet running down my leg I thought I might have injured myself but it was only some miniature mongrel that had got itself trapped inside my jogging pants.

This year I was determined nothing was going to distract me on my maiden run of the season. And it didn't. Until after I turned onto York Street and encountered another hazard that I would have to overcome this year. Just like the number of dogs in my neighborhood seems to multiply each year the number of SUV's seems to have multiplied on our roads. And I know that one of the pleasures of owning a large SUV is so the drivers can harass earthbound chumps like me.

Almost without exception they barrel directly at me as if engaged in a game of chicken that I can't possibly win and seems intended to leave me draped across their hood like deer kill. If there is a tree nearby I will dodge behind it for cover, thinking if they haven't seen me from their perch, 20 feet above the road, they might at least notice the tree. Not that this is any guarantee, as I know from reading The York Independent police log and the number of SUV drivers who can't seem to avoid trees. Sometimes they will see me at the last second and veer away, only to hit a huge pothole filled with water. This, of course, sends up a tidal wave that I then have to outrun.

This is where I should learn from my past jogging survival experiences. If I would only stop, I figure the wave would pass over my head and splash harmlessly onto the ground but I never have the nerve to put my theory to the test and, instead, I try to outrun it and thus eventually run right into it like I was running through a waterfall. Except this isn't a waterfall, it is a wall of cold, dirty water full of salt, cigarette butts, chewing gum and all the other stuff my friends in the canine world have deposited at the side of the road. Inevitably the SUV driver continues on his or her way cackling into their cell phone about the jogger they just wiped out.

Wet, and dirty, my new jogging pants stained and torn I continue my jog. My next obstacle is the booby trap that lurks beneath the crust of salt and sand that has been deposited on our roads during the winter months. This mixture must be less dense than water because it has the tendency to float on top of the water that fills the many potholes in the road but is perfectly disguised to look like pavement.

I was actually doing pretty well until I ran into what looked like a dry rut at the side of the road and my foot went through the scum on the surface and plunged in up to the knee. Thrown off balance I found myself in an uncontrolled forward stagger that threatened to throw me full length into the mud hole, and I knew the only way to save myself was to spring upward as high and as far as I could. Thus inspired I leaped out of the long, muck filled rut like a gazelle on the African Savannah, only not quite so graceful, and ran the entire length of the rut in a series of long, loping strides that threw up great gouts of filthy water around me. At that moment a school bus went by with the faces of the kids pressed against the windows, watching me in absolute amazement. Not wanting to alarm them I gave them a confident grin to show them all was under control. At that moment the rut ended, my feet hit solid earth, my knees buckled and I found myself doing Chuck Berry's duck walk for about 10 feet before regaining my normal stride and continuing on as though nothing had happened.

At this point, I have to say, my legs were starting to tire and I was feeling a bit worse for wear. I wiped the coat of mud off my watch and saw that I'd been out for all of 11 minutes.

I was determined to do my full 45 minutes and so I jogged on through a complete circuit, my legs getting wobblier with every step. At last I found myself back on my street and jogged the last few yards to my driveway looking like a Neanderthal man newly emerged from the nearest tar pit, my friendly reception committee of neighborhood dogs yapping at my heels.

My wife waited for me by the garage door with an old towel in hand that would be dropped straight into the washing machine along with everything I was wearing. Except my once new sneakers, which would take their place at the head of a line of graying, curling retired sneakers just outside the door to the garage.

Then I limped to the shower where I steamed and scoured every inch of my aching body with anti-bacterial soap so that I wouldn't come down with bubonic plague after my jog through York's Wild Kingdom - and I'm not talking about the amusement park.

I put on my jammies and robe, settled myself tenderly onto the couch, turned on the TV, clicked through the program guide and reached for a bag of chips. Survivor was on later, I noticed. I gave a contemptuous little grunt. A piece of cake, I thought. Let's see them survive a jog around York with me.

The Cruise

I couldn't stand it any longer. I just couldn't handle watching those television commercials showing the aqua colored waters of the Caribbean Islands and all the deeply tanned people frolicking in the never-ending sunshine. Looking outside my Maine home I could only see the sterile browns of the always too long winter. Knowing that for the next two or three months the temperature would not reach 30 degrees I decided to take my family and myself on a Caribbean Cruise.

Not knowing how to plan such an excursion I contacted a local travel agency to handle all the arrangements. Their name was "Travel Agents International" and because of their name I assumed they could professionally handle all the details of our trip. I found out soon enough that "assumed" was the perfect word.

I told the travel agent I was looking for an escape to someplace in the Caribbean that was always sunny and warm. She advised that a Caribbean cruise would be the perfect answer. I hesitated at first because my wife is very susceptible to motion sickness. The agent gave me a sympathetic smile and assured me that the ships of today were made so the passengers felt little if no motion. She went on to explain that a cruise was the best means of seeing not just one island in the gorgeous Caribbean but as many islands as time would allow. She continued by showing me one particular cruise which would take us to the islands of Barbados, Martinique, St. Kitts, St. Thomas, Puerto Rico, Dominica and then back to Barbados. Visions of those commercials glowed in my mind as she described how we would be transported to these gardens of Eden in luxury and style.

The name of the ship was, "The Azur," one of a fleet of cruise ships all registered under the Panamanian flag. The vacation was called the "Chandris Fantasy Cruise", which was supposed to make The Love Boat look like a ferry ride to Revere.

After her presentation I cried: "Yes, Yes, book us immediately so we can join the beautiful people of the Caribbean."

In just 36 days, my family and I would be on a winter cruise to paradise. Like children counting down the days before Santa's arrival we anxiously awaited the day of our departure. And, because we are Americans, we filled each day with intensive shopping.

Because the travel brochure spoke of formal dining and relaxed lounging by the pool my wife decided to buy the best in formal and lounge wear for the entire family. I didn't care because I knew our time had come to join The Beautiful People.

The morning of departure finally arrived. At first I thought it would be impossible to fit all our luggage into the trunk of our car but after some careful crushing we were on our way to our dream vacation in the Caribbean. The ride to Logan Airport was carefree and we had ample time to check our bags and get our seating arrangements that included a window seat for our 11 year old daughter.

The plane stopped briefly in Washington and a couple of hours later we landed in Miami with time for a bite to eat before catching our connection to Barbados. We arrived in Barbados around 10 p.m. and proceeded through a customs check that, to our surprise, took over an hour and a half. But who cared. This was utopia. We then took a bus to the ship that would be our home for the next seven glorious days; the MX. Azur.

Upon arrival at the ship we were herded into the cinema where we were assigned a seating for our meals. The dinner sitting was either early or late. We had requested and received the later sitting in the non-smoking area. The vacation up to this point was unblemished and a compliment to our travel agent.

We were then escorted to our cabin. Opening the door was the first of many shocks to come. How were we going to put away seven days of formal wear in an area not much larger than our linen closet at home? My wife, being a graduate of the school of creating space where there was none, spent the next few hours arranging our clothes so their would be space left for us to sleep and possibly take a couple of steps backwards and forwards.

We were then told to go to the main dining room where they were serving a midnight buffet. Upon arrival I was shocked to see so much food. They had everything from smoked herring to pizza pie. We walked through a scene that seemed to be taken from a Fellini film. Finally, after stuffing ourselves impossibly full, we went back to our tiny cabin and slept the sleep of the dead on our first night in the Port of Barbados.

We awoke at dawn although we could not tell if it was light or dark because our cabin had no porthole. The three of us were in excited expectation of our first full day in Barbados. Then, we all asked the same question at the same time. Where was the bathroom? According to our travel agent our cabin was supposed to have a bathroom.

To our left was the closet where all of our now wrinkled formal clothes were. My daughter was the first to find the half sized door to the far left of the room, which led to a bathroom that no ordinary munchkin could fit. To the left of the bathroom was the shower in which, being a man of more than conventional weight and build, I had difficulty fitting both my legs in at the same time. Could this slight inconvenience ruin our time in paradise? Never.

Breakfast consisted of meeting the six other people assigned to our table. Four of them were from Montreal. A father and son sat to our right. He was the fire chief of Montreal and had a frank and open nature. The son mirrored the father but was a little more subdued because of his younger years. The other two were a young couple who, apparently, were practicing for their honeymoon. Then there was a giant of a man from Alabama who said he had come alone because his girlfriend was ill. I wondered whether his girlfriend really existed.

Our meals were served by a cheerful young man of only 21 years from Honduras. He was assisted by an equally cheerful busboy from Columbia. This happy duo was the most consistently enjoyable part of our vacation.

After breakfast we returned to our closet where we prepared for the first of many excursions into the islands. We left the ship and proceeded to the exit on the docks and into the midst of a waiting throng of cabby-men. Immediately I was approached by six cab drivers promising the best of all tours through the jewel of the Caribbean. Since we only wanted to go into the town of Bridgeton and do a little shopping five of the six drivers quickly deserted us for more profitable passengers. The remaining cabby man agreed to take us into town for the price of only five American Dollars.

Bridgeton could easily be compared to any large American city with its large department stores and tall office buildings. In fact, it looked so much like what we were used to we were a bit disappointed. We went into many of the department stores to find that most of the merchandise could be found in any Macy's or Sears back home. The smaller stores were no different except maybe that most of their merchandise was of the K-Mart variety.

After roaming around in circles for an hour or so I suggested we explore some of the side streets off the main drag. At first my wife objected, saying she felt uncomfortable leaving the safety of the crowds. She finally gave in and off down the side streets we went. Here we found the true Barbados. The streets were lined with garbage and the shops were thinly stocked with every type of plastic available. The people looked dirty and they glared at us with a disdain that made us want to explain that we were sorry that we were not as poor as they were. After a few minutes of shame we decided to go back to the main thoroughfare where life was more familiar.

Needless to say, we got lost.

We then decided we should find a cab and go back to the ship. This was easier said than done. Every taxi driver we stopped demanded that either we take a full tour of Bridgeton or pay them a minimum of 50 American dollars to get back to the ship. The first few times I told them to get lost and I didn't appreciate being taken but, eventually, I had to give in because it was getting late and my wife and daughter were getting tired. Barbados had not left a positive impression.

We arrived back at the ship in time for dinner. First, we had to shower and get dressed for dinner but our cabin was so small we could only do this one at a time. Our daughter got ready first with my wife and I waiting outside the cabin, or I should say closet. When she was done I went next, followed by my wife. Knowing my wife could take a while I went upstairs to observe Barbados from the deck of the ship. A few minutes later my daughter joined me. Our view was one of garbage and rusting debris that symbolized most ports of the world. While we waited on deck we were assailed by a series of waiters who offered us anything our minds could conjure up. My mind conjured up a Coke for my daughter and a large scotch for myself. After an hour, and another large scotch for me, we went back down to the cabin to find my wife ready and the cabin floor an inch deep in water from the three showers.

We then went to a dinner that would make a Roman orgy look like a Baptist prayer meeting. I noticed some people at the next table must have been professional cruise passengers because they had ordered three and four entrees so they could choose the one that tasted the best. It reminded me of the back streets of Bridgeton and the glares of the poor who lived there it made me feel like I deserved those stares.

Nonetheless, dinner was enjoyable because the combination of different personalities at our table was just the right chemistry for an enjoyable experience. The father and son from Montreal explained that they had their entire week planned with sports tours. The young couple from Montreal had their week planned with an exploration of Caribbean beaches. Alabama said very little except every now and then he would look up and grin through mouthfuls of food. As for myself, I decided to carefully plan our next excursion so there would be no repeat of the first day.

After dinner we went up to the main deck and waited for the ship to leave port. My wife had feared this because, as I explained earlier, she was susceptible to motion sickness. She was wearing a Dramamine patch and I reminded her that our travel agent said the ship would show very little movement. She finally relaxed and waited for the ship to leave. That would be our last relaxed moment for the next seven days. It would have been easier to have booked a trip on a carnival ride.

Bouncing off the walls of the ship going down to our cabin all three of us could not believe that a ship could rock so much and still stay afloat. My wife immediately went to see the ship's doctor and was given a stronger pill for the trip. My daughter proceeded down to the cabin where she rolled herself into the fetal position to ride out our first night at sea. As for myself, I was destined to attempt some rest on the top bunk of the closet we had to call home. In order to get up I had to climb a ladder that was made for a six-year-old. My wife and daughter exclaimed that watching me go up that ladder in my underwear was the highlight of their trip. My daughter likened me to a sumo wrestler climbing a tree.

The next morning came none to soon with the desk clerk giving us a wake-up call around 9 a.m. I was the first to get ready for our next excursion into the Island of Martinique. This time I was determined not to repeat the disaster of the day before. I went to the excursion desk and carefully planned the day. I booked a trip to the best beach on Martinique. At least that was what I was told. I arranged transportation there and back and even organized a snorkeling trip. Lunch, towels and beach chairs were all assured to be waiting for us at the beach. All this for a measly one hundred and fifty American Dollars. After all, this was our dream vacation and everything from now on had to be perfect.

I went back to our closet and explained what I had planned for the day. Because none of us had had much sleep the night before the idea of a restful day on a beautiful Caribbean beach was welcomed.

The ride to the beach took us through the main roads of New Paris. The streets were mainly deserted because of some sort of a local religious holiday. The desolation only amplified the obvious decrepitude of the surroundings. The islands were beautiful but the buildings were slums because of little funding or concern.

We arrived at the beach and were ecstatic with what we saw. It was exactly what had been promised. We thought it must be the model for the many travel posters we daydreamed about at home. At a booth at the entrance to the beach we were handed our snorkeling gear and led down to the beautiful white sand. I was so engrossed in the instructions for the snorkeling equipment I never noticed our immediate surroundings. My wife and daughter did because they stopped dead in their tracks.

Noticing they were no longer beside me I backtracked to find out what was wrong. Seeing the shock on their faces I asked what was the matter. My wife looked blankly back at me and then my daughter asked if she had to take off her bathing suit too?

"What?" I said.

For the first time I focused on all the other people there and realized I had taken my family to a nude beach. Not a topless beach, a nude beach. My wife and I looked at each other again and both had the same thought. It wasn't exactly what we had in mind for family entertainment. Within half an hour we were back on the bus and on our way back to the Azur.

We spent the rest of the day onboard ship afraid to go anywhere in fear of another misadventure.

That night the ship embarked for the next island and, like the night before, the carnival ride resumed.. Dinner was impossible to enjoy because my wife and daughter had to rush back to our closet and roll themselves up into tight little balls. Because I could not stand another night on the top bunk I decided to go to the casino and kill some time even if it meant losing more money.

Next to me at the blackjack table was a man from Switzerland who had a similar look of suffering on his face. I asked him if he was alone. He explained that his wife and son were in their cabin sea sick for the second day in a row and he couldn't stand another night of watching his family suffer. We killed a bottle of scotch together while we lost our money.

St. Kitts was our next island of adventure. Because I knew the island was very small I waited until the ship docked and asked a local policeman where we should go. I hadn't a clue what he said back to me but he did get us a cab and guaranteed the fare. Driving into town, becoming increasingly depressed by all the poverty we saw, we came upon a festival approaching us from the opposite direction. It took up the entire road and we were forced to pull over and wait as it passed.

Did I say festival? The closer it came the more it looked like a riot. The participants all chanted in unison: "No money, no future."

Then, seeing us rich folks in the cab, they started jumping on the cab's bumpers, which made us feel like we were back on ship. My daughter, meanwhile, shrank into the middle of the back seat because all the people outside were reaching in through the windows to try and touch her. I yelled at them to leave us alone and my wife took a picture of one of the islanders who immediately asked her to give him the camera. I found out later it was believed that taking someone's picture took away a piece of their soul. I never liked that camera.

Retreating back to the ship once more we faced a night like every night that had gone before, with the morning not coming a moment too soon.

While my wife and daughter got ready for our newest adventure I went up to the excursion deck and tried again to plan a successful excursion, this time in St. Thomas. I figured we could do a little shopping and then visit what was supposed to be a beautiful beach, Megan's Bay, where everyone wore bathing suits.

I paid one hundred American Dollars, which wasn't bad considering we were back in a United States territory, then off to the bay we went. We joined a tour bus that took us past a scenic area of St. Thomas and on an excursion to Bluebeard's Castle. The tour was so enjoyable I believed our luck was changing. Until the bus broke down on the side of a hill and we had to wait two and a half-hours for another bus to pick us up. Did I say the side of a hill? I meant the side of a cliff. Back to the ship we fled.

That night delivered no respite from our suffering. My wife and daughter were deathly sick as were most of the other passengers on the ship. I found out later that the Azur was a very old round bottomed ship with no stabilizers that had been retired from the Mediterranean. Other passengers tried to explain that other cruise lines were much better. Looking into my family's eyes I knew I would never be able to suggest a cruise again.

The next morning we landed on Puerto Rico, walked right into Old San Juan and shopped to our hearts' content. The shops were quaint and filled with bargains. We spent over five hours there and enjoyed every minute. The first good time we had all week cost us zero American Dollars to enjoy.

We had so much fun that, at the end of the afternoon, my wife and daughter pleaded with me to try and find a flight home from San Juan instead of resuming their torture on the ship. They begged me not to force them back to the closet and the endless nausea that awaited them there. After many calls to the airport I told them our sentence could not be commuted.

When we got back at the ship my family immediately retreated to the closet, took all the drugs it was legally possible for them to take and tried to render themselves unconscious before the ship left the dock. Unable to withstand the dark torture of the closet I decided to go back to the casino to try my luck again…and have more scotch.

That night's ride turned out to be even rougher than usual. As I held onto the blackjack table with one hand and my scotch with the other, watching my cards slide around the green felt, I asked the dealer why this ship was so rough. He answered simply that this was no ship. This was the Azur. He then asked another dealer to take his place, put his hand over his mouth and ran out of the room never to be seen again.

Morning brought us to the Island of Dominica whose government, I was told, was trying to boost its tourist trade. We left the Azur, after the previous night I could no longer call it a ship, and went to the capital of the island and observed the dingiest and foulest smelling town I had ever seen. After half an hour we fled back to the Azur where we spent the next eight hours on deck soaking up the sun and enjoying the pool.

At one point I took a turn around the deck and, looking over the side, saw native boys swimming around in the water begging passengers to throw down money so they could dive for it. Overcome by sorrow for these poor, downtrodden people I summoned a waiter and ordered a large scotch. After a while the native boys swam back to shore, turned toward the Azur, and waved. Seeing how grateful they were for the few coins they had been thrown I felt even more remorse and ordered another scotch for myself. I even offered to buy one for the waiter and he quickly accepted. As I sipped my drink I watched the native boys on the dock line up with their backs to the Azur, drop their swimming shorts and show us generous citizens of the industrialized world their asses. I turned to the waiter and asked him to make mine a double this time. The week continued.

The ship left Dominica early the next day and we stayed on deck to enjoy the sun and, hopefully, not get sick. The sun was glorious and a cooling spray from the bow drifted gently over us. If it hadn't been for the sickening smell of diesel fuel it might have been the most enjoyable day of the cruise.

After one final night of sleepless agony we arrived back in Barbados to be transported excitedly from the docks to the airport. A mere 20 hours later we arrived home on one of the coldest days of the year. My wife and daughter immediately ran for their beds not to awaken until late the next afternoon.

I, on the other hand, looked outside and observed the sterile browns of a New England landscape in late winter. I even opened the door to our only problem with this particular strategy was that the ground was still very wet and my foot disappeared into the lawn. Looking down I saw that all I had done was to create a nice new mud hole that accelerated the outward trenching effect.

As ice cold dirty water flooded into my boot I went to pull my foot free but it wouldn't move. I shook my leg in my best Elvis impersonation but all that seemed to do was work my foot in deeper. For a moment I saw myself standing there all spring - or at least until my wife came home from doing the grocery shopping - with birds using me for a perch and other indignities. In a nervous panic I pulled my foot as hard as I could until it came loose with a tremendous sucking sound. At the same time a startled black creature came flying out of the hole on the tip of my boot, somersaulted through the air and landed on my left shoulder where it dug in hard with its little claws.

For a minute the two of us stared at each other in absolute bafflement. Neither one of us was sure how we had got ourselves into this predicament or how we were going to get out of it. The creature looked like a mouse only bigger. It had a compact body, partially hidden ears and a short furry tail and it sure was ugly. I assume it was thinking the same about me. The critter came to its senses first, leaped nimbly off my shoulder back onto the sodden lawn and into the labyrinthine world from where I had just ejected it.

I didn't move though because my eyes were fixed on the little gift it had left on my shoulder. Vole poop. War had been declared. I would not have my lawn invaded by leaping, pooping voles. One of us would have to go.

Belonging to a superior species, as I do, despite the occasional comments from my wife, I decided to research my enemy. I went and got my garden encyclopedia and read all about voles and how to get rid of them.

The first thing I tried was smearing peanut butter on a bunch of mousetraps I set around my lawn but this came to an end when I went inside to get a sandwich and looked out the window to see my neighbor's toy poodle sprinting off our property with a mousetrap attached to its nose. After apologizing to my neighbor and offering to pay for any veterinarian services I decided to try another technique.

I explored several different kinds of bait. At first I thought of using some anti-vole products that promised to get rid of the little critters by killing them off with anti-coagulants but as I read about how these chemicals worked all I could think about was the little cartoon creature in 'The American

Dream' and I couldn't bring myself to do it.

I read that the common housecat will deter voles and also that coyotes, foxes, badgers and weasels are natural predators of voles. I thought it best not to introduce these species into the neighborhood and settled on the house cat option. I went inside and picked up my wife's white Persian longhaired cat off the couch where it was napping peacefully and took it out into the yard where small trenches were steadily devouring my lawn. As I went to put the cat down on the ground I discovered that only its front claws had been removed and, rather than let its precious paws touch the ground, it used its rear claws to run up my arm, across my face and affix itself firmly to the top of my head. At which point I let out a loud shout of pain and staggered around the garden trying to disengage the cat's claws from my skull before it took off most of my scalp. I was in too much pain to worry about what the neighbors might think but it wasn't like this was something they hadn't seen before.

I ran for the house and the moment I got inside the cat leaped off my head, disappeared under the couch and wasn't seen until the next morning. At this point I decided it was time to get rid of those voles before they did me any more damage. I grabbed a shovel from the garage and headed outside to dig the little critters out of my lawn.

For the next few hours I dug more mud and dirt than the developers did when building my house. Occasionally I watched little moving humps run under the lawn as the voles tried desperately to outrun my shovel.

It took me six long hours to dig up the subterranean city the voles were trying to establish on my property and in place of the little trenches across my lawn there were now giant holes of blackened mud everywhere.

Around this time my wife came home from doing the grocery shopping. She put down the bags, walked over to me, smacked me across the side of the head, then took the bags inside.

I looked around at what had once been the beginnings of a decent lawn but now looked like a First World War battlefield and saw her point. I also saw that some of the piles of mud I had made were moving. One at a time the voles I had evicted dug themselves out of the mud piles and straggled off my property like a column of refugees in search of somebody else's lawn to call home.

It may not have been pretty, and maybe my wife didn't approve of my methods, but, hey, I had won.

Now, when I look out my window and see big, water filled holes and piles of black mud everywhere I think wistfully of how pretty those snow mounds looked.

Where lost things go

"I have no clue what I did with my glasses."

That is what my friend, Hank, told me as he began his story. Hank and his family just bought a summer home in York. They did this for the same reason we all do this. He wanted to have his family spend their summers in one of the most beautiful places on earth. I expect that they will make a permanent move to York soon. At first I didn't see how a little absent mindedness could bother anyone but when I saw how upset and nervous he was I had to listen to the rest of his tale.

"For the past decade or so I have always put my glasses on the end table by my chair in the living room. It is a habit I have and I do it without thinking. But, one morning I reached for my glasses and they were not there. I spent the entire day looking for them and wondering what could have happened to them."

It was obvious that he was not bothered by the loss of the glasses but was stressed by the fact that his glasses seemingly disappeared. He told me he asked his wife, Stacey, if she could think of anywhere his glasses might be but she told him what he already knew. That he always put the glasses on the end table next to his chair. Wives are very good at stating the obvious.

As he told me his story I began to wonder where lost things go. I have also lost many items and have no idea where they went. I lost a pair of sunglasses last year. They disappeared out of the small drawer by the door that opened into our garage. At the time I thought I must have become careless and decided to torture myself by squinting my way all through that summer.

I started to remember many things that just disappeared. A few years ago I lost my wallet. That night I specifically remembered putting it in the night table by my bed. The next morning it was gone. That particular loss was very frustrating because I had to contact all of the credit card companies and the Department of Motor Vehicles. I was pleased at the time to find out that no one used my credit cards or license. But, now I wonder where did it go?

Just this morning I noticed the little jar I have on my desk for paper clips was empty. I know I put a couple of extra boxes of clips in my closet. When I reached for them they were not there. I asked my wife if she took them and she told me in a particular tone that she had little use for my paper clips. I then scoured the bottom of my closet for the clips and found none.

In the past I have lost many things. I have keys, paper work, books, a camera, a cell phone, garden tools…I once even lost a pair of shoes. My wife thinks that my losing of things is simply a continuation of my quest to lose my mind but now I am wondering if there is a place where lost things go?

Could there be a place in middle earth where everyone's lost things end up? Could Tolkein be right and there is a society of things beneath us that dares to confuse and frustrate by taking what we think is important?

I bet these beings are small. They must live deep within the earth and come out only at night. They must be strong little critters that have long ears and even longer beards. I doubt if they wear colorful clothes because they have never been seen. There is also a good chance they are also always smiling. They have to wear soft soled shoes on their feet because you never hear them enter your house. Now that I think of it, when I am lying in bed very late at night I hear clicks and snaps that I have always assumed were the settling of my house or the flow of water through the pipes that heat my house. Maybe I was wrong.

The doors they use to enter our world have to be under the dandelions and other deep-rooted weeds in our yards. For most of my life I have been condemned to pull out these weeds only to be frustrated by the fact that I can never get all of the root because it is too deep into the ground. Now I think I know why.

Inanimate objects are not the only things we lose in our lives. I wonder what happens to the friends and lovers we had earlier in our lives? Have they also gone to a place where they can never be found? I also wonder if they are also in the process of wondering where we are? Hell, maybe I was the one that was snatched in the middle of my life and ended up in a wonderful place that is part of the middle earth we all call York?

What about the dreams of our youth that used to fuel our lives? Were they also snatched away in the middle of our lives and stolen from our memories so we would not mourn their loss? Of course they sneak back to us every now and then in the form of dreams. It is almost as though they have to. These dreams don't only have to take place at night. They are also in the form of daydreams that make all of our lives a bit more enjoyable.

Could there be a place in that middle earth where all these dreams and memories go? Can you imagine how that place would look? It would have to be a colorful place. The air would have to be fresh and filled with the scents of peace and prosperity. This must be the place where the small creatures live who steal our things and who perpetually have a smile on their faces. Living in this land how could you not.

Enough! Fantasies are supposed to make one feel good. This one simply made me feel odd. After leaving my friend's home that night I decided to relax a bit and have a glass of my favorite scotch. But, when I reached into my liquor cabinet I discovered it wasn't there. I laughed to myself and wondered if the creatures living in the place where lost things go were having a party on me.

LE FRÈRE
DE JÉSUS

LE RÉCIT FASCINANT ET LA SIGNIFICATION DE LA PREMIÈRE DÉCOUVERTE ARCHÉOLOGIQUE LIÉE À JÉSUS ET SA FAMILLE

HERSHEL SHANKS & BEN WITHERINGTON III

Traduit de l'américain
par Marie Gonthier

Traduction : Marie Gonthier
Révision linguistique : Nicole Demers et André St-Hilaire
Révision : Nancy Coulombe
Typographie et mise en page : Sébastien Rougeau
Graphisme de la page couverture : Sébastien Rougeau
Photographie de la couverture : David Blumenfeld
ISBN 2-89565-151-5
Première impression : 2004
Dépôt légal : troisième trimestre 2004
Bibliothèque Nationale du Québec
Bibliothèque Nationale du Canada

Éditions AdA Inc.
1385, boul. Lionel-Boulet
Varennes, Québec, Canada, J3X 1P7
Téléphone : 450-929-0296
Télécopieur : 450-929-0220
www.ada-inc.com
info@ada-inc.com

Diffusion
Canada :   Éditions AdA Inc.
France :   D.G. Diffusion
              Rue Max Planck, B. P. 734
              31683 Labege Cedex
              Téléphone : 05-61-00-09-99
Suisse :   Transat - 23.42.77.40
Belgique :   D.G. Diffusion - 05-61-00-09-99

Imprimé au Canada

Participation de la SODEC.
Nous reconnaissons l'aide financière du gouvernement du Canada par l'entremise du Programme d'aide au développement de l'industrie de l'édition (PADIÉ) pour nos activités d'édition.
Gouvernement du Québec - Programme de crédit d'impôt pour l'édition de livres - Gestion SODEC.

Catalogage avant publication de la Bibliothèque nationale du Canada

Shanks, Hershel

    Le frère de Jésus : récit détaillé et signification de la plus importante découverte à ce jour concernant Jésus

    Traduction de : The brother of Jesus.

    ISBN 2-89565-151-5

    1. Jacques, le Mineur, saint. 2. Christianisme - Origines. I. Witherington, Ben, 1951 - II. Titre.

BS2454.J3S5314 2004   225.9'2   C2004-940924-7

TABLE DES MATIÈRES

INTRODUCTION

C e livre traite de ce qui pourrait bien constituer la découverte la plus étonnante de l'histoire de l'archéologie : une inscription, considérée par plusieurs spécialistes comme le premier témoignage archéologique sur Jésus de Nazareth, gravée sur une caisse en calcaire ayant jadis contenu les ossements de Jacques, le frère de Jésus et le chef de la communauté judéo-chrétienne de Jérusalem.

À l'époque de Jésus, plusieurs Juifs de Jérusalem inhumaient leurs morts dans de longues niches creusées dans des tombeaux. Une fois la peau du défunt desséchée et décomposée, environ un an plus tard, on recueillait ses ossements qu'on déposait dans des caisses faites de calcaire et appelées ossuaires. Ces petites boîtes en pierre étaient tout juste assez grandes pour recevoir l'os le plus long du corps, le fémur. Parfois, le nom de la personne décédée était inscrit sur la paroi extérieure de la boîte. Sur l'ossuaire dont il est question dans ce livre, on a gravé les mots suivants : « Jacques, fils de Joseph, frère de Jésus ».

Cet ossuaire n'a refait surface que tout récemment — il faisait partie de la collection d'un passionné d'antiquités vivant en Israël. Le propriétaire n'a finalement compris la signification de l'inscription que le jour où il l'a montrée à un érudit de la Sorbonne, un spécialiste des anciennes inscriptions sémitiques. Peu après, l'ossuaire a obtenu un succès fulgurant, faisant la une de presque tous les journaux du globe, dont le *New York Times*, le *Washington Post* et l'*International Herald Tribune*. On en a parlé à la radio et à la télé et des articles lui ont été consacrés dans des magazines comme le *Time*.

Mais à cette fièvre initiale a succédé une pluie de questions. D'où vient-il ? Comment le collectionneur l'a-t-il acquis ? S'agit-il d'un faux ? Comment pouvons-nous savoir s'il fait référence ou non à Jésus de Nazareth ? Jésus avait-il un frère ? Au fait, qui était Jacques et pourquoi revêt-il tant d'importance pour la compréhension des formes les plus anciennes du christianisme ?

Et quelles sont les implications théologiques de cette extraordinaire découverte ? Vient-elle jeter un doute sur la doctrine de la virginité perpétuelle de Marie ? Remet-elle en question la théorie catholique romaine voulant que Jacques ait été un cousin de Jésus, tout simplement ?

Voilà quelques-unes des questions que Ben Witherington et moi-même abordons dans ce livre. Parfois nous exprimons nos propres opinions — avec beaucoup de conviction. À d'autres occasions, nous présentons des opinions divergentes sur des problèmes qui divisent les experts. Sur ces sujets, les lecteurs devront se faire leur propre opinion.

Tandis que vous soupèserez les témoignages de façon à décider si le Jésus de l'inscription est bien le Jésus dont parle le Nouveau Testament — vous apprendrez beaucoup de choses en cours de route. Vous découvrirez la sous-culture du marché des antiquités et vous comprendrez pourquoi la communauté des spécialistes est divisée quant à l'attitude à adopter devant ce bazar parfois louche. Vous approfondirez vos connaissances sur le monde juif dans lequel Jésus a vécu. Vous découvrirez l'étrange coutume de l'*ossilegium* ou seconde inhumation. Vous apprendrez comment les spécialistes datent et authentifient les inscriptions anciennes par l'étude des formes et de l'inclinaison des lettres. Vous apprendrez également : ce qu'on connaît de la famille de Jésus ; comment, à Jérusalem, l'un des frères de Jésus est devenu le chef de la communauté des croyants réunis en son nom ; et comment ce frère a colmaté une brèche importante au sein de la communauté des croyants.

Mais avant toute chose, vous serez transporté dans une autre vie, deux mille ans plus tôt, à l'intérieur d'une communauté juive qui commençait à peine à comprendre ce que signifiait être chrétien et qui constituait l'Église mère d'un mouvement sur le point de donner naissance à la tradition religieuse la plus significative que le monde ait jamais connue.

Notre livre est divisé en deux parties — j'ai rédigé la première partie, et Ben la seconde. En tant qu'éditeur de la *Biblical Archaeology Review*, j'ai supervisé la publication de l'article annonçant la découverte de l'inscription. J'ai participé activement à la recherche d'éléments permettant d'établir l'authenticité de l'inscription ainsi qu'à l'organisation de la première exposition de l'ossuaire au Musée royal de l'Ontario à Toronto. Ben Witherington est professeur au Asbury Theological Seminary ; c'est un brillant exégète du Nouveau Testament qui a publié plus de vingt livres ; par surcroît, il est chroniqueur pour le populaire magazine *Bible Review*. Il nous présente le contexte dans lequel Jacques, le frère de Jésus, a évolué et il montre comment cette relation a été perçue par les chrétiens à travers les siècles. Il étudie aussi le mouvement regroupant les fidèles de Jésus dirigé par Jacques et il examine les implications théologiques de la découverte de l'inscription de l'ossuaire pour diverses traditions chrétiennes.

Nous croyons que les preuves établissant l'authenticité de l'inscription sont irréfutables, croyance partagée par les experts de premier plan dans le domaine. De plus, nous présentons des éléments passionnants afin d'évaluer l'inscription et le débat qui l'entoure. Cette inscription réfère-t-elle effectivement à Jésus de Nazareth ? Cette caisse en calcaire a-t-elle contenu autrefois les os de son frère Jacques ? À vous d'en juger.

Hershel Shanks
Washington, D.C.
Janvier 2003

PRÉFACE

« Je suis toujours intéressé à voir de nouvelles inscriptions. » Telle est la réponse que j'ai faite à un collectionneur israélien en avril 2002 quand ce dernier m'a appris qu'il possédait quelques objets susceptibles de m'intéresser. Nous avons pris rendez-vous et, quelques jours plus tard, je l'ai rencontré à son appartement de Tel Aviv. Il était particulièrement intéressé à me montrer, parmi les pièces de sa collection, un ossuaire (ou caisse funéraire) sur lequel était incisée une inscription en lettres cursives araméennes qu'il ne pouvait déchiffrer (de fait, je ne suis parvenu à la déchiffrer que plusieurs jours après). Mais avant de me montrer cet objet, il m'a fait voir des photographies de quelques autres ossuaires ; l'un d'eux portait une inscription qu'il avait déjà pu lire, pro-bablement avec l'aide de la paléographe israélienne Ada Yardeni. L'inscription complète disait : « Ya'akov fils de Yosef frère de Yeshua. » Yardeni a probablement aidé le propriétaire à lire les mots araméens plus difficiles à déchiffrer : *achui di* (frère de). Autrement, la lecture de cette inscription ne pose pas problème. Elle est fort bien écrite, dans une écriture classique. Le propriétaire me dit que l'inscription était particulièrement intéressante car il n'y avait dans le *Catalogue* de Rahmani (le catalogue standard des ossuaires juifs) qu'une seule autre inscription de la sorte mentionnant un frère. Après cette remarque, il s'apprêtait à me montrer l'inscription non déchiffrée qu'il m'avait invité à voir en premier lieu. Mais je l'ai arrêté.

« Attendez ! Cette inscription me paraît intéressante parce que « Ya'akov fils de Yosef frère de Yeshua » pourrait vouloir dire « Jacques fils de Joseph frère de Jésus », dis-je. Jacques est un personnage très important dans l'histoire du christianisme primitif. » Vraisemblablement, le collectionneur israélien n'avait jamais entendu parler de lui. J'ai dû lui expliquer qui était Jacques, comment il était mentionné dans les Évangiles, les Actes des apôtres, les lettres de Paul ainsi que dans les écrits de Josèphe, l'historien juif du premier siècle et ceux d'Eusèbe de Césarée, le Père de l'Église au quatrième siècle. Je lui ai expliqué que Jacques était le chef de la communauté judéo-chrétienne de Jérusalem avant la première révolte juive contre Rome (en 66-70 de notre ère). Je lui ai dit également que je n'étais pas certain qu'il s'agissait bien de lui parce qu'il n'y avait pas d'expression permettant d'identifier clairement les personnages, telle que « Jacques le Juste » ou « Jacques le Vertueux » — il était appelé ainsi le plus souvent — ou encore « Jésus le Messie » ou « Jésus de Nazareth ». Les noms Joseph, Jésus et Jacques étaient courants chez les Juifs du premier siècle — soit la principale période durant laquelle les ossuaires ont été utilisés à Jérusalem — et, bien sûr, à l'époque de Jésus et des premiers chrétiens, incluant son frère Jacques. « Par conséquent, l'identification devient une question de probabilité qu'il faut étudier plus en détail », lui dis-je. Le collectionneur s'est montré très intéressé et il m'a rappelé que, pour déterminer la popularité de ces noms, nous allions devoir prendre en compte la taille de la population de Jérusalem à cette époque. Puis il m'a donné une photographie de l'inscription. Je lui ai dit que je lui écrirais après avoir vérifié les références sur Jacques dans la tradition littéraire et procédé à une évaluation préliminaire quant à la probabilité qu'une telle inscription fasse référence à ces personnages du Nouveau Testament.

Les jours suivants, j'ai mis de côté ma recherche sur l'hébreu biblique dans le cadre sémitique du Nord-Ouest que j'effectuais avec une équipe de spécialistes de l'Institute for Advanced Studies (à l'Université hébraïque de Jérusalem). J'ai examiné les textes du Nouveau Testament, de Josèphe et d'Eusèbe ; j'ai lu trois publications récentes sur Jacques ; puis j'ai commencé à évaluer les probabilités en tenant compte de la fréquence de ces trois noms dans l'onomastique (les listes de noms) de cette période ainsi que d'un estimé archéologique de la population de Jérusalem. J'ai utilisé les ressources de deux excellentes bibliothèques : la Bibliothèque nationale juive, située tout près de mon bureau dans le quartier Givat Ram et la bibliothèque de l'École biblique française où j'ai étudié il y a trente-quatre ans.

Cette étude préliminaire s'est avérée fort encourageante. Alors, j'ai écrit un mot au collectionneur afin de savoir si je pouvais étudier l'inscription sur l'ossuaire même — déjà en voyant les photographies, j'avais eu « un bon feeling » quant à l'authenticité de l'inscription. Nous avons convenu d'un deuxième rendez-vous. J'ai alors pu voir l'ossuaire dans son appartement et examiner à la loupe l'inscription et la façon dont elle avait été incisée. Je n'ai pas relevé un seul élément propre à éveiller des soupçons. Aussi ai-je demandé au collectionneur la permission de publier une étude de l'inscription, laquelle — comme je lui expliquai à nouveau — référait probablement à un important personnage de l'Église primitive ayant un lien de parenté étroit avec Jésus de Nazareth. Il a donné son assentiment à la condition que son nom ne soit pas mentionné. Il a ajouté qu'il préférait que l'article soit publié dans une revue de langue anglaise car il ne maîtrisait pas le français. Je lui ai parlé de la possibilité de publier dans la *Biblical Archaeology Review*, une revue américaine qui recourt à d'excellentes photos couleur. Quelques jours auparavant, j'avais appris par messagerie électronique que l'éditeur allait venir bientôt à Jérusalem où je pourrais le rencontrer. Le collectionneur a accepté avec empressement.

Le 22 mai, je dînais avec Hershel Shanks, Bezalel Porten et Robert Deutsch. Vers la fin de ce délicieux repas, j'ai mentionné discrètement à Hershel la possibilité de publier un article sur un ossuaire inscrit portant les mots « Jacques, frère de Jésus ». Il semble qu'il n'ait pas réalisé sur-le-champ à qui je faisais allusion, mais il m'a dit de lui envoyer le manuscrit. Et l'aventure a ainsi commencé.

Dans l'article publié dans le numéro de novembre 2002 de la *Biblical Archaeology Review*, j'ai présenté les éléments de preuve et l'analyse qui m'ont amené à conclure que l'ossuaire et l'inscription étaient bien authentiques et que l'inscription faisait très probablement référence à Jacques, Joseph et Jésus du Nouveau Testament. De nombreuses discussions entre spécialistes ont déjà eu lieu sur l'ossuaire et sa remarquable inscription, et je suis ravi d'annoncer que j'ai acquis encore plus de certitude quant à mes conclusions. Je trouve très encourageant de constater que les principaux experts dans le domaine ont, après vérification, corroboré mes dires sur l'authenticité de la découverte. Et je ne trouve pas du tout sérieux les arguments, sans parler des rumeurs, qui ont été invoqués pour mettre en doute son authenticité, particulièrement si on tient compte du fait qu'ils ont été avancés par des gens n'ayant aucune expérience de l'épigraphie araméenne (l'écriture et les inscription) de cette période.

Le lecteur prendra maintenant connaissance du récit de Hershel Shank relatant sa propre découverte de cette passionnante inscription mais, avant de lui laisser la parole, je voudrais ajouter quelques mots expliquant pourquoi j'ai personnellement pensé dès le début à une identification possible avec Jacques, le frère de Jésus. Il y a de cela plusieurs années, j'ai obtenu mon doctorat en études religieuses à l'École pratique des hautes études (de la Sorbonne, à Paris) sous la direction des professeurs

Oscar Cullman et Pierre Nautin. Ce projet de recherche portant sur les origines de l'Église primitive est devenu mon premier livre : *Les ministères aux origines de l'Église* (1971). Rien d'étonnant donc à ce que le rôle de Jacques dans l'histoire du judaïsme et du christianisme du premier siècle m'intéresse au plus haut point. Une dizaine d'années plus tard, dans un petit livre sur l'histoire israélite ancienne ayant connu une certaine popularité (*Histoire du peuple hébreu*, 1981, sixième édition 2001), j'ai mentionné la mort de Jacques, le chef de la communauté judéo-chrétienne de Jérusalem. Ce livre-ci peut nous en apprendre beaucoup plus à propos de Jacques et c'est pourquoi j'encourage fortement le lecteur à en faire une lecture attentive.

André Lemaire
La Sorbonne, Paris
Janvier 2003

PREMIÈRE PARTIE

L'HISTOIRE D'UNE DÉCOUVERTE REMARQUABLE

HERSHEL SHANKS

1

OH NON !

C'est le vendredi 1er novembre 2002 que j'ai appris la nouvelle. Peu après 10 h, je recevais un appel téléphonique de Dan Rahimi, responsable de la gestion des collections du Musée royal de l'Ontario à Toronto — le musée même où devait être présenté deux semaines plus tard l'ossuaire ou caisse funéraire maintenant connu sur toute la planète et portant l'étonnante inscription « Jacques, fils de Joseph, frère de Jésus ».

« Je suis en compagnie d'Ed Keall », dit Dan. Ed est le conservateur principal du département des civilisations du Proche-Orient et de l'Asie et j'avais discuté avec lui auparavant de divers aspects de l'exposition. Dan a continué sur un ton qui ne présageait rien de bon. « Joël Peters, vice-président au marketing est avec nous. » Je suis devenu inquiet soudainement. J'avais eu une prise de bec avec Joël la veille quand il avait suggéré que les stations de télévision locales puissent filmer l'arrivée de l'ossuaire à Toronto. Nous nous étions entendus précédemment pour accorder les droits exclusifs de reproduction télévisuels à un cinéaste dont les documentaires avaient été primés. Ce dernier avait dit à Joël qu'il permettrait aux stations de télévision locales d'utiliser sans frais les séquences filmées. C'est pourquoi j'étais furieux et j'ai réagi fortement à la suggestion de Joël. Maintenant, je m'interrogeais : « Cette dispute était-elle en train de refaire surface ? »

Dan a poursuivi : « Nous sommes dans le bureau de Meg Beckel, administratrice en chef des opérations du musée. » Là, j'ai vraiment commencé à avoir peur. « William Thorsell, président-directeur général du musée est aussi présent. J'ai de très mauvaises nouvelles à t'annoncer. »

Oh, mon Dieu ! ai-je pensé. Ils annulent l'exposition parce que l'ossuaire est « sans provenance » — expression employée dans le domaine de l'archéologie professionnelle pour désigner des découvertes dont l'origine est indéterminée et qui n'ont pas été faites par des professionnels. Cet ossuaire appartenait à un collectionneur d'antiquités qui vivait en Israël et désirait conserver l'anonymat ; il avait acheté l'ossuaire sur le marché des antiquités auprès d'un vendeur arabe non identifié. Nous ne savons pas exactement où cet objet a été découvert, ni quand ni par qui. Nous avions discuté de ce problème au cours des jours précédents car il soulevait des questions éthiques. La principale organisation professionnelle américaine d'archéologues du Proche-Orient, dont la rencontre devait avoir lieu à Toronto durant la période d'exposition prévue au Musée royal de l'Ontario, n'émettrait aucun commentaire au sujet de l'ossuaire. La politique de l'organisme est de ne pas publier d'articles, exposer des objets ni même discuter professionnellement d'objets qui n'ont pas été découverts lors de fouilles professionnelles par crainte de contribuer à augmenter la valeur de ces objets.

Mais il ne s'agissait pas de cela. C'était pire. « Nous avons ouvert la caisse d'expédition : l'ossuaire est fêlé à plusieurs endroits. » Tandis que Dan poursuivait sa description, j'ai senti soudain le sang me monter à la tête. Ils avaient déballé avec précaution l'ossuaire pour se rendre compte que la boîte en calcaire tendre était fêlée et même fissurée en plusieurs endroits.

Il avait été mal emballé, disait-il. De petits morceaux de pierre s'étaient détachés. Il était navré de m'apprendre qu'une large fissure traversait l'inscription.

Une conférence de presse devait avoir lieu à 14 h — soit dans moins de quatre heures — durant laquelle l'ouverture de la caisse d'expédition contenant l'ossuaire devait être reprise. Il fallait maintenant que les responsables du musée entrent en communication avec le propriétaire de l'ossuaire afin de recevoir ses instructions. En Israël, le Shabbat (sabbat) était commencé car il était plus de 17 h. Il était hors de question de montrer l'ossuaire aux représentants de la presse dans cet état, affirmait Dan. Il proposait d'annuler la conférence de presse. Nous en avons discuté quelques instants pour finalement décider de ne rien cacher. C'était vraiment la seule chose à faire. Même si nous avions refusé d'exhiber l'ossuaire dans cet état, nous n'aurions pu empêcher les journalistes de venir et de poser des questions. Nous devions leur dire que l'ossuaire avait été endommagé. En fin de compte, il ne subsistait qu'une seule question : devions-nous fournir à la presse une photographie de l'ossuaire fissuré ? À regret, nous avons dû nous rendre à l'évidence : il fallait remettre cette photo aux gens des médias. Le propriétaire de l'ossuaire allait-il donner son consentement ?

À l'époque, nous utilisions encore le nom de « Joe » pour parler du propriétaire afin de protéger son anonymat. Les gens du musée ne connaissaient pas son nom véritable. Toutes les transactions qui requéraient l'approbation de Joe étaient effectuées par l'entremise de son avocat ; or, le bureau de ce dernier était fermé pour le Shabbat. Je devais donc servir d'intermédiaire. Je connaissais Joe. Je connaissais son véritable nom, je lui avais même rendu visite à son appartement en Israël et je savais comment prendre contact avec lui. Je l'ai donc joint à Tel Aviv.

En apprenant ce qui était arrivé, il est demeuré sans voix momentanément. Il a soutenu avoir fait préparer le colis par les employés du meilleur établissement d'emballage d'Israël, une entreprise qui emballe les pièces de plusieurs musées. Le transport lui-même avait été pris en charge par la Brinks, une compagnie de renommée mondiale. Manifestement, il se sentait frustré et impuissant dans les circonstances.

Nous avons eu plusieurs appels conférence avec les dirigeants du musée réunis dans le bureau de Meg Beckel. Même s'ils ne connaissaient pas le nom véritable du propriétaire, ils connaissaient bien sa voix ; nous avions discuté à plusieurs reprises auparavant. Il était presque midi lorsqu'on nous a informés que les caméramans allaient arriver au musée dans moins d'une heure pour la conférence. Comme nous, Joe a fini par reconnaître qu'il n'y avait rien d'autre à faire que de jouer franc jeu avec la presse — et de donner aux journalistes une photographie de l'ossuaire endommagé.

Les gens du musée avaient photographié avec soin chaque détail du déballage effectué en privé le jour précédent. Ils m'ont fait parvenir ainsi qu'à Joe ces photographies par courrier électronique, mais je ne les ai vues qu'un bon moment après que n'a débuté la conférence de presse. En les apercevant, j'en ai eu l'estomac tout retourné. Je m'étais dit que Dan Rahimi avait probablement exagéré l'ampleur des dommages afin de faire sentir à quel point la situation était grave. Au contraire, il avait vraiment essayé de faire contre mauvaise fortune bon cœur. Les fissures étaient épouvantables.

Une consolation toutefois : au Musée royal de l'Ontario travaille Ewa Dziadowiec, une excellente conservatrice spécialisée dans la restauration d'objets en pierre. Elle était en mesure de restaurer l'ossuaire en moins de quelques jours.

Au moment où je m'apprêtais à me mettre à table pour le dîner du Shabbat avec mon épouse, un fax de Dan est entré — c'était le double d'une télécopie qu'il avait fait parvenir à Joe à laquelle il avait joint le protocole de restauration de l'ossuaire. Le message commençait par ces mots : « Cher Joe ». Il pressait le propriétaire d'autoriser le musée à entreprendre la restauration le plus tôt possible. J'ai pris connaissance immédiatement du contenu du protocole. Et c'est alors que j'ai lu pour la première fois : « La boîte de l'ossuaire a été brisée en cinq morceaux. » Mon cœur a cessé de battre pendant un instant.

Puis je suis revenu à la lettre : « Ewa propose de recueillir les cinq fragments, de les nettoyer pour enlever la poussière ou autre contaminant et de les recoller ensemble en utilisant un adjuvant comme le polyacétate de vinyle mélangé à un matériau d'apport texturé et un pigment. Ce traitement est entièrement réversible et les ingrédients utilisés peuvent être facilement dissous avec de l'acétone. Nous ne suggérons pas de peindre par-dessus la réparation. Le matériau d'apport pigmenté se rapprochera beaucoup de la couleur de l'ossuaire. Les fissures seront à peine visibles. »

On ne pouvait faire mieux. Autrement dit, c'est ce qu'on pouvait faire de mieux dans la mesure où ce qui constituait éventuellement la plus grande découverte archéologique de tous les temps gisait en morceaux.

2

UNE DÉCOUVERTE ÉTONNANTE

Dire d'André Lemaire qu'il est toujours « à l'affût » ne fait peut-être pas très savant. Mais c'est la vérité. Ex-prêtre, Lemaire est un spécialiste de l'épigraphie sémitique — l'étude de l'hébreu, de l'araméen et d'autres inscriptions sémitiques anciennes. Il vit à Paris et enseigne à la Sorbonne mais on le retrouve souvent à Jérusalem en train de fureter dans les échoppes d'antiquaires et de frayer avec des collectionneurs d'antiquités, quand il n'est pas occupé à effectuer des recherches sur un sujet abscons à la bibliothèque de l'École biblique et archéologique française — laquelle est reconnue comme la meilleure bibliothèque biblique de Jérusalem.

Les archéologues de l'establishment, particulièrement ceux qui appartiennent au prestigieux *Archaeological Institute of America* (AIA) et à *l'American Schools of Oriental Research* (ASOR) — la principale association d'archéologues du Proche-Orient dont les membres se sont rencontrés à Toronto au moment de l'exposition de l'ossuaire au Musée royal de l'Ontario —, sont officiellement opposés à sa pratique. Il étudie et publie d'importantes inscriptions qui proviennent du marché des antiquités. (« Publier une inscription » est la formule

abrégée employée par les spécialistes pour parler de la publication du premier compte-rendu annonçant la découverte et
l'interprétation d'une inscription ancienne ou d'un artéfact.)
Comme il a été mentionné précédemment, dans le monde des
érudits, de tels artéfacts obtenus sur le marché des antiquités
sont dits sans provenance. Personne, sauf le premier vendeur et
peut-être le marchand d'antiquités, ne sait d'où proviennent les
objets.

André Lemaire, un des principaux spécialistes des écritures
sémitiques anciennes, est directeur des études, section des
sciences historiques et philologiques, à l'École pratique
des hautes études de la Sorbonne à Paris. *Laurent
Monlau/Rapho*

Ils n'ont pas été trouvés lors de fouilles scientifiques effectuées par des archéologues professionnels. On leur reproche
d'être « hors contexte ». Ils ont été trouvés par hasard, emportés
lors du pillage d'un site ou chapardés par un travailleur sur un
chantier de fouilles autorisées avant que la découverte ne soit

enregistrée. Certains soutiennent que le fait de publier des études sur de tels artéfacts ne fait qu'encourager les pilleurs. C'est pourquoi l'AIA et l'ASOR ne publient pas d'études sur un artéfact d'origine indéterminée dans leurs journaux spécialisés : l'*American Journal of Archaeology* et le *Bulletin of the American Schools of Oriental Research* (BASOR). La communication d'un spécialiste analysant une inscription ou un artéfact sans provenance ne peut être présentée aux rencontres des archéologues américains sponsorisés annuellement par l'AIA et l'ASOR.

Cela ne veut pas dire pour autant que Lemaire ne soit pas respecté et admiré. Il l'est, tout comme les autres principaux épigraphistes sémitiques tels que Frank Moore Cross de Harvard, P. Kyle McCarter de l'université Johns Hopkins à Baltimore, et comme le fut Nahman Avigad, aujourd'hui décédé, qui enseignait à l'Université hébraïque de Jérusalem. (Curieusement, Cross et McCarter ont tous deux été présidents de l'ASOR). Tous reconnaissent qu'ils ne peuvent ignorer les pièces importantes qui sont apparues sur le marché. Les manuscrits de la mer Morte en constituent le meilleur exemple. Le premier manuscrit a été découvert accidentellement dans une grotte par des bergers bédouins. Les manuscrits ont ensuite été achetés par des marchands d'antiquités arabes. Une course a alors commencé entre les Bédouins et les archéologues professionnels pour localiser d'autres grottes contenant des manuscrits. Les Bédouins les découvraient presque toujours avant les archéologues. Et quand cela se produisait, les érudits jugeaient bon de les acheter à certains marchands d'antiquités arabes peu scrupuleux quant à la question du pillage. Au bout du compte, des fragments de près de neuf cents manuscrits différents ont pu être acquis.

Il aurait été préférable que des archéologues professionnels aient mis au jour les manuscrits des grottes. Mais, entre disposer de manuscrits chapardés ou ne pas en avoir du tout, le choix semble évident.

André Lemaire a fait certaines découvertes remarquables en plus des nombreuses inscriptions qu'il a étudiées et publiées, inscriptions découvertes lors de fouilles scientifiques légales. Il y a près d'une vingtaine d'années, il a découvert dans une boutique d'antiquités le seul artéfact susceptible de provenir du temple de Salomon. Je dis bien « susceptible » car, en matière d'archéologie, il existe bien peu de certitudes. (Cela est vrai même lorsqu'il s'agit de fouilles scientifiques.) L'objet est une minuscule grenade en ivoire portant autour du cou l'inscription « Appartenant au temple de [Yahwe] h, chose sainte des prêtres ». Yahweh est le nom personnel du Dieu israélite. La partie du mot entre crochets a été effacée ; seule la lettre finale du dernier mot a survécu ; le reste a été, comme on dit, restauré. Avant qu'André Lemaire ne la découvre, personne n'avait reconnu l'importance de la grenade parce que seule la dernière lettre du nom personnel du Dieu israélite avait survécu. À la base de la grenade, il y a un trou et, comme d'autres objets non inscrits nous l'ont appris, cela indique que la grenade constituait la tête du petit sceptre d'un prêtre. Nous aurions peut-être pu la relier plus facilement au temple de Salomon si elle avait été découverte lors d'une fouille professionnelle. Mais pas nécessairement. Il est concevable mais plutôt improbable que l'inscription ait été complète ; si tel avait été le cas, nous aurions su alors que la partie manquante était *Yahweh* et non *Asherah*, une déesse païenne dont le nom se termine par la même lettre. Même si le mot *Yahweh* avait survécu, nous n'aurions pu être certains à 100 % que cet objet était associé au temple de Jérusalem. Il aurait très bien pu provenir d'un autre temple dédié à Yahweh, un temple autre que celui de Salomon et dont nous ignorons tout. Et même s'il avait été découvert lors de fouilles professionnelles, d'autres questions auraient surgi malgré tout. Il y a toujours des questions. Cependant, mieux vaut avoir cette grenade inscrite en ivoire telle qu'elle est plutôt que de ne rien avoir du tout.

Pourquoi autant de découvertes importantes proviennent-elles du marché des antiquités ? C'est assez mystérieux. Plus de 90 % de toutes les anciennes pièces de monnaie, par exemple, proviennent du marché des antiquités. Vous ne pouvez être un numismate si vous ignorez les pièces de monnaie sans provenance.

Ou bien encore, prenons le cas des bulles. Une bulle est un petit morceau d'argile ou de boue de la grosseur d'un ongle qui était utilisé pour sceller et protéger le contenu d'un document ancien. La bulle est imprimée avec le sceau de l'expéditeur, souvent un personnage de haut rang. Les bulles sont extrêmement difficiles à identifier au cours des fouilles (les documents qu'elles scellaient se sont entièrement décomposés et, la plupart du temps, ils ont disparu depuis longtemps.) Seules deux caches de bulles datant de la période biblique (l'âge du fer), soit un peu plus de soixante pièces, ont été exhumées lors de fouilles. L'une d'elles a été découverte dans l'ancienne Cité de David (au sud de la Vieille Ville) à Jérusalem, et l'autre dans une jarre mise à jour à Lachish. Mais dix fois plus de bulles proviennent du marché des antiquités. En d'autres mots, moins de 10 % des bulles de la période biblique connue ont été trouvées par des archéologues dans le cadre de fouilles professionnelles. Les bulles qui sont apparues sur le marché des antiquités portent la marque des sceaux de rois anciens de Juda, comme Ézéchias et Achaz, lesquels occupent une place importante dans la Bible. D'où proviennent ces bulles et comment les fouilles ont-elles été effectuées ? Personne, du moins aucun individu prêt à aborder le sujet ouvertement ne le sait. On raconte (mais l'origine de cette histoire est douteuse) que de la terre enlevée lors de fouilles autorisées et déposée dans des contenants tels que des boîtes à chaussures est vendue à un prix dérisoire à des paysans arabes qui, avec les membres de leur famille, tamisent soigneusement cette terre pour y découvrir ce que les archéologues professionnels n'ont pas aperçu.

LEMAIRE DÉCOUVRE L'OSSUAIRE

C'est dans le contexte de cette sous-culture qu'au printemps 2002 Lemaire a accepté une invitation à une soirée organisée par un important collectionneur d'Israël. André Lemaire était à Jérusalem pour une durée de six mois ; il faisait partie d'un groupe d'éminents hébraïstes qui travaillaient sur les langues sémitiques de l'Ouest à l'Institute for Advanced Studies de l'Université hébraïque. Lors de cette soirée, il a fait la connaissance d'un autre collectionneur. Comme les collection-neurs et les vendeurs ont mauvaise réputation auprès de l'establishment archéologique, ils recherchent souvent l'anony-mat. Je connais le collectionneur chez qui la soirée avait lieu mais je ne révélerai pas son identité. Je ne veux pas mettre en péril mes propres contacts. Ce nouveau collectionneur que Lemaire a rencontré lors de cette petite fête et qui est une figure centrale de notre histoire, c'est l'homme que nous avons appelé Joe.

Je place les collectionneurs dans deux catégories distinctes : les bons et les mauvais. Les bons collectionneurs permettent aux érudits d'étudier et de rendre publics leurs trésors et ils partagent avec le public leurs collections. Les mauvais collectionneurs cachent leurs trésors ; personne ne sait qu'ils existent. Les mauvais collectionneurs ne veulent tout simplement pas s'impliquer. Ils collectionnent pour leur propre plaisir. Ils veulent éviter d'être diffamés par certains archéologues de l'establishment ; ils n'ont pas besoin de ça, disent-ils.

Joe est un très bon collectionneur. Il permet volontiers aux érudits, tout particulièrement à André Lemaire, d'étudier et de publier des comptes rendus sur des pièces de sa collection, et il permet même à certains musées d'exposer plusieurs de ses pièces parmi les plus importantes. Il demande seulement de veiller à ce que son anonymat soit préservé.

Lors de leur première rencontre, Joe a invité Lemaire à examiner certaines de ses inscriptions les plus difficiles à déchiffrer, c'est-à-dire des inscriptions obscures ou indistinctes, inscriptions que seul un épigraphiste professionnel à l'œil exercé a des chances de pouvoir déchiffrer. Lemaire a accepté l'invitation avec plaisir et, peu de temps après, il a rendu visite à Joe, à son appartement. Joe lui a fait voir certaines pièces difficiles à lire mais, au cours de la conversation, il lui a aussi montré la photographie d'une inscription qui n'était pas difficile à lire du tout. Elle était gravée sur un ossuaire — un vestige d'un rituel funéraire pratiqué couramment par les Juifs de Jérusalem durant une courte période s'étendant des années 20 av. J.-C. jusqu'à l'an 70 de notre ère environ. Les dépouilles étaient d'abord déposées dans un caveau familial. Un an environ après le décès, une fois le corps décomposé, les os étaient rassemblés et déposés dans une caisse funéraire (ou ossuaire) qu'on laissait dans le tombeau. Sur environ 250 des 900 ossuaires répertoriés durant cette période, on retrouve des inscriptions qui mentionnent le nom d'une ou des personnes dont les os ont été placés dans la caisse funéraire.

Pour cette inscription particulière apparaissant sur l'ossuaire, toutes les lettres étaient là, soigneusement gravées, et, à l'exception d'une ou deux d'entre elles, elles pouvaient facilement être identifiées. L'ossuaire ne semblait pas avoir une importance particulière et c'est pourquoi Joe l'avait entreposé. Joe a dit avoir acheté cet ossuaire d'un marchand de Jérusalem Est. À l'époque, on lui avait affirmé qu'il provenait de Silwan, un village arabe des environs, à l'est de la Cité de David à Jérusalem.

Lemaire a écarquillé les yeux. L'inscription en araméen disait : *Ya'akov bar Yosef achui d'Yeshua*. En français : « Jacques, fils de Joseph, frère de Jésus ». Lemaire a reconnu immédiatement son importance potentielle — si elle était authentique. Le Jésus du Nouveau Testament n'était jamais apparu auparavant dans un contexte archéologique. Ni Joseph ni Jacques. Si cette inscription était authentique et faisait effectivement référence à ces personnages du Nouveau Testament, il s'agissait alors d'une découverte sans précédent, tout à fait ahurissante. Et la caisse elle-même pouvait bien avoir contenu autrefois les os de Jacques, le frère de Jésus.

André Lemaire est un homme calme et un érudit prudent. Je ne l'ai jamais entendu crier. Dans le monde dans lequel il évolue, il se doit d'être prudent. Et il l'est. « C'est très intéressant », dit-il. Il a demandé à voir l'objet lui-même. Peu de temps après, Lemaire est retourné pour examiner la caisse funéraire en calcaire.

Quand il l'a vu, il a eu immédiatement « un bon feeling » envers cet objet, un test subjectif dont tiennent compte au départ presque tous les collectionneurs, vendeurs et épigraphistes. « Devant cette inscription, je me sentais très à l'aise », dit-il.

Quelques semaines plus tard — en mai et juin 2002 —, j'étais à Jérusalem lorsque j'ai appris qu'André y était aussi ; nous allions certainement nous rencontrer, me dis-je. J'en ai parlé à Buzzy Porten (son véritable prénom est Bezalel), qui a exprimé le désir de se joindre à nous afin de faire plus ample connaissance avec Lemaire. Buzzy est un expert de renommée mondiale de l'étude des papyrus de l'île Éléphantine, une collection de manuscrits araméens datant du cinquième siècle avant J.-C. et découverte dans cette île du Nil au sud de Luxor. Les manuscrits appartenaient à une colonie de réfugiés juifs inconnue jusque-là. Cette communauté juive isolée a construit son propre temple sur l'île et elle était en contact avec les prêtres du temple de Jérusalem après que celui-ci eut été reconstruit par les Juifs à leur retour de l'exil babylonien vers la fin du cinquième siècle avant J.-C.

J'étais content de permettre à Porten et Lemaire de se rencontrer et, tant qu'à y être, j'ai invité Robert Deutsch de Tel Aviv, un marchand d'antiquités devenu exégète, à se joindre à nous. Deutsch est un réfugié roumain qui est venu en Israël en 1963 et qui a trouvé un métier dans le domaine des antiquités. Il a commencé à suivre des cours à l'Institut d'archéologie de l'université de Tel Aviv où il a obtenu un diplôme de maîtrise. Il prépare présentement sa thèse de doctorat. Il a déjà publié six volumes d'inscriptions tirées de collections privées (l'un d'eux avec Lemaire et quatre en collaboration avec Michael Heltzer de l'université Haifa et il est l'unique auteur du sixième volume).

Je résidais au centre des artistes et auteurs de Mishkenot Sha'ananim, d'où l'on peut apercevoir les murs de la Vieille Ville, tout près de l'hôtel Roi David. J'ai donc réservé une table pour le dîner au Pisces, un restaurant situé en face de cet hôtel. Le vin était très bon, le poisson excellent, et la conversation superbe. J'y suis retourné récemment et je me suis même souvenu de l'endroit exact où nous étions assis. (Hélas, depuis lors, le Pisces a fermé ses portes.) Je mentionne tout ceci parce qu'après la publication de l'inscription de l'ossuaire j'ai parlé à Porten et à Deutsch et aucun d'eux ne se rappelait avoir parlé — bien que brièvement — de l'inscription de l'ossuaire au cours du dîner ce soir-là. Ils n'en avaient gardé aucun souvenir, tout simplement.

Mon souvenir et celui de Lemaire diffèrent aussi. Lemaire se souvient d'avoir laissé entendre au cours de ce dîner qu'il aimerait écrire un article pour *BAR (Biblical Archaeology Review*, dont je suis le rédacteur en chef). Dans mon souvenir, j'ai pris note de cette inscription dont Lemaire avait parlé avec l'intention de lui téléphoner plus tard et de lui demander d'écrire un article pour nous sur ce sujet. De toute façon, quelques semaines plus tard, de retour à Washington, j'ai reçu un texte de Lemaire sur l'inscription.

Comment se fait-il qu'aucun d'entre nous n'ait sauté sur place dans le restaurant ? Comment se fait-il que l'inscription ne soit pas devenue aussitôt *le* sujet de conversation à la table ce soir-là ?

J'ai interrogé Lemaire là-dessus il y a peu de temps. « J'étais très prudent », dit-il, ce qui reflète une attitude tout à fait courante chez les érudits. Mais je crois qu'il y avait autre chose, une attitude analogue sans doute à la prudence : le scepticisme. Nous étions tous extrêmement sceptiques. C'était tout simplement trop beau pour être vrai, trop beau même pour être pris au sérieux.

Je dois avouer que ce n'est que lorsque j'ai commencé à étudier l'article minutieux de Lemaire que j'ai éprouvé une sorte d'excitation. Soudainement, j'ai compris que cette découverte pouvait avoir une énorme importance.

Mais il y avait aussi un danger : après la publication d'un article sur cette découverte, tout pouvait s'effondrer. J'ai aussi envisagé ce scénario cauchemardesque. Et si un faussaire très habile avait fabriqué un artéfact parfait ? Comment pouvions-nous être certains que les personnages mentionnés dans l'inscription étaient les gens dont on parlait dans le Nouveau Testament ? Une attaque venue d'on ne sait où ne pouvait-elle pas détruire l'analyse minutieuse de Lemaire ? Qu'allaient dire les autres principaux exégètes au sujet de l'inscription et de l'ossuaire sur lequel elle était gravée ?

Tout comme Lemaire, je voulais procéder avec précaution. À l'époque, je n'avais même pas vu une photographie de l'ossuaire et de son inscription. Et je ne connaissais pas le nom du collectionneur. Je ne voulais pas le connaître. Ce n'était pas nécessaire. Lemaire le connaissait, c'était suffisant. Implicitement, je lui faisais confiance. Je comprenais le désir du collectionneur de conserver l'anonymat. Ce que je désirais, c'était sa collaboration et non connaître son nom.

PRENDRE DES PRÉCAUTIONS

J'ai téléphoné à Lemaire et je lui ai demandé si le collectionneur accepterait qu'on photographie l'ossuaire et l'inscription (Je ne savais pas alors que Lemaire avait déjà vu une photographie.) Par l'entremise de Lemaire, le collectionneur a fourni deux excellentes photos, une de l'ossuaire et l'autre de l'inscription en gros plan. Ce sont ces photographies que nous utilisons pour faire connaître l'inscription (voir *hors-texte couleur*). Elles ont été publiées un peu partout sans référence photographique parce que le collectionneur craignait que la mention du nom du photographe ne fournisse un indice permettant de l'identifier.

J'avais déjà assisté auparavant à une querelle entre d'éminents spécialistes des langues sémitiques. Des érudits reconnus internationalement et des linguistes se querellent encore au sujet d'un certain ostracon (un morceau de poterie utilisé autrefois comme surface d'écriture) et de son authen-ticité : s'agit-il vraiment du reçu remis pour une offrande de trois sicles au temple de Salomon ou d'un faux, tout simplement ? Un autre ostracon — celui de Qumran, potentiel-lement très important pour la compréhension du peuple qui a rédigé les manuscrits de la mer Morte — est sujet à des interprétations fort différentes de la part de deux épigraphistes, l'un américain et l'autre israélien. J'ai déjà vu une véritable vedette dans le domaine qui a bien failli se faire prendre par un faux très réussi et qui a pu éviter cette situation embarrassante grâce à l'intervention d'un autre érudit qui a attiré son attention sur quelques lettres douteuses.

Ce sont de telles pensées qui traversaient mon esprit alors que j'étudiais le manuscrit de Lemaire. Après avoir reçu les photographies de l'inscription, j'ai décidé de les montrer à mon ami Kyle McCarter, titulaire de la chaire William Foxwell Albright (études de la Bible et du Proche-Orient archaïque) à l'université Johns Hopkins de Baltimore et, tout comme Lemaire, un des spécialistes des inscriptions de cette période les plus en vue sur le plan international. McCarter a confirmé l'opinion de Lemaire : l'inscription est ancienne, même s'il a émis l'hypothèse que deux personnes aient été impliquées dans le processus — l'une d'elles pourrait avoir gravé la première partie de l'inscription, et l'autre personne la deuxième partie où on peut lire « frère de Jésus », peut-être un siècle plus tard.

Même si l'inscription n'était pas difficile à lire, j'avais l'impression qu'il fallait qu'elle soit transcrite. Les inscriptions sont couramment transcrites afin de faciliter leur lecture et leur interprétation. Manifestement, dans ce cas-ci, le dessin devait être effectué par un expert reconnu. Pour ce travail, nous avons retenu les services d'Ada Yardeni, un des principaux experts en Israël dans le domaine des écritures sémitiques et l'auteure de livres qui font autorité : *Book of Hebrew Script* et *Textbook of Aramaic and Hebrew Documentary Texts from the Judaean Desert*. En plus de posséder un doctorat de l'Université hébraïque, elle a reçu un diplôme en calligraphie de la Bezalel School of Art. Au départ, elle a fait un dessin de l'inscription à partir des photographies, puis elle a examiné la pierre et elle a fait un nouveau dessin. L'éclairage utilisé par le photographe permet de voir certains éléments plus facilement ; d'autres choses apparaissaient plus clairement sur la pierre elle-même. L'opinion de Yardeni concordait avec celle de Lemaire : l'inscription était authentique et on pouvait assurément la situer au premier siècle de notre ère. Elle n'était pas d'accord avec McCarter, qui avait émis l'hypothèse que l'inscription puisse avoir été gravée par deux personnes à deux époques différentes dans l'Antiquité. (Nous en discuterons davantage au chapitre 4.)

Tout comme les inscriptions changent avec le temps, ainsi en est-il des langages — et l'araméen ancien ne fait pas exception. Pour dater certains passages des textes bibliques, les exégètes utilisent souvent les différences entre les langages, lesquelles existent en très grand nombre. Je voulais m'assurer que le langage de cette inscription était conforme à nos connaissances de l'araméen du premier siècle. C'est pourquoi j'ai consulté un expert en araméen reconnu sur le plan international, le père Joseph A. Fitzmyer qui avait pris sa retraite récemment de l'université catholique des États-Unis à Washington, D.C. Il vivait avec des pères jésuites à l'université de Georgetown, non loin de chez moi, et il a accepté de venir me rencontrer un après-midi pour examiner les photographies.

Quand il les a vues, sa première réaction a été : « Je suis perplexe. » Il a répété : « Je suis perplexe. » Oh oh ! ai-je pensé. Ça y est. L'inévitable querelle. Ou peut-être pire encore : il va dire que c'est un faux. Ce qui rendait Fitzmyer perplexe, c'était le mot utilisé pour « frère » — soit le mot *achui*, qui s'épelle *aleph, het, vov, yod.* En hébreu, le mot qui signifie frère est simplement *ach* et il s'épelle : *aleph, het.* « La forme *achui* n'apparaît en araméen que deux ou trois siècles plus tard, dit Fitzmyer, et, quand elle apparaît, c'est au pluriel, « frères » et non pas au singulier. »

Il voulait vérifier tout ça par lui-même cependant et c'est pourquoi il a consulté les livres. Là, il a découvert la forme *achui* dans les manuscrits de la mer Morte contemporains, plus spécifiquement dans un texte rédigé en araméen appelé « Apocryphe de la Genèse ». La même forme apparaît aussi sur un autre ossuaire[1]. « Je reconnais mon erreur », dit-il[2]. (Incidemment, nous avons découvert depuis ce jour cette forme du mot « frère » dans une autre inscription sur pierre ; Frank Cross a attiré mon attention là-dessus[3].) Après examen, le père Fitzmyer était lui aussi satisfait : selon lui, les formes des lettres étaient authentiques ; il ne s'agissait pas d'une contrefaçon moderne.

Ma conclusion : ou bien le faussaire de cette inscription connaissait mieux l'araméen que Joe Fitzmyer, ou bien celle-ci est authentique !

PASSER LE TEST DE LA PATINE

La question suivante, pour moi, était de savoir si l'ossuaire et son inscription pouvaient être testés scientifiquement. Après avoir placé plusieurs appels téléphoniques, j'ai réussi à joindre Amos Bein, directeur de l'Institut géologique d'Israël à Jérusalem. Il a accepté que des tests soient effectués sur l'ossuaire dans ses laboratoires.

L'inscription (ci-après) gravée sur le couvercle de cet
ossuaire (plus haut) qui fut découvert sur le mont Scopus
signifie : « Shimi, fils de 'Asiya, frère de Hanin ». *Achui*,
un mot araméen peu commun, se traduit par « frère »
(techniquement, « son frère ») ; ce même terme apparaît
aussi sur l'ossuaire de Jacques. *Dessin de L. Y. Rahmani,
A Catalogue of Jewish Ossuaries*. Photo : *Israel
Antiquities Authority.*

Il y avait un problème. L'ossuaire, qui pesait environ vingt
kilos, devait être apporté aux laboratoires de l'Institut géologique. Le propriétaire accepterait-il de se départir de cet objet ?
Lemaire lui a posé la question et il a accepté aussitôt.

Les tests ont été effectués par Amnon Rosenfeld et Shimon
Ilani de l'Institut géologique de l'État d'Israël. Ils ont examiné
la pierre, la terre qui était encore attachée aux parois de
l'ossuaire et, plus important encore, la patine — une pellicule
formée de substances chimiques qui suintent de la pierre ou qui

tombent sur elle — qui s'est formée au cours des centaines d'années durant lesquelles l'objet est resté dans un caveau humide. La composition chimique de la patine dépend aussi de la nature de la pierre.

State of Israel
The Ministry of National Infrastructures
Geological Survey
30 Malkhei Yisrael St.
Jerusalem 95501, Israel
Tel. 972-2-5314211, Fax. 972-2-5380688

מדינת ישראל
משרד התשתיות הלאומיות
המכון הגיאולוגי
רח' מלכי ישראל 30
ירושלים 95501, ישראל
טל. 02-5314211 . פקס 02-5380688

17/9/2002

To Mr Hershel Shanks Editor of **BAR** Magazine.

Re: SEM-EDS analyses of patina samples from an ossuary of "Ya'akov son of Yossef brother of Yeshua".

A chalk (limestone) ossuary was brought to the Geological Survey of Israel for studying the authenticity of its patina. The following Hebrew inscription appears on one of the outer walls of the ossuary:

יעקב בר יוסף אחי דישוע

The use of chalk (limestone) was extensive during the Second Temple period in Jerusalem, primarily for the manufacture of stone vessels and ossuaries.

Chalk is a sedimentary deposit, comprised mainly of marine microorganism skeletons made of calcium carbonate. All chalks in the Jerusalem area belong to the Menuha Formation of Mount Scopus Group sequence of the Senonian period. Generally the lower part of the Menuha Formation was exploited around Jerusalem during the 1st and 2nd centuries CE and several chalk stone quarries were discovered from that period in the Jerusalem area. The studied ossuary is made of this chalk. Based on its dimensions, this ossuary was used to store bones of an adult.

The stone and the patina were examined by magnifying lenses (binocular). We observed that the patina on the surface of the ossuary has a gray to beige color. The same gray patina is found also within some of the letters, although the inscription was cleaned and the patina is therefore absent from several letters. The patina has a cauliflower shape known to be developed in a cave environment.

Remains of soil were found attached to the bottom of the outer side of the ossuary. Six samples of the chalk, six samples of the patina from various places on the external wall of the inscription and two samples of soil, were studied with a SEM (Scanning Electron Microscope) equipped with EDS (Electron Dispersive Spectrometer).

Analytic results:

The EDS analyses of the SEM laboratory showed that the chalk of which the ossuary is composed mainly of CaCO3 (97%) and contains Si -1.5%; Al - 0.7%; Fe - 0.4%; P - 0.3% and Mg - 0.2%.

The patina is composed mainly of CaCO3 (93%) and contains Si -5.0%; Al - 0.7%; Fe - 0.3%; P - 0.4% and Mg - 0.2%.

The soil is composed mainly of CaCO3 (85%) and contains Si -7.4%; Al - 2.5%; Fe - 1.7%; P - 1.0% and Mg - 0.7% and Ti - 1.0%.

The patina is enriched with silica (about 5.0%) relative to the original stone (about 1.5%).

The soil in which the ossuary laid is of Rendzina type, known to develop on chalks of the Mount Scopus Group.

It is worth mentioning that the patina does not contain any modern elements (such as modern pigments) and it adheres firmly to the stone. No signs of the use of a modern tool or instrument was found. No evidence that might detract from the authenticity of the patina and the inscription was found.

Sincerely,

Amnon Rosenfeld. *Shimon Ilani*

Dr Amnon Rosenfeld and Dr Shimon Ilani
The Geological Survey of Israel, Jerusalem.

Le rapport officiel de l'Institut géologique de l'État d'Israël (Geological Survey of the State of Israël) sur l'ossuaire de Jacques conclut : « Nous n'avons découvert aucun signe d'utilisation d'un outil moderne ou d'un instrument. Aucun élément nous permettant de mettre en doute l'authenticité de la patine et de l'inscription n'a été découvert. »

En me rongeant les ongles, j'attendais avec impatience leur rapport.

Ils ont découvert que l'ossuaire était fait de calcaire crayeux de la formation Menuha du groupe du mont Scopus et ils ont noté que la partie la plus basse de cette formation « était exploitée autour de Jérusalem durant les deux premiers siècles [de notre ère] ». De fait, plusieurs carrières de ce calcaire particulier et datant de cette période ont été découvertes dans la région de Jérusalem.

Les scientifiques ont effectué l'examen avec un microscope électronique binoculaire à balayage équipé d'un spectromètre à dispersion de longueur d'onde qui permet de voir les divers éléments chimiques des trois aspects de l'ossuaire : la pierre, la terre et la patine. Tous les tests diagnostiques possibles ont été effectués sur la patine (le revêtement qui s'est formé sur un

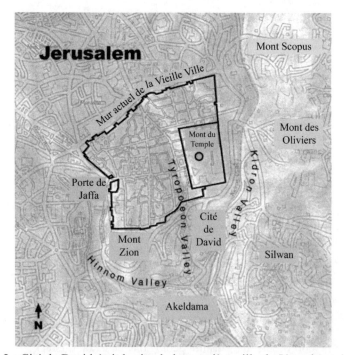

La Cité de David était le site de la première ville de Jérusalem ; à l'époque de Jésus, la ville s'était développée vers le nord-ouest. Les morts étaient inhumés dans les vallées et les collines à l'extérieur de la cité proprement dite. L'ossuaire de Jacques est dit provenir du village de Silwan.

artéfact ancien). La patine est de couleur grise tirant vers le beige. Sous un microscope puissant, ses particules présentent « la forme d'un chou-fleur, forme dont on sait qu'elle ne peut se développer que dans l'environnement d'un caveau ».

Encore plus révélateur, la patine trouvée à l'intérieur des lettres incisées de l'inscription était la même que la patine de la paroi de l'ossuaire. Ceci éliminait la possibilité que l'inscription soit une contrefaçon moderne sur un ossuaire ancien authentique.

Ils ont découvert que la pierre de l'ossuaire était composée en majeure partie de carbonate de calcium, avec des traces de cinq autres éléments. La composition de la patine correspondait à cela. Celle-ci était aussi composée de carbonate de calcium et elle possédait les mêmes éléments à l'état de trace, sauf qu'il y avait 4 % moins de carbonate de calcium et trois fois plus de silice. Comme les géologues l'ont mentionné, par comparaison avec la pierre originale, la patine est plus riche en silice.

La patine aurait-elle pu être prélevée d'un autre ossuaire et appliquée sur le côté de celui-ci et à l'intérieur des lettres gravées ? Les géologues ont examiné cette possibilité. Or, ils ont découvert que la patine « adhère fortement à la pierre » et ils n'ont trouvé aucune trace d'adhésif moderne.

Lorsqu'un objet métallique est utilisé pour graver une inscription dans la pierre, il laisse des éléments métalliques microscopiques dans l'incision. En outre, une incision faite à l'aide d'un instrument moderne risque de laisser une arête affilée sur la pierre ici et là. Les scientifiques ont aussi envisagé ces possibilités : « Nous n'avons découvert aucun signe d'utilisation d'un outil moderne ou d'un instrument. Aucune preuve permettant de mettre en doute l'authenticité de la patine et de l'inscription n'a été découverte. »

Ils ont conclu que l'inscription de l'ossuaire était ancienne et authentique. J'avais maintenant confiance et je pouvais publier l'article de Lemaire dans la revue *BAR*. L'inscription avait passé tous les tests imaginables.

Mais il restait encore quelques précautions à prendre. Les quelques personnes impliquées n'arrivaient toujours pas à croire entièrement que la découverte soit ce qu'elle semblait bien être — le premier lien physique archéologique avec le Jésus du Nouveau Testament et sa famille ! Nous avons été étonnés de l'intérêt extraordinaire du public pour l'ossuaire par la suite. Je ne suis pas encore sûr de l'interprétation qu'il faut donner à cette réaction — quel fut le rôle des médias écrits et électroniques, des musées, d'Internet et même de la télévision ? — à l'annonce de la découverte et lors de la première exposition de l'ossuaire au Musée royal de l'Ontario à Toronto où près de cent mille personnes ont fait la file pendant des heures pour le voir.

LE PREMIER COMMUNIQUÉ

Le 11 septembre 2002, avant que quiconque à l'extérieur de notre cercle restreint ne soit au courant de l'existence de l'inscription, je me suis envolé pour Toronto afin de participer à une émission télévisée sur l'historicité de la Bible ; cette émission était produite par une compagnie de télé canadienne. Les artisans d'une autre compagnie de production télévisuelle avaient appris que j'allais à Toronto et ils ont demandé à me voir. J'ai décliné l'invitation parce que je pensais qu'il n'était pas convenable de rencontrer les gens d'une deuxième compagnie alors que la première avait défrayé les coûts de mon voyage à Toronto. Mais les gens de la deuxième entreprise étaient intelligents : ils ont laissé un message m'informant qu'un journaliste du plus grand quotidien canadien souhaitait m'inter- viewer pendant que j'étais à Toronto. J'ai accepté. L'interview, bien sûr, avait lieu dans les bureaux de la deuxième compagnie de production télévisuelle. Et bien sûr, je devais faire preuve de cordialité.

Les gens de cette deuxième compagnie se sont avérés être non seulement très intelligents mais aussi tout à fait charmants. Le directeur à l'esprit créatif, un Juif orthodoxe appelé Simcha Jacobovici (prononcez « yah-kub-O-vich » ; il est de descendance roumaine), a gagné deux trophées Emmy. Après avoir discuté avec Simcha durant toute une journée, j'ai décidé de me confier à lui : je lui ai parlé de l'ossuaire de Jacques. Il a presque sauté au plafond.

Simcha a été le premier à reconnaître l'énorme intérêt que l'inscription de l'ossuaire allait susciter auprès du public. André Lemaire et moi, nous ne l'avions pas réalisé. Nous savions que l'inscription de cet ossuaire était importante, mais nous n'avions pas vraiment conscience de l'effet que l'annonce publique allait produire dans le monde. Lors de notre première conversation à Toronto, Simcha a proposé de réaliser un documentaire télévisé sur l'inscription de l'ossuaire — et j'ai accepté aussitôt de travailler avec lui. L'intérêt du public, selon lui, justifiait l'effort et les dépenses que nécessitait la production d'un documentaire de première classe. Il avait confiance. Et de fait, il a tenu parole et financé l'entreprise : il est venu à Washington avec son équipe pour me filmer ainsi que Kyle McCarter et Joe Fitzmyer. Il s'est rendu en Israël pour filmer l'ossuaire lui-même et pour interviewer André Lemaire et Shimon Ilani (l'un des géologues de l'Institut géologique d'Israël) —, tout cela avant que l'annonce publique de l'existence de l'ossuaire n'ait été faite.

Le 21 octobre 2002, nous avons tenu une conférence de presse (conjointement avec la chaîne de télé Discovery, avec laquelle Simcha avait organisé la production du documentaire) pour présenter l'ossuaire de Jacques au monde. Le lendemain matin, la photo couleur de l'ossuaire était à la une du *New York Times*. Le récit de sa découverte faisait aussi la une du *Washington Post* et de pratiquement tous les principaux journaux du monde ! Le magazine *Times* a consacré quatre pages au récit. Nous étions au bulletin de nouvelles du soir avec Peter Jennings, Tom Brokaw et Jim Lehrer. Voice of America et CNN ont diffusé la nouvelle partout sur le globe. L'excitation provoquée par cette découverte était encore plus importante que ce que j'aurais pu imaginer dans mes rêves les plus fous.

Quelques jours après l'annonce officielle, mon ami le professeur Hannah Cotton de la faculté des études classiques de l'Université hébraïque m'a fait parvenir un message par courrier électronique : « Même ici, tout le monde ne parle que de ça. Ici, à l'Institute for Advanced Studies, les épigraphistes, les historiens et les spécialistes de philologie discuteront de la chose demain après-midi (13 h 30, heure locale). » La deuxième secousse, celle du débat entre érudits, avait commencé.

1. Voir le numéro 570 dans *A Catalogue of Jewish Ossuaries in the Collections of the State of Israel* de L.Y. Rahmani. Jérusalem, Israel Antiquities Authority, Israel Academy of Sciences and Humanities, 1994.

2. Le père Fitzmyer s'expliquera davantage un peu plus tard. Les deux derniers mots de l'inscription, *achui d'Yeshua*, signifient littéralement « son frère, de Jésus. » Fitzmyer a écrit : « Normalement, on se serait attendu à trouver *'aha'deYeshua'*, « le frère de Jésus ». Mais, au lieu de cela, il y a cette forme avec le suffixe pronominal qui signifie 'son frère', et qui est expliquée davantage un peu plus loin par le *dalet* et le nom qui suit, « de Jésus ». Cette forme de suffixe est inhabituelle, parce qu'elle aurait dû s'écrire *'ahuhi* ; c'est la façon dont de tels suffixes apparaissent habituellement dans la langue araméenne durant le premier siècle. Une petite recherche a cependant montré que la forme syncopée (*'ahui*) est attestée dans un des textes araméens des manuscrits de la mer Morte… laquelle [a] une construction très semblable… Donc, même si la formulation araméenne semble inusitée au départ, elle reflète simplement une façon populaire d'écrire le patronyme qui n'avait pas encore été bien documentée jusqu'ici. Ainsi, l'inscription présente toutes les caractéristiques d'une écriture ancienne authentique. » Voir l'article « Whose Name Is This ? » dans la revue *America,* 187, n° 16 (18 novembre 2002).

3. Il s'agit du numéro 20 dans le livre de Joseph Naveh, *On Mosaic and Stone*, Jérusalem, Israel Exploration Society, 1978. En hébreu.

3

COMMENT LE FILS DE DIEU POURRAIT-IL AVOIR UN FRÈRE ?

Certaines inscriptions sont difficiles à lire. Celle-ci ne l'est pas. Avec un éclairage adéquat, à l'exception de deux ou trois lettres, une personne qui en est à sa première année d'étude de la langue hébraïque pourrait la lire. (L'araméen, le langage de l'inscription, est une ancienne langue sémitique qui ressemble beaucoup à l'hébreu et qui utilise les mêmes lettres que l'alphabet hébraïque.) La signification de base de l'inscription n'est pas difficile à comprendre non plus. Elle contient une formule d'identification très fréquemment employée — « X le fils de Y » —, suivie du nom d'un frère. Joe pouvait facilement la lire. Il est né en Israël et sa langue première est, bien sûr, l'hébreu. Il savait ce qu'il y avait d'inscrit. Mais sa signification ne lui est pas apparue. Je lui ai demandé pourquoi il n'avait jamais réalisé à quel point l'ossuaire pouvait être important. Son visage a pris une expression étonnée ; il a levé les mains au-dessus de sa tête et il a dit : « Il ne m'est jamais venu à l'esprit que le fils de Dieu pouvait avoir un frère ! »

Joe, bien sûr, est juif. Mais j'ai aussi parlé à plusieurs bons chrétiens qui ne savaient pas non plus que Jésus avait un frère — et que le Nouveau Testament en parlait.

De fait, Jésus avait plusieurs frères et sœurs. Quand Jésus enseignait à la synagogue de sa ville natale, Nazareth, ceux qui l'écoutaient étaient étonnés de sa sagesse : « D'où lui viennent cette sagesse et ces miracles ? Celui-là n'est-il pas le fils du charpentier ? N'a-t-il pas pour mère la nommée Marie, et pour frères Jacques, Joseph, Simon et Jude ? Et ses sœurs ne sont-elles pas toutes avec nous ? (Matthieu 13.54-56). Les paroles sont presque identiques dans l'Évangile de Marc mais l'ordre dans lequel les noms des frères sont mentionnés est légèrement différent : « Jacques et Joset [une variante de Joseph], et Jude et Simon » (Marc 6.3).

Si les frères sont nommés suivant l'ordre de leur naissance, Jacques est l'aîné dans les deux Évangiles.

Néanmoins, la question du lien de parenté exact entre Jacques et Jésus demeure entière. Il faut d'abord savoir qui étaient les parents de Jésus. Marie était sûrement sa mère. Mais Joseph était-il son père (ainsi que semblait le croire la communauté juive de Nazareth à l'époque) ? Ou le père de Jésus était-il purement divin ? Jésus est-il littéralement le Fils de Dieu, sans aucun père terrestre ?

Deuxièmement, Marie était-elle vierge quand Jésus est né et a-t-elle cessé de l'être par la suite ? Ou a-t-elle été une vierge perpétuelle, *semper virgo*, comme l'affirme une certaine doctrine de l'Église ? Si tel était le cas, on ne pourrait établir un lien de parenté entre Jacques et Jésus par l'entremise de Marie.

Troisièmement, Joseph avait-il fait un premier mariage ou Marie était-elle sa première et unique femme ?

Finalement, que signifie le mot *frère* ? S'il peut signifier cousin ou parent, comme certaines traditions le suggèrent, Jésus et Jacques ne sont peut-être que cousins.

Songez à toutes ces possibilités. Si Jésus et Jacques étaient tous deux fils de Joseph et de Marie, ils étaient frères germains. Si Jésus était le fils de Joseph et de Marie, et Jacques le fils de Joseph d'un mariage précédent, ils étaient demi-frères. Si Jésus était le fils de son père divin et de Marie, et Jacques le fils de

Les liens de parenté entre Jacques et Jésus

1. Frères germains

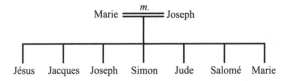

2. Demi-frères

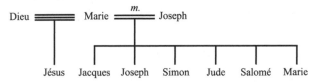

3. Frères par alliance

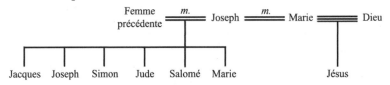

4. Cousins germains

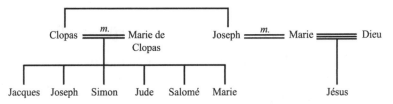

Il y a quatre explications populaires concernant le lien de parenté entre Jacques et Jésus. La première assume que Jésus est né de Joseph et de Marie sans intervention divine ; Jésus et Jacques sont par conséquents frères germains. Les trois autres traditions, qui considèrent que le père de Jésus est de nature divine, sont acceptées par différentes branches du christianisme. La seconde perspective est acceptée par certains protestants ; la troisième, par les chrétiens orthodoxes ; la quatrième, par l'Église catholique romaine qui interprète le terme grec correspondant au mot « frère » comme un terme générique signifiant « parent ». Dans la tradition catholique, Jacques est souvent identifié à l'enfant du frère (ou beau-frère) de Joseph Clopas et de sa femme, Marie.

Joseph d'un mariage précédent, Jésus et Jacques étaient frères par alliance, ce qui signifie qu'ils n'étaient pas des frères germains. Cette lecture laisserait intacte la croyance en la virginité perpétuelle de Marie conformément à la doctrine d'une certaine Église, mais un dictionnaire de la Bible standard nous dit que cette croyance « n'est pas une option sérieuse dans la plupart des études historiques contemporaines[1] ». Si le mot *frère* signifie parent, Jésus et Jacques pourraient ne pas avoir été des frères germains mais de simples cousins. Cette dernière interprétation, adoptée par la tradition catholique occidentale, cadre difficilement avec l'utilisation du terme *frère* inscrit sur l'ossuaire.

Même avant que l'ossuaire ne fasse surface, un des principaux spécialistes de Jacques disait que cette interprétation du texte de la Bible était « improbable[2] ». (Incidemment, le mot *frère* inscrit sur l'ossuaire réfère clairement à un membre de la famille et non pas à un « frère d'armes » ; même si les premiers chrétiens étaient tous des « frères » en ce sens, ce n'est pas de ce genre de frères dont parle l'ossuaire.)

Toutes ces possibilités seront explorées plus amplement dans la deuxième partie de ce livre. Pour le moment, nous avons voulu simplement évoquer les différentes possibilités.

JACQUES ET L'ÉGLISE PRIMITIVE

Quelle que soit la signification du mot *frère* dans les Évangiles et quels que soient les liens de parenté entre Jacques et Jésus, Jacques est devenu l'un des leaders les plus importants de la communauté chrétienne émergente après la crucifixion de Jésus et la dispersion des Douze. Même si Jacques ne semble pas avoir été un disciple de Jésus durant la vie de ce dernier, selon le Nouveau Testament, Jésus ressuscité lui est néanmoins apparu (1 Corinthiens 15.6). De plus, trois ans après sa conversion sur la route de Damas, Paul se rend à Jérusalem et voici ce qu'il dit de son séjour : « Je n'ai pas vu d'autres apôtres, mais seulement Jacques, le frère du Seigneur » (Galates 1.19). Cela signifie-t-il que Jacques était un apôtre (même si manifestement, il n'était pas l'un des Douze) ? Qu'il ait été ou non un apôtre, c'est Jacques qui a présidé le célèbre concile apostolique de Jérusalem où la brèche séparant la communauté des Juifs chrétiens de Jérusalem et le groupe qui tentait de convertir les Gentils dans le monde hellénistique a pu être colmatée. Plusieurs membres de la communauté de Jérusalem soutenaient que quiconque devenait chrétien devait aussi observer les préceptes juifs (car ils se percevaient comme des Juifs à part entière ; ils croyaient que le Messie qu'ils attendaient depuis longtemps était venu et qu'ils devaient attendre avec fidélité la fin des temps qui allait se produire bientôt). Paul et ses compagnons ont adopté une autre position : selon eux, les convertis n'étaient pas tenus d'observer les préceptes maintenant périmés de la Torah. C'est Jacques qui a proposé le compromis qui permettait de régler la situation et que l'on nomme souvent le décret apostolique. Tous les apôtres et les aînés l'ont accepté : les Gentils du monde hellénistique n'étaient pas tenus d'être circoncis et ils n'étaient pas obligés de suivre toutes les lois diététiques des Juifs ; ils devaient seulement éviter les unions illégitimes, la consommation de sang et de viande provenant d'une bête sacrifiée à des idoles ou d'un animal étranglé (Actes 15).

Selon Flavius Josèphe, historien juif du premier siècle, un certain sadducéen du nom de Anan fils de Anan (Anan le jeune) a été nommé grand prêtre pour trois mois en l'an 62 de notre ère. Durant cette brève période pendant laquelle il a été en fonction (entre la mort d'un procurateur romain et la nomination de son successeur), Anan a convoqué son conseil suprême, le Sanhédrin, et il a condamné à mort plusieurs personnes parmi lesquelles Jacques, le frère de Jésus. Jacques a été lapidé jusqu'à ce que mort s'ensuive. Josèphe qualifie Anan d'« insolent » et d'« inflexible lorsqu'il jugeait ceux qui avaient enfreint la loi ». Remplis de ressentiment, les pharisiens ont persuadé Agrippa II, le roi des Juifs, de démettre Anan de ses fonctions[3].

Nous en apprenons davantage au sujet de Jacques et de sa mort par Hégésippe, un écrivain chrétien du deuxième siècle dont le travail nous est parvenu (à l'exception de quelques petits fragments) uniquement sous la forme de citations dans les écrits d'Eusèbe, un historien de l'Église du quatrième siècle. La fiabilité sur le plan historique de ces passages constitue un problème dont les exégètes discutent encore. Hegésippe nous dit qu'en raison de sa « très grande droiture [Jacques] était appelé « le Juste » ». Il avait passé tellement de temps agenouillé pour prier que ses genoux étaient devenus aussi durs que ceux d'un chameau. D'après ce compte rendu, Jacques a été martyrisé et jeté en bas du pinacle du Temple (identifié traditionnellement comme le coin sud-est du mont du Temple, la grande plate-forme qui supportait le temple de Jérusalem). Il fut alors lapidé et frappé avec un gourdin jusqu'à ce que mort s'ensuive. Hégésippe nous dit que Jacques a été inhumé à l'endroit même où il a été tué. Ses os ont-ils ensuite été placés dans un ossuaire ?

Jacques est le saint patron de l'Église arménienne. L'évêque Shirvanian du Patriarchat arménien de Jérusalem a affirmé récemment à un journaliste que les os de Jacques avaient été déposés dans une chapelle de la vallée de Kidron et qu'ils sont restés à cet endroit jusqu'au huitième siècle. Quand la chapelle fut détruite, les os de Jacques furent enlevés et déposés à la cathédrale de Saint-Jacques, dans la Vieille Ville de Jérusalem, où ils se trouvent encore. « La découverte de l'ossuaire vient conforter notre tradition », dit le révérend. Il croit que l'ossuaire dans lequel avaient été conservés les os à l'origine avait été mis de côté lorsque son contenu avait été enlevé.

Si vous avez le goût de faire un peu de recherche par vous-même, veillez à ne pas confondre « Jacques, le frère du Seigneur » avec d'autres personnes portant le nom de Jacques dans le Nouveau Testament. Deux des douze disciples portaient aussi le nom de Jacques — Jacques, le fils de Zébédée (Jacques le Majeur), et Jacques, le fils d'Alphée (Jacques le Mineur ou Jacques le Jeune ; voir Marc 15.40). Il existe quatre listes des douze apôtres et elles ne concordent pas toujours, mais les deux Jacques figurent sur chacune d'elles. Il y a aussi plusieurs autres Jacques et ce n'est pas toujours facile de savoir duquel il s'agit dans un texte. Les développements et traditions apparues plus tard rendent la chose encore plus confuse. Dans la tradition qui s'est développée ultérieurement, Jacques, le frère du Seigneur, fut appelé le plus souvent Jacques le Juste ou Jacques le Vertueux. Eusèbe, citant Hégésippe, historien du deuxième siècle, affirme que notre Jacques a été le premier évêque de Jérusalem. Il faut prendre beaucoup de précautions pour ne pas confondre tous ces Jacques. Dans le *Anchor Bible Dictionary*, on trouve à la rubrique sur Jacques : « On ne sait pas clairement combien de personnes portent ce nom dans le Nouveau Testament... Il peut y avoir jusqu'à sept individus différents portant ce nom. »

Au début de ce chapitre, nous avons posé la question « Pourquoi Joe n'a-t-il pas reconnu la signification de l'inscription gravée sur l'ossuaire de Jacques ? » Joe ne fut pas le seul. Le Département des antiquités d'Israël (Israel Antiquities Authority, IAA) ne l'a pas réalisé non plus. Quand Joe a présenté une demande pour obtenir un permis d'exportation afin que l'ossuaire puisse être exposé à Toronto, il a décrit l'inscription sur son formulaire, mais cela n'a provoqué aucune réaction au département. Ni non plus le fait que Joe ait évalué à un million de dollars les deux ossuaires mentionnés dans sa demande.

Une des raisons pour lesquelles la signification de l'inscription de l'ossuaire n'apparaît pas immédiatement, c'est que les noms que nous reconnaissons — Jacques, Joseph, Jésus — n'ont pas la forme que l'on retrouve habituellement sur des ossuaires. L'inscription de l'ossuaire est en araméen. Jacques est *Ya'akov* ; Joseph est *Yosef* ; Jésus est *Yeshua*. *Ya'akov* est habituellement traduit par « Jacob » ; sa traduction sous la forme de « Jacques » étonnerait sûrement la plupart des Israéliens. Nous expliquerons de façon plus détaillée dans un chapitre subséquent comment s'est opérée cette transformation. Pour le moment, nous souhaitons simplement expliquer pourquoi la signification de l'inscription n'est pas apparue clairement, même aux membres du Département des antiquités d'Israël.

Une dernière raison expliquant pourquoi l'importance de l'ossuaire n'a pas été remarquée est que les trois noms étaient assez courants au premier siècle. Les personnes mentionnées dans l'inscription correspondent-elles aux personnages du Nouveau Testament ? Nous étudierons cette question dans un autre chapitre.

D'abord, nous devons répondre à une question plus pressante : « L'ossuaire est-il un faux ? » Et même si l'ossuaire est authentique, qu'en est-il de l'inscription ? Est-il possible qu'il s'agisse d'un ajout récent à un authentique ossuaire du premier siècle ?

1. Robert E. Van Voorst, « James », *Eerdmans Dictionary of the Bible*, éd. David Noel Freedman, Grand Rapids, MI, Eerdmans, 2000.

2. Richard J. Bauckham, « All in the Family — Identifying Jesus'-Relatives », *Bible Review*, avril 2000.

3. Flavius Josephus, *Antiquities of the Jews* 20.9.1.

4

EST-CE UN FAUX ?

Au cours d'une conversation avec Robert Deutsch —
l'érudit qui est aussi vendeur d'antiquités à Tel Aviv et
dont j'ai mentionné le nom auparavant —, j'ai évoqué la
possibilité qu'un certain ostracon (un morceau de poterie portant
une inscription) soit un faux ; cet homme à l'œil exercé, l'un des
plus habiles dans le domaine, m'a dit : « Si c'est un faux, je sais
qui l'a fait. » Étonné, j'ai demandé : « Qui ? » « Frank Cross »,
a-t-il répondu. Frank Cross a pris sa retraite de Harvard
récemment ; il est probablement le paléographe des cultures
sémitiques le plus respecté de la planète. Sa contribution au
développement de la science des anciennes écritures sémitiques
est extrêmement importante. En 1961, il a publié un long article
intitulé « The Development of Jewish Scripts » lequel est
encore, plus de quarante ans après, le seul article biblio-
graphique cité aussi fréquemment dans les livres traitant des
textes anciens tels que les manuscrits de la mer Morte ;
incidemment, ces derniers sont contemporains de l'inscription
de l'ossuaire de Jacques. Cross est-il devenu un faussaire ? Bien
sûr que non. Ce que Deutsch voulait dire, c'était que l'ostracon
dont nous parlions était certainement authentique car seul Frank

Cross aurait eu les connaissances et l'habileté nécessaires pour contrefaire ainsi cette écriture.

Cette histoire illustre un point important. J'ai utilisé les mots « certainement authentique ». Techniquement, ce n'est pas exact. En termes mathématiques, la certitude équivaut à 100 %. Or, nous ne pouvions être certains à 100 % que l'ostracon était authentique. Il y a toujours une mince possibilité qu'une personne aussi habile que Frank Cross ait fabriqué un faux. Pour être mathématiquement précis, il aurait fallu que Deutsch dise qu'il est très très très très probable que l'ostracon soit authentique. Ou encore plus précisément, très très très très improbable que ce soit un faux. Tout ce qu'un épigraphiste étudiant une inscription ancienne peut dire, c'est qu'il (ou elle) n'a pas trouvé de signes indiquant qu'il s'agisse d'un faux. La question est toujours de savoir si tel ou tel facteur indique qu'il s'agit d'un faux. Ce n'est pas ce facteur-ci ou ce facteur-là qui prouve de façon définitive que l'inscription est authentique.

Mais nous vivons dans un monde de détails pratiques. À un certain point, la probabilité devient si grande que nous n'avons plus besoin de dire que l'authenticité de l'inscription est seulement « très probable ». Dans le monde réel, nous faisons le saut : nous disons qu'elle est authentique, même si nous pourrions penser à une myriade de scénarios théoriques (comme une conspiration d'épigraphistes renommés qui auraient élaboré un plan secret pour tirer profit de leurs fausses certifications) dans lesquels un ou des faussaires nous tromperaient.

Finalement, comme nous le verrons, nous devons juger si les possibilités mentionnées par les sceptiques sont réalistes.

DATER LES LETTRES

Jusqu'à présent, j'ai utilisé le mot épigraphie pour référer à l'étude des inscriptions anciennes simplement parce que je pensais qu'il serait compris plus facilement. À partir d'ici, j'utiliserai le terme *paléographie*, lequel réfère à une branche spéciale de l'épigraphie. La paléographie est l'étude des formes et des variations des lettres anciennes qui permet de déterminer leur date et d'établir leur authenticité[1].

La forme des lettres d'un alphabet se développe avec le temps, tout comme le style des poteries anciennes. Nous pourrions tous voir la différence entre une lettre écrite à l'époque de George Washington et une lettre écrite récemment. La question des lettres anciennes est infiniment plus complexe mais le principe demeure le même : la forme et l'aspect des lettres changent avec le temps. Au départ, les spécialistes développent une chronologie relative. Puis, lorsque quelques dates absolues sont liées à certains exemples, ils peuvent développer une chronologie absolue.

Pour compliquer davantage les choses, il existe différents styles d'écriture allant du style soutenu au graffiti, de ce qu'on pourrait appeler les lettres d'imprimerie jusqu'aux lettres cursives proprement dites, avec les semi-cursives entre les deux.

L'inscription de l'ossuaire de Jacques, lettre par lettre

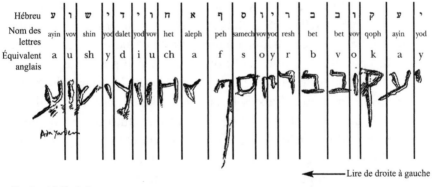

Hébreu	ע	ו	ש	י	ד	י	ו	ה	א	ף	ס	ו	י	ר	ב	ב	ו	ק	ע	י
Nom des lettres	ayin	vov	shin	yod	dalet	yod	vov	het	aleph	peh	samech	vov	yod	resh	bet	bet	vov	qoph	ayin	yod
Équivalent anglais	a	u	sh	y	d	i	u	ch	a	f	s	o	y	r	b	v	o	k	a	y

Lire de droite à gauche ⟵

Dessin : Ada Yardeni

L'inscription peut avoir été gravée sur un monument ou exécutée hâtivement sur un tesson de poterie. Les différences sont parfois liées aux matériaux : pierre, poterie, papyrus, parchemin ou pièce de monnaie. Et bien sûr, des variations se produisent parce que les gens n'écrivent pas tous de la même façon : un scribe peut être moins habile qu'un autre. Et les anciens scribes, comme tout autre individu, ont fait des erreurs bien souvent. Parfois, l'écriture est obscure et les exégètes modernes doivent travailler fort pour distinguer une lettre d'une autre — afin d'établir, par exemple, si une lettre hébraïque est un *resh* (ר) ou un *dalet* (ד), un *vov* (ו) ou un *yod* (י).

Chaque lettre possède sa propre histoire — et ses variantes. Dans une inscription authentique, toutes les lettres sont cohérentes, ce qui signifie qu'elles correspondent à la date de l'inscription. C'est pourquoi, en étudiant une inscription, un paléographe peut non seulement la dater, mais aussi établir son authenticité. Mais il y a toujours des variations qui ne correspondent pas à ce qu'idéalement on s'attend à trouver. Des questions se posent fréquemment. La paléographie n'est pas une science exacte. Et c'est là que le « feeling » du paléographe entre en jeu. Pour André Lemaire, qui a été le premier à étudier l'inscription sur l'ossuaire de Jacques, ce feeling, cet instinct était très fort. Il s'est senti à l'aise en sa présence, dit-il. Elle lui paraissait correcte.

Mais il l'a aussi analysée minutieusement, lettre par lettre.

Les vingt lettres de cette inscription sont gravées dans une écriture classique. Parfois, un nom sur un ossuaire est gravé avec un simple clou, simplement pour identifier la personne dont les os ont été déposés à l'intérieur (comme sur l'ossuaire du grand prêtre Caïphe qui, d'après le Nouveau Testament, a présidé au procès de Jésus et a livré ce dernier aux autorités romaines). L'inscription a parfois été griffonnée négligemment et les lettres ne sont pas alignées. De telles inscriptions sont appelées des *graffiti* (au singulier, *graffito*). Par contre, en majeure partie, l'inscription de l'ossuaire de Jacques est une écriture formelle gravée avec un outil appelé stylet.

Comme d'habitude dans les inscriptions sur ossuaires, il n'y a pas d'espace entre les mots. De même que l'hébreu, l'araméen (la langue de l'inscription) se lit de droite à gauche.

Trois des lettres de cette inscription formelle sont des cursives — *yod* (Y), *dalet* (D) et *aleph* (un coup de glotte). Ces trois lettres ont aidé Lemaire à dater l'ossuaire et son inscription de façon encore plus précise. La grande majorité des ossuaires d'Israël datent de l'an 20 av. J.-C. environ jusqu'en 70 de notre ère, quand les Romains ont détruit Jérusalem et incendié le Temple. Ces trois lettres se sont développées de cette façon uniquement durant les quelques décennies précédant la destruction par les Romains — et c'est précisément à cette époque que Jacques, le frère de Jésus, est mort (en 62 de notre ère, selon Josèphe).

Si vous voulez avoir une petite idée de la science — ou de l'art — de la paléographie, observez les *yods* (Y) de cette inscription. Le *yod* est la plus petite lettre de l'alphabet. Imaginez une apostrophe droite. Le *yod* apparaît quatre fois dans cette inscription. C'est la première lettre de chacun des trois noms dans la forme araméenne (*Ya'akov*, *Yosef* et *Yeshua*). Il y a aussi un *yod* dans le mot araméen signifiant frère. En comptant à partir de la droite, la première, la huitième, la quinzième et la dix-septième sont des *yods*. La première chose qu'on remarque, c'est que ces *yods* varient considérablement. C'est normal. Les lettres varient ici exactement comme elles le font aujourd'hui quand nous reproduisons ou écrivons quelque chose. Une partie de l'art du paléographe consiste à savoir quand ces variations sont significatives et quand elles ne le sont pas. De plus, tel que mentionné précédemment, il est parfois difficile de distinguer un *yod* d'un *vov*. Comparez la quinzième lettre avec celle qui la précède (à la droite). Celle qui est à la droite est un *vov*. Mais ici le *yod* semble être aussi long que le *vov*. Mais Ada Yardeni a-t-elle dessiné le *yod* plus long que celui gravé dans la pierre ? Un grossissement au microscope des deux lettres indique que c'est le cas ; en fait, le *vov* est plus long que le *yod*. C'est également normal. Remarquez que les *yods*, que l'on voit plus facilement sous un microscope, ont un petit crochet au sommet, comme un petit triangle au sommet des lettres. (D'autres lettres de l'inscription ont aussi ces petites marques.) Lemaire identifie ces *yods* simplement comme des cursives et les décrit comme étant légèrement inclinées. C'est ce qui aide à dater cette inscription dans la décennie précédant immédiatement l'an 70 de notre ère au lieu de la placer plus tôt dans le premier siècle. Pour Kyle McCarter, cependant, ces formes cursives pourraient suggérer une date plus tardive et, possiblement, l'intervention d'une deuxième main (toujours dans les temps anciens) comme nous le verrons plus loin.

Vous pouvez comprendre pourquoi même les plus éminents paléographes divergent parfois d'opinions — même si ces divergences se situent généralement à l'intérieur d'étroites limites. Assisterons-nous à un désaccord entre paléographes dans ce cas-ci ?

D'AUTRES EXPERTS SE PRONONCENT

Tout comme la Society of Biblical Literature (SBL), l'American Academy of Religion (AAR) et l'American Schools of Oriental Research (ASOR) tenaient leur réunion annuelle à Toronto en novembre 2002 ; nous, de la Biblical Archaeology Society (BAS), éditeurs de la *Biblical Archaeology Review*, avons décidé de faire venir l'ossuaire de Jacques à Toronto afin qu'il soit vu lors de ces conférences. De plus, notre propre rencontre (Bible and Archaeology Fest) avait lieu au même moment ; elle attire toujours des centaines de néophytes qui viennent assister à des conférences spéciales données par des exégètes de premier plan.

Ce n'était pas la première fois que le BAS organisait une exposition spéciale pour ces rencontres annuelles qui se tiennent toujours à la fin du mois de novembre, dans une ville différente chaque année. En 1993, ces mêmes groupes s'étaient rencontrés à Washington, D.C., notre port d'attache. À l'époque, nous avions exposé à la Smithsonian Institution deux artéfacts stupéfiants qui nous avaient été prêtés par le musée d'Israël. L'un d'eux était la petite grenade inscrite en ivoire (dont j'ai parlé au chapitre 2) ; il s'agit peut-être du seul vestige provenant du temple de Salomon, bien qu'il date d'un siècle environ après la première construction du Temple par le roi Salomon. Le deuxième artéfact que nous avons apporté à la Smithsonian était l'ossuaire d'un personnage qui, à l'instar de Jacques, figure dans le Nouveau Testament : il s'agit du grand prêtre Caïphe dont j'ai parlé précédemment.

J'ai téléphoné au Musée royal de l'Ontario afin de savoir si les responsables étaient intéressés à présenter l'ossuaire de Jacques. J'ai reçu une réponse positive et enthousiaste. La question qui se posait ensuite était de savoir si le propriétaire allait donner son assentiment. À l'époque, j'étais en contact avec lui régulièrement ; aussi ai-je abordé la question directement. Il était enchanté.

Il fallait aussi obtenir un permis d'exportation du Département israélien des antiquités (IAA). En tant que propriétaire, Joe devait présenter une demande en son propre nom de manière à obtenir un permis et organiser le transport jusqu'au ROM.

Le propriétaire connaissait les gens du IAA et, comme il s'y attendait, il n'a pas eu de difficulté à obtenir un permis d'exportation. Il a fait emballer l'ossuaire par les employés d'une compagnie qu'il considérait être les meilleurs emballeurs d'artéfacts de musée dans tout Israël (Atlas/Peltransport Ltd.). Le transport lui-même a été effectué par la Brinks.

L'ossuaire est arrivé en grande pompe à Toronto le 31 octobre 2002. Les gens de la presse se sont même rendus à l'aéroport. L'ossuaire a été déballé en privé le jour même ; une conférence de presse avait été organisée pour le lendemain, à 14 h, au cours de laquelle les responsables du musée devaient reprendre pour les caméras l'ouverture de la caisse contenant l'ossuaire. Dès qu'ils ont commencé à ouvrir la caisse en privé cependant, ils ont affiché un optimisme prudent. Ils ont immédiatement observé que l'ossuaire avait été emballé de piètre façon — avec des couches d'emballage à bulles et dans une boîte en carton au lieu d'une caisse en bois à l'intérieur d'une autre caisse en bois séparée par de la mousse plastique.

Les responsables du musée ont pris avec soin des photographies digitales à chaque étape du processus de déballage. À la dernière étape, on aperçoit l'ossuaire lui-même — plein de fissures !

Le lendemain matin, j'ai été mis au courant de la situation au cours de l'appel téléphonique que j'ai décrit dans le premier chapitre de ce livre. Ce fut une journée extrêmement pénible ; c'est le moins qu'on puisse dire. Mais ce n'était que le commencement de nos problèmes.

L'ossuaire ne pouvait être restauré avant que le représentant de la compagnie d'assurances n'ait examiné l'ossuaire et son emballage et qu'il n'ait donné son accord. Pendant cinq longues journées, le musée et le propriétaire ont essayé de persuader cette compagnie d'envoyer un expert à Toronto. De fait, plusieurs experts en assurances spécialisés dans les objets de musée habitent à Toronto. Mais ils ne répondaient pas aux critères de la compagnie, semble-t-il.

Arrivant directement de Tel Aviv (*à gauche*), l'ossuaire est apporté sur un chariot à bagages à l'intérieur du Musée royal de l'Ontario à Toronto. Quand les conservateurs ont enlevé l'emballage à bulles (*en bas à gauche*), ils ont découvert que la caisse funéraire avait subi des dommages significatifs (*en bas, à droite*). *Brian Boyle, Musée royal de l'Ontario*

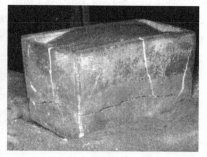

Le temps filait et on se demandait si le processus de restauration pourrait être complété avant l'ouverture de l'exposition. Finalement, l'ajusteur de la compagnie d'assurances est arrivé de New York ; il a examiné l'ossuaire et il a approuvé le protocole de restauration proposé par le musée. Ewa Dziadowiec, la restauratrice spécialisée dans la pierre à l'emploi du musée, pouvait commencer son travail.

Dire que la restauration a été effectuée avec minutie, c'est peu dire. Même les minuscules morceaux qui s'étaient effrités et qui étaient tombés des fissures ont été ramassés et placés dans des sacs plastique. Si vous regardez attentivement l'image du côté de l'ossuaire sur lequel l'inscription est gravée, vous verrez une large fissure qui existait déjà avant le départ de l'objet d'Israël ; cette fissure prend naissance à l'extrémité la plus basse, à droite, et elle s'étend sur le côté droit de l'ossuaire qu'elle traverse entièrement. Durant le processus de restauration, cette fissure a été passée à l'aspirateur, et même les débris ramassés par l'aspirateur ont été recueillis et placés dans des sacs plastique.

La fissure la plus grave traverse directement l'inscription au niveau de la lettre *dalet* (du mot « de » dans l'expression « frère de Jésus »). *Brian Boyle, Musée royal de l'Ontario*

Le principal travail de restauration, cependant, a consisté à assembler les pièces et à les coller ensemble en utilisant une résine d'acétate de polyvinyle (PVA) dans de l'acétone. Non seulement c'est une colle très forte qui n'a pas d'effets dommageables, mais c'est aussi une colle soluble dans l'eau ; le processus est donc complètement réversible. Pour remplir l'espace dans les fissures où de petits morceaux s'étaient détachés, la restauratrice a utilisé un mélange de carbonate de calcium (le composant principal du calcaire), certains pigments secs (afin que la couleur du mélange corresponde à celle de l'ossuaire) et un alcool polyvinyle. S'il s'avérait nécessaire un jour d'enlever les matériaux utilisés lors de la restauration, le processus serait entièrement réversible.

L'ancienne fissure a été traitée différemment ; après tout, elle faisait partie de l'histoire de l'ossuaire. Même si cette fissure était large de plusieurs millimètres à certains endroits, elle n'a pas été remplie. Au lieu de cela, de minuscules chevilles époxy ont été disposées à intervalles réguliers à l'intérieur de la fissure pour l'empêcher de s'agrandir davantage. L'ossuaire possédait maintenant une structure plus sécuritaire que lorsqu'il avait quitté Israël.

La nouvelle fissure en diagonale qui traverse l'inscription semble s'être formée à partir de l'ancienne fissure près de la paroi de l'ossuaire, sous l'inscription.

Le dimanche 24 novembre dans la soirée, nous avons pu assister à une présentation de l'ossuaire en privé, après la fermeture du musée pour la journée. En plus d'André Lemaire, Kyle McCarter, Joe Fitzmyer, Stephen Pfann, paléographe de Jérusalem et expert des manuscrits de la mer Morte, Richard Bauckham, originaire d'Angleterre et spécialiste de Jacques, ainsi que d'autres sommités, nous avions également invité Frank Cross, le doyen non officiel des paléographes. Je n'oublierai jamais cette soirée — alors que j'observais Cross, Fitzmyer, Lemaire et McCarter scruter la caisse, attirer l'attention des autres sur une lettre ou un détail particulier pour finalement

Ewa Dziadowiec du Musée royal de l'Ontario répare l'ossuaire.
Brian Boyle, Musée royal de l'Ontario

s'entendre sur une chose : rien dans cette inscription ne donnait à penser qu'il s'agissait d'une contrefaçon moderne.

LA POLÉMIQUE S'AMPLIFIE

Mais une autre tendance se dessinait. Depuis la découverte de l'ossuaire, de plus en plus de gens, plusieurs d'entre eux étant des exégètes, affirmaient que l'inscription était un faux. Certaines personnes affirmaient cela depuis l'annonce officielle de la découverte de l'ossuaire. D'autres, aux États-Unis et en Israël, reprenaient le refrain en chœur.

Mais ils n'étaient pas paléographes.

La première personne à intervenir, presque immédiatement après l'annonce, a été un universitaire bien connu dans la profession pour ses idées chimériques et ses efforts pour obtenir de la publicité. Il a écrit un livre dans lequel il prétend que le professeur de Vertu mentionné dans les manuscrits de la mer Morte n'était nul autre que notre Jacques, le frère de Jésus. C'est la théorie d'une seule personne. Mais l'agent de publicité de l'auteur avait communiqué avec les journalistes et leur avait dit qu'ils ne pouvaient vraiment pas écrire un article détaillé sur l'ossuaire sans la participation de son client. C'est ainsi que cet exégète est passé à la télévision et que son opinion a été exposée dans les journaux à plusieurs reprises ; selon lui, l'inscription était un faux parce qu'elle était « trop standard ». Lawrence Schiffman de l'université de New York, un spécialiste renommé des manuscrits de la mer Morte, décrit l'attention accordée par les médias à des idées aussi excentriques : il s'agit d'une « inversion de la réalité » à l'intérieur de laquelle ces perspectives inusitées sont utilisées « pour mettre la question sur le tapis ; puis des érudits responsables viennent opposer un démenti, laissant l'auditoire sous l'impression qu'il s'agit simplement de points de vue différents et de valeur égale ».

Ce franc-tireur a rapidement été rejoint par une personne qui affirmait posséder une expertise en paléographie. Sur un site Web, une certaine Rochelle Altman concluait que la deuxième moitié de l'inscription (« frère de Jésus ») n'avait pas été gravée par la personne qui avait inscrit la première moitié. Mais, contrairement à Kyle McCarter, qui avait envisagé cette possibilité — et qui l'avait peut-être même considérée comme une probabilité, — Altman affirmait catégoriquement :

> Les différences entre les deux parties sont flagrantes et il est impossible de ne pas les voir... [Dans la deuxième partie de l'inscription] nous pouvons voir immédiatement que c'est une personne différente qui a écrit.... La deuxième partie possède les caractéristiques d'un ajout tardif par quelqu'un qui essaie d'imiter une écriture qui ne lui est pas familière et qui écrit dans une langue qui ne lui est pas familière.

Elle identifie également un autre « signe révélateur de fraude ». Le texte de l'inscription, déclare-t-elle, est excisé au lieu d'être incisé, ce qui veut dire que la surface autour des lettres aurait été gravée de façon à ce que les lettres elles-mêmes fassent saillie.

Cette analyse présente plusieurs lacunes. La première est l'assurance avec laquelle Altman porte ses jugements. Il est étrange qu'elle soit aussi sûre d'elle et capable de voir en un clin d'œil ce qui, semble-t-il, a échappé aux paléographes de premier plan au niveau international. Deuxièmement, elle se trompe manifestement (autant qu'elle est sûre d'elle-même) en prétendant que l'inscription est excisée au lieu d'être incisée. Elle n'a jamais vu l'ossuaire lui-même, seulement des photographies. Et pourtant, sans hésitation, elle conclut qu'aucune lettre de l'inscription n'est creusée *dans* la pierre. Je ne suis pas un expert mais, même moi, je peux voir que les lettres sont incisées. Quiconque a vu l'ossuaire lui-même sait cela.

Cependant, il y a une raison encore plus fondamentale de douter du jugement d'Altman. Ce n'est pas simplement parce que personne ne la connaît à l'intérieur du petit cercle de paléographes spécialisés dans le domaine. Ce n'est pas parce que sa spécialité est censée être les manuscrits médiévaux et non les inscriptions du début de notre ère. C'est parce qu'elle n'a pas publié d'inscriptions datant de cette période plus ancienne. Selon les paléographes que nous avons consultés, personne ne peut être un expert en paléographie de cette période s'il n'a pas examiné de près des inscriptions originales de l'époque, s'il ne les a pas traduites, s'il n'a pas évalué l'écriture et publié un compte rendu de ses découvertes dans une revue spécialisée ou un livre, ce qu'on appelle *editio princeps*. En fait, à l'exception du petit cercle de gens qui travaillent dans ce domaine, aucun d'entre nous n'est un expert. Je vais tenter d'expliquer le processus. Un étudiant peut apprendre avec des experts mais, en fin de compte, ce qui constituera une preuve scientifique — la démonstration de son expertise — sera la publication qu'il fera d'un article dans le domaine, à un niveau professionnel. En fin de compte, nous ne jugeons pas nous-mêmes. Nous devons faire confiance aux experts. Nous devons décider si nous faisons confiance à une Rochelle Altman ou, par exemple, à un paléographe émérite comme André Lemaire.

Jeff Chadwick est maître de conférences en histoire de l'Église à la Brigham Young University. Cet archéologue a effectué des fouilles en Israël mais il n'a rien publié dans le domaine de la paléographie. Lui aussi pense que la deuxième moitié de l'inscription est une contrefaçon moderne. Et il est prêt à sauter dans la bataille pour indiquer comment les paléographes de renommée internationale se sont trompés.

Pour le professeur Chadwick, la deuxième partie de l'inscription est « une contrefaçon démontrable ». Il en est arrivé à cette conclusion en analysant les photographies parues dans *BAR*. Mais il est allé encore plus loin. En se basant sur son analyse des photographies, le professeur Chadwick a découvert que le dessin d'Ada Yardeni était « incorrect ». Par conséquent, il a fait son propre dessin pour illustrer de façon plus exacte ce qu'il avait vu dans la photographie.

La deuxième chose que le professeur Chadwick observe — il affirme que c'est « évident » —, c'est que « la forme des lettres dans l'expression « frère de Jésus » ne ressemble pas du tout » à celle de la première partie de l'inscription. Les deux derniers mots, dit-il, ont été « gravés dans l'ossuaire avec la pointe conique d'un petit clou en acier ». Les lettres de la première partie de l'inscription, cependant, « ont été tracées avec un outil qui a effectué une incision plus large et avec un angle plus grand que ce qu'on peut voir dans la [deuxième partie de l'inscription] ».

Mais ce n'est pas tout. Le professeur Chadwick a aussi découvert deux différentes mains d'écriture dans les deux derniers mots de l'inscription. En d'autres termes, il y aurait eu deux et non pas un seul faussaire moderne. Les *ayins* des deux derniers mots « n'ont pas été faits par la même personne. À nouveau, cet indice nous amène à penser qu'il s'agit d'un faux… Deux faussaires différents sont intervenus, semble-t-il ». Il s'agit d'un travail de paléographie remarquablement complexe pour un individu qui n'est pas un expert dans ce domaine, particu-lièrement en tenant compte du fait que l'indice en question semble avoir échappé à l'attention des premiers paléographes qui ont analysé l'inscription, non pas en observant des photographies mais en inspectant l'ossuaire lui-même.

Chadwick ne s'arrête pas là : « Le premier faussaire a étudié l'inscription ancienne existante : *Yakov bar Yosef*, puis… [il a] gravé les trois lettres araméennes *alef, het* et *yod* pour former le mot *achi* (dans le contexte « frère de ») en exécutant négli-gemment son travail au moment de graver le *alef.* » Quand le faussaire a voulu graver la lettre *shin* du mot *Yeshua*, un « petit incident dyslexique s'est produit » : il a commencé à graver le *shin* à l'envers, nous dit le professeur Chadwick. Cela veut dire que la lettre que nos paléographes seniors ont identifiée comme étant un *dalet* n'est pas en fait un *dalet*, nous dit le professeur Chadwick, mais le commencement d'un *shin* inversé. Quand le premier faussaire, « ou un partenaire qui regardait par-dessus son épaule, s'est rendu compte qu'un désastre était en train de se produire », il s'est arrêté. « On pourrait presque entendre l'exclamation du [second] faussaire exaspéré et de tous ses autres partenaires éventuels, observant l'air dégoûté ce demi-*shin* gravé en sens inverse sur l'ossuaire qu'ils ont dérobé : « Qu'est-ce qu'on fait maintenant ? » » En se basant sur cette analyse, le professeur Chadwick peut conclure que la langue maternelle du premier faussaire « n'était probablement pas l'hébreu ou l'araméen. Il devait lire occasionnellement des lettres hébraïques/araméennes mais il ne devait les écrire que rarement ». Néanmoins, le deuxième faussaire a été capable d'effectuer les corrections nécessaires. Le professeur Chadwick conclut : « Un ossuaire qui s'est peut-être vendu autrefois cinq cents dollars sur le marché des antiquités a maintenant une valeur potentielle de cinq millions de dollars — grâce à l'habileté ... d'une personne qui a gravé cette fausse inscription du nom de Jésus. »

Ça vous semble convaincant ? Ne sommes-nous pas plutôt en présence d'un exemple flagrant d'amateurs qui devinent à tout hasard ? J'admets volontiers que je ne suis pas compétent pour juger de la paléographie. Mais je préfère m'en remettre au jugement unanime des principaux spécialistes qui ont consacré leur vie à cet art difficile.

Le choix entre une Rochelle Altman ou un Jeff Chadwick d'un côté et une Ada Yardeni ou un André Lemaire de l'autre semble facile. Cependant, plusieurs intellectuels, certains d'entre eux étant des érudits respectés dans leur propre domaine, ont aussi exprimé des doutes au sujet de l'inscription de l'ossuaire, même s'ils ne sont pas des paléographes. Comme l'a écrit John Noble Wilford dans le *New York Times*, « Les sceptiques sont de plus en plus nombreux à exprimer des doutes concernant l'authenticité d'une inscription apparaissant sur une caisse funéraire qui pourrait avoir contenu les os de Jacques, le frère de Jésus. » Contrairement à Rochelle Altman et Jeff Chadwick, cependant, qui abordent les problèmes paléo-graphiques, les nouveaux sceptiques ignorent simplement ces questions, réalisant qu'elles vont au-delà de leur expertise.

Prenez le cas d'Eric Meyers, titulaire de la chaire Bernice et Morton (études judaïques et archéologie) à l'université Duke, qui est aussi éditeur de la *Oxford Encyclopedia of Archaeology in the Near East* et ancien président de l'American Schools of Oriental Research (ASOR), l'organisation professionnelle d'archéologues américains qui travaillent au Proche-Orient. Il est aussi un de mes amis depuis plus de trente ans. Mais il n'est pas paléographe.

Le 8 novembre, Eric et moi avons participé à une émission de la chaîne de télévision PBS : *Think Tank with Ben Wattenberg*. Nous avons parlé de la Bible en général mais naturellement, l'inscription sur l'ossuaire de Jacques qui venait de faire surface a aussi été au cœur de notre discussion. « Je pense qu'il y a de fortes probabilités pour qu'il soit authentique », me dit mon distingué collègue.

Un peu plus de deux semaines plus tard, Eric et moi nous sommes retrouvés ensemble sur une autre tribune. Dans le cadre de son colloque annuel, la Society of Biblical Literature, l'organisation professionnelle des exégètes de la Bible, avait organisé une session spéciale sur l'ossuaire le dimanche 24 novembre en après-midi, dans la grande salle de bal de l'hôtel Fairmont Royal York. Près d'un millier de personnes, dont plusieurs membres de la presse, s'entassaient dans la pièce ; le propriétaire israélien de l'ossuaire (dont l'identité avait maintenant été révélée) était aussi présent.

Cette fois, le ton de Meyers était tout à fait différent. Il a fustigé le propriétaire assis dans la première rangée en bas du podium pour avoir acheté des antiquités sans provenance. Meyers a émis la possibilité que l'inscription sur l'ossuaire soit un faux, et il a ajouté que c'était probablement le cas. « Il se posait de « sérieuses questions sur son authenticité » », pouvait-on lire dans le compte rendu de l'Associated Press le lendemain matin. Idem pour le *New York Times*. Il était aussi cité dans le premier paragraphe du récit publié dans le *Toronto Star* : « Eric Meyers a « un mauvais feeling, un très mauvais feeling » au sujet de l'authenticité de l'ossuaire ». Et dans le *Globe and Mail* : « J'ai des doutes au sujet de l'authenticité de l'inscription sur l'ossuaire. »

Meyers a effectué des fouilles sur plusieurs sites en Galilée. Il affirme posséder une expertise en lien avec l'ossuaire de Jacques parce qu'il a rédigé sa thèse de doctorat sur les ossuaires. On lui demande souvent son opinion sur l'ossuaire de Jacques, non seulement parce qu'il est une figure connue dans le domaine de l'archéologie biblique, mais aussi à cause de sa dissertation. Il a publié un livre basé sur sa dissertation qui a été sévèrement, pour ne pas dire sauvagement, critiqué par le spécialiste des ossuaires le plus en vue d'Israël, L. Y. Rahmani ; ce dernier a élaboré le catalogue standard des anciens ossuaires juifs, autant ceux qui ont été trouvés par des archéologues lors de fouilles que ceux apparus sur le marché des antiquités. Dans l'encyclopédie archéologique publiée par Meyers, l'article portant sur les ossuaires (écrit par un ancien étudiant de Meyers) note que la critique de Rahmani est « inutilement sévère ». Quoi qu'il en soit, il n'en demeure pas moins que Meyers est un spécialiste des ossuaires mais pas un paléographe et qu'il n'a pas publié d'inscriptions anciennes.

Qu'est-ce qui a nourri le scepticisme de Meyers ? Les exégètes sont des gens sceptiques, à juste titre. Mais parfois le scepticisme se transforme en démonstration de subtilité. Ben Witherington, mon coauteur, parle alors de « justification par le doute », un jeu de mots inspiré par l'expression de Paul, « la justification par la foi ». Les spécialistes doivent effectivement questionner et analyser. C'est vrai, particulièrement dans le domaine de l'archéologie biblique où les enjeux sont importants. Je suis éditeur de deux magazines d'archéologie. L'un est biblique et l'autre (*Archaeology Odyssey*) ne l'est pas. Les pages du magazine biblique (*BAR*) font place à la controverse et des spécialistes s'y affrontent régulièrement. Chaque élément est âprement discuté. Dans l'*Archaeology Odyssey*, l'attitude est différente. Qu'est-ce que ça peut faire si un temple païen du

Forum romain se trouvait à quelques centaines de mètres plus au nord ou plus au sud ? Mais les archéologues bibliques se battront à mort au sujet de l'emplacement du temple de Jérusalem afin de déterminer s'il se trouvait à quelques mètres plus au nord ou plus au sud.

L'ossuaire est apparu sur le marché des antiquités et ne provient pas de fouilles archéologiques professionnelles. La plupart de ceux qui s'intéressent à l'archéologie biblique préféreraient, bien sûr, travailler avec des découvertes effectuées par des professionnels lors de fouilles plutôt qu'avec celles qui proviennent de ce marché des antiquités. Mais nous ne pouvons ignorer ce qui est porté à notre attention et qui provient de ce marché. Comme il a été mentionné précédemment, Meyers déteste le marché des antiquités car les objets qui en proviennent n'ont pas de contexte. De tels éléments sont pour lui sans valeur ; même si ce ne sont pas des faux, ils pourraient toujours l'être. Le fait que Meyers n'ait pas défendu cette position sur la chaîne de télévision PBS est une autre question. Mais si, à Toronto, il a évoqué la possibilité que ce soit un faux, c'est manifestement à cause de son opposition au marché des antiquités (d'autres détails à ce sujet au chapitre 6).

Et qu'en est-il de l'affirmation voulant que l'inscription ait été incisée par deux personnes différentes ? Cette affirmation a été faite avec une certitude absolue par Rochelle Altman et Jeff Chadwick. Elle a aussi été présentée comme une possibilité par Kyle McCarter, professeur à l'Université Johns Hopkins et paléographe de premier plan. La différence entre Altman et Chadwick d'une part et McCarter d'autre part est instructive. Pour Altman et Chadwick, toute personne incapable de voir que les deux derniers mots de l'inscription sont d'une autre main est aveugle. McCarter reconnaît que la théorie des deux mains est une possibilité, qu'il s'agit peut-être même d'une probabilité mais, comme il me l'a dit : « Je ne voudrais pas insister là-dessus. »

Les doutes de McCarter ont été suscités par son observation des trois lettres cursives (*yod, dalet* et *aleph*), lesquelles ne lui semblaient pas appartenir à la même époque que les autres lettres de l'inscription. Lemaire, Cross et Yardeni divergent d'opinions. Tous les trois croient fermement que l'inscription est d'une seule main. En outre, comme Lemaire me l'a expliqué, il est très fréquent de voir dans les inscriptions des ossuaires un mélange de lettres cursives et monumentales[2].

Mais il existe une autre différence entre la première et la seconde parties de l'inscription. La seconde partie est perçue par certaines personnes (mais pas par d'autres spécialistes aussi qualifiés) comme étant plus grossière ; elle ne semble pas avoir été exécutée avec autant de soin et de minutie que la première. Mais, comme l'a fait remarquer Ada Yardeni, « L'inscription a été gravée à la main et non par une machine. La plupart des inscriptions araméennes des ossuaires semblent avoir été faites de façon assez peu soignée par des graveurs amateurs. L'ossuaire de Jacques ne fait pas exception[3]. » Les inscriptions des ossuaires étaient effectuées rapidement avec un stylet ; vers la fin de l'inscription, les caractères étaient souvent beaucoup moins nets. Plus important encore, dans le cas qui nous préoccupe, le calcaire dans lequel la seconde partie de l'inscription a été gravée semble être plus tendre. Dans son rapport sur la conservation de l'ossuaire, Ewa Dziadowiec note que la caisse est faite « d'un calcaire crayeux très tendre ». Un autre rapport sur l'état de l'ossuaire à son arrivée au musée mentionne que la pierre est usée et piquetée. L'état semble encore plus grave — la pierre est encore plus ravagée — dans la section comprenant la seconde partie de l'inscription. Il y a aussi davantage de patine dans cette même section, ce qui indique la présence d'un mélange légèrement différent d'éléments chimiques dans la pierre. Dans ces circonstances, il peut très bien avoir été beaucoup plus difficile de graver des lettres de façon nette, dans un style élégant. Ceci pourrait expliquer les différences entre les deux parties de l'inscription.

LES ARGUMENTS CONTRE LA THÈSE DE LA FALSIFICATION MODERNE

Or, la conclusion de McCarter est encore plus significative : même si deux personnes différentes avaient gravé l'inscription, ceci ne ferait pas de la deuxième partie de l'inscription un faux[4]. Celle-ci n'a pas été ajoutée plus d'une centaine d'années après que la première partie de l'inscription a été gravée, dit McCarter. Il émet l'hypothèse suivante : l'expression « frère de Jésus » peut avoir été ajoutée à l'inscription originale parce que, dans les années subséquentes, d'autres membres de la même famille portaient les noms de « Jacques, fils de Joseph » et qu'il était devenu nécessaire de préciser l'identité de ce Jacques, « le frère de Jésus ». Tout comme des surnoms étaient parfois ajoutés dans l'Antiquité au nom d'une personne pour distinguer celle-ci des membres de sa famille qui portaient le même nom[5], le nom du frère de Jacques aurait été ajouté à l'inscription sur l'ossuaire pour distinguer ce dernier des autres Jacques de la famille. McCarter ne laisse pas entendre qu'une partie quelconque de l'inscription soit une contrefaçon moderne.

Une autre raison pour laquelle les deux derniers mots de l'inscription ne peuvent être une contrefaçon moderne relève de la linguistique araméenne. Si vous pensez que la paléographie est une science ésotérique, essayez d'étudier le développement historique et l'usage de l'araméen ancien. Si certains amateurs s'essaient à l'analyse paléographique, personne ne veut vraiment débattre du sujet avec Joe Fitzmyer quand il s'agit de l'araméen. Mais le résultat dans ce cas-ci est facile à établir. Il se trouve simplement que les mots qui posent problème en araméen sont les deux derniers mots de l'inscription, *achui d'Yeshua*. Même si j'ai cité des passages de l'analyse du père Fitzmyer dans une note à la fin du chapitre 2, je trouve que sa conclusion mérite d'être reprise ici :

Donc, même si la formulation araméenne [des deux derniers mots de l'inscription] semble inusitée au départ, elle reflète simplement une façon populaire d'écrire le patronyme qui n'avait pas encore été bien documentée jusqu'ici. [Il n'existe que deux autres exemples]. Ainsi, l'inscription présente toutes les caractéristiques d'une écriture ancienne authentique[6].

Il y a trois autres arguments qui, dans mon esprit, contredisent la thèse de la falsification récente de la seconde partie de l'inscription de l'ossuaire (« frère de Jésus »).

Premièrement, s'il s'agit d'une contrefaçon, le faussaire devait être extrêmement stupide. Cela voudrait dire qu'un faussaire serait tombé sur un ossuaire ancien portant l'inscription « Jacques, fils de Joseph » et qu'il aurait vu là une occasion d'ajouter une référence à Jésus. Mais il aurait été beaucoup plus simple de descendre dans la Vieille Ville où, pour quelques centaines de dollars, le faussaire aurait pu acheter un ancien ossuaire sans ornement, non inscrit, sur lequel il aurait pu graver tout ce qu'il aurait voulu et, entre autres choses, les mots « Jacques, fils de Joseph, frère de Jésus. » De cette façon, il n'aurait pas été obligé d'imiter l'écriture de la première partie de l'inscription et il n'aurait pas couru le risque d'éveiller les soupçons. De plus, il n'aurait pas été obligé de payer beaucoup plus cher pour obtenir un ossuaire portant déjà une inscription. En d'autres mots, la différence entre la première et la seconde moitié de l'inscription témoigne en faveur de son authenticité et non le contraire.

Deuxièmement, le fait que la seconde moitié de l'inscription ne soit pas une contrefaçon récente est aussi démontré, comme nous l'avons vu précédemment, par la présence d'une patine à l'intérieur des lettres dans les deux parties de l'inscription, comme l'ont attesté les responsables du musée de Toronto qui ont procédé à un examen. Le Geological Survey of Israel a certifié que cette patine est la même que celle retrouvée sur la paroi de l'ossuaire. Ceci nous porte à croire que la boîte elle-même et l'inscription complète datent d'une époque lointaine.

Certaines personnes prétendent qu'il est facile d'imiter une patine, de créer une patine moderne qui pourrait tromper même les scientifiques du Geological Survey. Jusqu'ici, il ne s'agit que d'une simple affirmation. Personne, à ma connaissance, n'a réussi à tromper un expert en fabriquant une patine sur pierre. Et la patine de cet ossuaire serait particulièrement difficile à fabriquer. Dans son rapport, Ewa Dziadowiec, la restauratrice du musée, observe que le calcaire crayeux très tendre de l'ossuaire est « abîmé et érodé par plusieurs épaisseurs de chaux et de dépôts terreux autant à l'extérieur qu'à l'intérieur ».

Troisièmement, les faussaires exercent leur métier pour le profit. Ils veulent faire de l'argent. On peut présumer qu'un faussaire aurait voulu graver cette inscription dans le but de faire croire aux gens qu'elle faisait référence à des personnages de première importance du Nouveau testament et, de cette façon, augmenter énormément la valeur de l'ossuaire. Dans ce cas-ci, cependant, rien ne nous porte à croire que l'acheteur ou le vendeur ait réalisé la valeur du bien échangé. Le vendeur s'en est départi pour quelques centaines de dollars, le prix habituel pour un ossuaire qui ne présente rien de remarquable sur le marché des antiquités. Et, comme le raconte André Lemaire, le propriétaire ne le considérait pas suffisamment important pour l'exposer avec les éléments majeurs de sa collection ; et ce n'est pas l'un des artéfacts qu'il avait demandé à Lemaire de venir examiner. Si un faussaire avait mis cet ossuaire sur le marché, il aurait mis l'accent sur l'étonnante inscription dans l'espoir d'augmenter considérablement son prix. Ce n'est pas ce qui s'est produit. Le propriétaire a acheté l'ossuaire quelques décennies plus tôt et, finalement, il l'a entreposé.

Un journaliste a évoqué la possibilité que le propriétaire de l'ossuaire soit un menteur, et a laissé entendre que ce dernier pourrait avoir lui-même forgé cette inscription il y a quelques mois seulement. J'imagine que c'est une possibilité théorique. Mais, si c'était le cas — s'il avait été impliqué d'une façon ou d'une autre dans la falsification —, il n'aurait jamais accepté que l'ossuaire soit examiné par le Geological Survey de l'État d'Israël. Le fait qu'il ait accepté avec empressement que l'ossuaire soit analysé démontre de façon amplement suffisante qu'il n'est pas un faussaire.

En discutant avec Baruch Halpern, un historien et critique de textes bibliques hautement respecté, j'ai dit qu'on ne pouvait invoquer les avantages pécuniaires pour supporter la thèse de l'ajout de la seconde partie de l'inscription à une époque récente ; Halpern a rétorqué que le faussaire ne recherchait peut-être pas le profit ; il voulait peut-être faire une plaisanterie, simplement. J'imagine que c'est aussi une possibilité théorique, mais elle est faible.

Même si l'ossuaire avait été découvert lors de fouilles scientifiques, théoriquement il y aurait encore un risque que ce soit un faux. Il y a une dizaine d'années, un fragment d'une stèle de victoire (une pierre inscrite) portant une inscription étonnante a été déterré par Avraham Biran, un éminent archéologue israélien, à Tel Dan dans la région nord d'Israël. L'inscription mentionnait la « Maison [Dynastie] de David ». C'était la première fois dans les annales archéologiques qu'on faisait référence au grand roi israélite : on n'avait jamais vu auparavant une inscription portant le nom de David ailleurs que dans la Bible. La stèle date d'environ un siècle après la mort de David, selon la chronologie biblique. A l'époque, au début des années 1990, certains exégètes considérés comme des « minimalistes » bibliques (et parfois comme des nihilistes bibliques) prétendaient que David n'avait même jamais existé ; selon eux, il s'agissait d'une fiction complète. Ce nouveau témoignage trouvé à Tel Dan constituait une réfutation puissante. Certains minimalistes bibliques ont allégué que l'inscription de Tel Dan était un faux, qu'elle avait été forgée, enfouie dans le site de fouilles par un faussaire ou quelqu'un agissant pour le compte de ce dernier. Cette allégation a été rendue publique et n'a jamais été retirée, bien que personne n'y ajoute foi aujourd'hui. Mais elle demeure une possibilité théorique, tout comme l'idée qu'un faussaire ait trouvé une façon de créer et d'appliquer une patine sur l'ossuaire de Jacques et que cette contrefaçon ait réussi à tromper les scientifiques de la Geological Survey. Il n'y a tout simplement aucun moyen d'éliminer toutes les possibilités théoriques que l'imagination humaine peut évoquer. Il semble qu'une accusation de falsification soit portée chaque fois qu'une inscription étonnante comme celle-ci est découverte — même quand elle a été trouvée lors de fouilles scientifiques.

Néanmoins, dans mon esprit, il est pratiquement certain que l'ossuaire de Jacques et son inscription sont d'authentiques artéfacts anciens. Je prédis qu'avec le temps tous les doutes au sujet de leur authenticité se dissiperont.

En fait, pour une bonne part, le scepticisme qui semble entourer l'ossuaire n'existe peut-être pas. En voici un bon exemple : John Painter, professeur de théologie à l'université Charles Sturt en Australie et auteur d'un livre sur Jacques encensé par la critique, était l'un des invités à la rencontre de la Society of Biblical Literature à Toronto ; j'avais eu l'impression qu'il était sceptique vis-à-vis de l'authenticité de l'inscription de l'ossuaire. Dans un article du *Toronto Star* qui porte comme titre « Des experts ne croient pas à l'authenticité de l'ossuaire », on rapporte que Painter aurait dit : « Rien ne me ferait plus plaisir que d'être convaincu qu'il s'agit bien de l'ossuaire de Jacques. Mais j'avoue que j'ai des doutes. » Plus tard, il m'a fait parvenir un courrier électronique pour me remercier de l'avoir invité à une exposition de l'ossuaire en privé. Ce fut le départ d'un échange de courriels entre nous au cours duquel il a clarifié sa position (je n'avais peut-être pas écouté attentivement sa présentation) : « Aucun [des problèmes concernant l'ossuaire et son acquisition] ne m'a amené à conclure qu'il avait été falsifié ou qu'il s'agirait d'un faux… Authentique signifie qu'il ne s'agit pas d'un faux mais d'une véritable inscription du premier siècle sur un ossuaire du premier siècle. C'est une position que j'accepte. » Les entretiens subséquents que j'ai eus avec le professeur Painter m'ont amené à croire que, lorsque la poussière sera retombée, l'authenticité de l'ossuaire de Jacques et de son inscription sera acceptée presque universellement.

Un dernier élément démontre que l'inscription est authentique — et nous amène aussi à examiner la question suivante : « Même si l'inscription est authentique, fait-elle référence aux personnages qui portent ces noms dans le Nouveau Testament ? » (C'est le sujet du chapitre suivant.) Le père Émile Puech, prêtre dominicain de l'École biblique de Jérusalem, est un éminent paléographe et un spécialiste des manuscrits de la mer Morte. Le père Puech nie dans les termes les plus forts possible que l'inscription puisse faire référence au Jésus de Nazareth[7]. « Il est absolument impossible, dit-il, de dater avec précision l'inscription en la plaçant dans la décennie précédant la chute de Jérusalem. En outre, s'il s'agissait du Jacques du Nouveau Testament, on s'attendrait à ce que soit inscrit « Jacques le Juste » ou « le frère du Seigneur/Messie », et non pas uniquement « frère de Jésus ». » De plus, Puech affirme que « la relation spécifique entre Jacques et Jésus est simplement impossible à établir en se basant sur notre ossuaire… le terme « frère » pouvant signifier tout autant un frère germain, un demi-frère, un mari, un oncle, neveu, cousin, ami et compagnon ». Pour ce qui est du texte biblique, Puech dit : « Ce n'est que d'après la rumeur populaire qu'il [Jacques] était dit être le « fils de Joseph ». » Pour cette raison ainsi que pour d'autres, l'inscription, selon Puech, ne peut référer à Jésus de Nazareth. Mais il y a une affirmation que Puech — ce grand paléo-graphe — ne fait *pas* : il ne dit pas que l'inscription est une contrefaçon moderne ou que deux personnes différentes l'ont inscrite.

---

1. Certains experts considèrent que la paléographie est l'étude des inscriptions réalisées à l'aide d'une plume ou d'un pinceau sur papyrus et poterie, tandis que l'épigraphie est l'étude des inscriptions gravées dans des matériaux non poreux comme la pierre. Voir le *Anchor Bible Dictionary*, à la rubrique « paléographie ».

2. Voir par exemple, les numéros 15, 520 et 783 du catalogue de L. Y. Rahmani, *A Catalogue of Jewish Ossuaries in the Collections of the State of Israel*, Jérusalem, Israel Antiquities Authority, Israel Academy of Sciences and Humanities, 1994.

3. Correspondance personnelle, 23 décembre 2002.

4. Il semble que la théorie des deux mains d'écriture attire les gens moins expérimentés dans le domaine de la paléographie (bien que ce ne soit pas le cas pour McCarter). Herbert Basser de la Queen's University de Kingston en Ontario, qui est un excellent exégète mais qui n'est pas paléographe, a dit au journaliste du magazine *McLean's* (18 novembre 2002) : « Il me paraît évident que nous avons là deux inscriptions. » Tout comme McCarter, cependant, Basser considère la deuxième moitié comme authentique. L'article du *McLean's* continue : « Basser nous prévient cependant que cette révélation n'établit pas (ou ne réfute pas) l'identité ou la lignée de la personne dont les os ont été placés dans la caisse. « Il se pourrait très bien qu'un membre de la famille qui vénérait Jacques ait voulu ajouter l'expression contenant le mot Yeshua pour clarifier l'inscription, des années plus tard, dit-il. Ceci ne fait pas du deuxième auteur un faussaire. Si l'intention avait été de faire une contrefaçon, celle-ci aurait été beaucoup mieux exécutée. De toute évidence, l'intention était d'informer et non de tromper. » »

5. Voir Rahmani, *Catalogue*, 14.

6. Joseph A. Fitzmyer, « Whose Name Is This ? », *America*, 187, n° 16 (18 novembre 2002).

7. Lettre au rédacteur en chef, *Minerva,* 14, n° 1 (janvier/février 2003) : 4.

5

S'AGIT-IL DE JÉSUS DE NAZARETH ?

É tablir l'authenticité de l'inscription de l'ossuaire de Jacques est relativement facile. Nous n'avons plus vraiment de doutes à ce sujet maintenant. De là à savoir si les trois personnes mentionnées dans l'inscription — Jacques, fils de Joseph, frère de Jésus — sont les trois personnes dont il est fait mention dans le Nouveau Testament (avec ces liens de parenté), voilà qui est plus difficile. Les exégètes débattront de cette question pendant des années. Le fait est que ces trois noms étaient assez courants chez les Juifs durant le premier siècle apr. J.-C. Ce n'est pas uniquement la littérature qui nous permet de le savoir (bien que les manuscrits les plus anciens, tels que les Évangiles et les écrits de Flavius Josèphe, ont été écrits à des dates ultérieures), mais aussi des centaines d'inscriptions qui ont subsisté et qui datent de ce que les exégètes appellent la fin de la période du Second Temple. Découvrir une inscription mentionnant le nom de Jésus n'est pas inhabituel — sauf que ce Jésus peut ne pas être l'homme que nous appelons Jésus de Nazareth.

Pour établir l'authenticité de l'inscription de l'ossuaire de Jacques, nous avons fait appel à la paléographie (la forme et les variations des lettres), à la linguistique (l'usage de l'araméen contemporain), à l'analyse géologique (les substances chimiques contenues dans la patine) et même à la psychologie (un faussaire aurait essayé d'obtenir de l'argent ; or ni l'acheteur ni le vendeur ne connaissaient la valeur de l'ossuaire).

Pour déterminer si les trois personnes mentionnées dans l'inscription de l'ossuaire sont les figures du Nouveau Testament, nous devons utiliser d'autres disciplines : les statistiques (la fréquence des noms Jacques, Joseph et Jésus) et les coutumes relatives aux funérailles chez les Juifs du premier siècle.

LES NOMS EN ARAMÉEN, EN HÉBREU ET EN ANGLAIS

Avant d'examiner les résultats des études statistiques, nous devons établir clairement de quels noms il s'agit. En anglais, nous parlons de James, Joseph et Jesus. En araméen cependant, il n'y a pas de son *J* ; c'est vrai également pour l'hébreu. Les noms sont donc différents en araméen ; nous avons ici notre premier exemple.

Les trois noms en araméen (et en hébreu) sont *Ya'akov*, *Yosef* et *Yeshua*. C'est le nom Ya'akov qui requiert les explications les plus détaillées. Il est habituellement traduit en anglais par Jacob, le nom du patriarche de la Bible. Mais il est parfois traduit différemment, par le nom James. Comment Jacob est-il devenu James ? Quand la Bible a été traduite en latin, Ya'akov est devenu *Iacobus* (ou *Jacobus* dans l'orthographe germanique). De Iacobus au mot anglais Jacob, la transition s'est effectuée facilement. Dans le Nouveau Testament, le frère de Jésus est appelé Iacobus, en grec — éáêùâïò — *iota, alpha, kappa, omega, beta, omicron, sigma*. Or, quand ce nom a été traduit en latin, le son *b* a été remplacé par le son *m*. Ceci se produit fréquemment ; les sons *b* et *m* sont tous deux des bilabiales que l'on forme en pinçant les lèvres. En formant le son *b*, nous soufflons un peu d'air entre nos lèvres, ce qui n'est pas le cas pour le son *m*. C'est la seule différence. (Bien que la transformation des bilabiales soit courante, personne ne semble savoir exactement pourquoi.) Ainsi Iacobus en grec est devenu Iacomus en latin et, à partir de là, la distance entre ce mot et le nom James n'était plus très grande.

Mais pourquoi le nom Jacob, celui du patriarche de la Genèse, n'est-il pas devenu James ? C'est une chose tout à fait arbitraire. Pour le patriarche Jacob, l'Église a conservé la forme sémitique. Pour le frère de Jésus, la forme hellénisante a été adoptée.

Une autre variation résulte du fait que l'hébreu et l'araméen étaient presque entièrement écrits sans voyelles. Avec le temps, certaines consonnes ont été utilisées comme voyelles (appelées *matres lectionis*). Les noms apparaissent parfois avec des voyelles et d'autres fois non. Par exemple, dans les premiers livres de la Bible, comme les livres de Samuel et des Rois, David est inscrit sans voyelles : *DVD*. Dans le livre des Chroniques, cependant, une lettre est ajoutée pour représenter la seconde voyelle du nom. Dans les textes bibliques, le nom Ya'akov est écrit sans la voyelle finale. Dans certaines inscriptions cependant, le nom apparaît avec cette voyelle.

Divers noms hébreux et araméens apparaissent sous plusieurs formes — en ce qui concerne Jacob, Jake et Kobie, par exemple, il s'agit du même nom ; de même pour Joseph, Joe et Yossi (dans les deux cas, les deux derniers mots étaient des surnoms). Dans les temps anciens toutefois, plusieurs variantes n'étaient pas des surnoms mais simplement d'autres formes possibles. Ainsi Yosef pouvait aussi s'écrire Yehosef. Yeshua ou Jésus possédait encore plus de variantes. On pouvait utiliser le nom Yeshua tel qu'il apparaît sur l'ossuaire de Jacques, ou encore Yeshu ou Yehoshua. Ce dernier est le nom du successeur de Moïse ; lorsque c'est de cet homme dont il est question, nous traduisons son nom par Joshua. Mais quand ce nom apparaît au début de notre ère, à l'époque de Jésus de Nazareth, nous le traduisons par Jésus. Mais, en fait, les noms sont les mêmes.

En tenant compte de toutes les variantes, nous pouvons déterminer le degré de popularité d'un nom particulier au début de notre ère. Nous disposons d'une quantité considérable d'inscriptions et nous connaissons la fréquence à laquelle un nom donné apparaît dans ce corpus. D'après une étude des Évangiles, des inscriptions et d'autres textes anciens, le nom le plus populaire à l'époque de Jésus était Simon/Simeon. Le nom Joseph arrive au deuxième rang et celui de Jésus/Joshua au sixième. Jacques/Jacob arrive au onzième rang[1]. Le pourcentage correspondant au nombre de fois où ces noms apparaissent dans les annales archéologiques a été calculé par l'exégète israélienne Rachel Hachlili[2]. Elle a découvert que Jacques apparaît dans 2 % des inscriptions ; Joseph (des trois noms de notre ossuaire, c'est celui qui est le plus populaire) se rencontre dans 14 % des inscriptions ; Jésus apparaît dans 9 % de celles-ci.

Imaginez un bol contenant des milliers de petites balles sur lesquelles un nom est inscrit et qui représentent toutes les personnes vivant à cette époque. Si nous extrayons une balle, dans 2 % des cas le nom de Jacques sera inscrit, dans 14 % des cas nous pourrons lire le nom de Joseph, et dans 9 % des cas celui de Jésus.

Ainsi, lorsque nous retirons une balle, un de ces trois noms apparaît dans 25 % des cas (2 % + 14 % + 9 % = 25 %).

Au lieu de ne retirer qu'une seule balle, retirons maintenant trois balles portant chacune un nom. Quelles sont les probabilités que le premier soit Jacques, le deuxième Joseph et le troisième Jésus ? La réponse est étonnante. La probabilité que les trois noms apparaissent dans cet ordre n'est que de 1/4 de 1 % (0,02 [le nombre décimal équivalent à 2 %] x 0,14 x 0,09 = 0,00252). On appelle ça la règle du produit.

Nous avons aussi une assez bonne idée de la taille de la population de Jérusalem à cette époque, l'estimation étant basée sur des données archéologiques. La plupart des estimations de la littérature ancienne sont exagérées et, manifestement, on ne peut s'y fier. Par exemple, Josèphe, l'historien juif du premier siècle

Les noms masculins les plus populaires chez les Juifs de la période du Second Temple
(du premier siècle av. J.-C.
au premier siècle apr. J.-C. approximativement)

Nom	Fréquence
Simon	21 %
Joseph	**14 %**
Judas	10 %
Yohanan	10 %
Eliézer	10 %
Jésus	**9 %**
Jonathan	6 %
Matthieu	5 %
Hanina	3 %
Yo-ezer	3 %
Ismaël	2,2 %
Menachem	2 %
Jacob/Jacques	**2 %**
Hanan	2 %
Lévi	0,2 %
Isaac	0,2 %
Gamaliel	0,2 %
Hillel	0,2 %
	100 %

Source : D'après les données de Rachel Hachlili,
« Names and nicknames of jews in Second Temple
times », *Eretz-Israel* 17, Israel Exploration Society,
1984.

dit que les Romains ont tué 1 100 000 Juifs quand ils ont détruit Jérusalem en l'an 70 apr. J.-C. Au début de notre ère, la cité couvrait 450 acres, soit la plus grande surface depuis sa fondation, laquelle remontait à au moins trois mille ans plus tôt. Jérusalem était une grande ville prospère durant la période qui se situe entre la mort d'Hérode le Grand, en l'an 4 av. J.-C., et la destruction par les Romains en 70 apr. J.-C. Des fouilles effectuées dans la cité au cours des cinquante dernières années confortent cette estimation de la taille de la ville à cette époque. Aucun archéologue n'a laissé entendre qu'elle aurait pu être plus grande (mais certains ont estimé qu'elle aurait pu être plus petite).

Plusieurs spécialistes ont étudié la densité des régions urbaines de l'Antiquité — de la Mésopotamie à Ostie, le port de Rome. Selon leurs données, une densité de population de 160 à 200 personnes par acre constitue une estimation raisonnable[3].

Ceci correspond bien à la densité de la population des villes anciennes qui ont survécu jusqu'à l'époque moderne. Dans la première moitié du vingtième siècle, la densité de la population de Damas et d'Alep était d'environ 160 personnes par acre. En

La superficie de Jérusalem et la population à travers les âges

La ville des Jébusites et le roi David (vers l'an 1000 av. J.-C.)   Roi Salomon (vers l'an 930 av. J.-C.)   Roi Ézéchias (vers l'an 701 av. J.-C.)   Retour d'exil (vers l'an 333 av. J.-C.)

Superficie : 10 acres
Population : 2 000   Superficie : 32 acres
Population : 5 000   Superficie : 125 acres
Population : 25 000   Superficie : 30 acres
Population : 4 500

Les Hasmonéens (2ᵉ siècle av. J.-C.)   Hérode le Grand (vers l'an 4 av. J.-C.)   Avant la destruction du Second Temple (vers l'an 66 apr. J.-C.)   Justinien (vers l'an 565 apr. J.-C.)

Superficie : 165 acres
Population : 30 000 à 35 000   Superficie : 230 acres
Population : 40 000   Superficie : 450 acres
Population : 80 000   Superficie : 300 acres
Population : 55 000 à 60 000

1918, la densité de la population de la Vieille Ville de Jérusalem (à l'intérieur des murs) était d'environ 200.

Pour estimer la population de Jérusalem du premier siècle, il faut soustraire la superficie de la région du mont du Temple (trente-six acres) parce que personne n'y habitait. Le secteur des palais et des citadelles par contre était occupé par les gens de la maison du roi, le personnel administratif et les militaires. En tenant compte de toutes ces données, Magen Broshi, ancien conservateur au Shrine of the Book à Jérusalem où sont conservés les manuscrits de la mer Morte, estime que la population de Jérusalem à l'époque de Jésus était d'environ 80 000 personnes, un chiffre largement accepté par les autres spécialistes.

André Lemaire a utilisé les résultats de Broshi pour évaluer la fréquence d'apparition des noms Jacques, Joseph et Jésus comme fils, père et frère respectivement. Premièrement, il a réduit de moitié le nombre estimé de 80 000 personnes (donc 40 000) parce que, approximativement, la moitié de la population devait être composée de mâles. Puis il a multiplié ce chiffre par deux pour couvrir deux générations d'hommes (retour au chiffre 80 000) après avoir précisé la datation de l'ossuaire — soit les dernières décennies de la période comprise entre l'an 20 ou 15 av. J.-C. et l'an 70 de notre ère, époque durant laquelle la plupart des ossuaires ont été utilisés. En d'autres mots, d'après les données paléographiques, l'inscription de l'ossuaire peut être située à l'intérieur d'une période s'étendant sur près de deux générations. Cette datation est basée sur les trois lettres semi-cursives de l'inscription de l'ossuaire. Par conséquent, deux générations d'hommes forment la population à laquelle les probabilités doivent être appliquées[4].

En bref, Lemaire a pris une population potentielle de 80 000 hommes et il s'est servi de ce chiffre pour effectuer le calcul suivant : en le multipliant par 1/4 de 1 % (2 % x 14 % x 9 %), cela donne un nombre d'environ 20 personnes qui, à cette époque, s'appelaient Jacques, qui avaient un père prénommé

Joseph et un frère dont le nom était Jésus. Durant un bref moment au cours de mon séjour dans le monde des statistiques, j'ai pensé que ce nombre devait être divisé par six, parce qu'il existait six combinaisons différentes pour les trois noms et une seule d'entre elles correspondant à l'inscription. Mais c'est faux, comme me l'ont confirmé les experts en statistiques. Pour effectuer la multiplication, on doit tenir compte de l'ordre dans lequel les noms apparaissent. Les probabilités que les noms apparaissent dans n'importe quel ordre sont six fois plus grandes que le nombre original (6 x 20).

La puissance de ces conclusions statistiques se révèle quand nous comparons les inscriptions de deux autres ossuaires. L'un d'eux, publié par le professeur E. L. Sukenik de la Hebrew University en 1931 (et acheté par le Musée archéologique de Palestine en 1926), porte deux inscriptions — l'une indique simplement le nom *Yeshu* (Jésus), et l'autre *Yesua bar Yehosef*, « Jésus, fils de Joseph ». Personne n'a supposé sérieusement qu'une de ces inscriptions faisait référence à Jésus de Nazareth — et pour de bonnes raisons. Sans tenir compte du fait que la doctrine théologique affirme que Jésus est ressuscité le troisième jour, statistiquement les probabilités qu'il s'agisse de Jésus de Nazareth sont très faibles. Suivant le modèle utilisé précédemment, plus de mille hommes habitant Jérusalem à cette époque s'appelaient Jésus et avaient un père dont le nom était Joseph (0,09 x 0,14 x 80 000 = 1 008).

Dans les deux exemples cependant, nous parlons de probabilités et non de cas réels. Cela signifie que le nombre exact de personnes de Jérusalem qui s'appelaient Jacques, qui étaient fils de Joseph et qui avaient un frère prénommé Jésus se situe entre 15 et 25. Nous pouvons situer l'intervalle de confiance (c'est-à-dire le pourcentage de fois où nous retirerons du bol ces trois billes portant ces noms et dans cet ordre) sur une échelle. Imaginez un nombre infini de bols contenant les 80 000 noms. Dans 68,27 % des cas (1 sigma), le bol contiendra les noms de 15,5 à 24,5 personnes portant le nom de Jacques, dont le père s'appelle Joseph et le frère Jésus. Dans 95,45 % des cas (2 sigmas), le bol contiendra les noms de 11 à 29 personnes qui remplissent les conditions requises.

Plus importante, toutefois, est la validation des hypothèses à la base de ce calcul. Par exemple, on pourrait prétendre que la base de données que nous utilisons n'est pas suffisamment vaste pour conclure de façon définitive que 2 % des hommes du premier siècle habitant à Jérusalem s'appelaient Jacques, 14 % Joseph et 9 % Jésus. Comme me l'a dit John Painter, professeur australien et spécialiste de Jacques parmi les plus réputés : « Je ne pense pas que la base de données des noms de cette période soit suffisamment grande pour permettre un échantillonnage correct. C'est possible mais, à mon avis, c'est peu probable. »

L'ossuaire (*ci-dessus*) porte deux inscriptions sur le devant : sur l'une on peut lire *(au-dessus, à gauche)* « Yeshu » ; sur l'autre *(à gauche)* « Yeshua bar [fils de] Yehosef. » L'inscription gravée sur l'ossuaire (*ci-dessous*) est dite également signifier « Yeshua bar Yehosef ». Dessins de L. Y. Rahmani, *A Catalogue of Jewish Ossuaries*. Photos : *Israel Antiquities Authority*

En outre, on pourrait avancer que le groupe d'hommes pris comme référence dans le postulat de Lemaire n'est pas suffisamment vaste et que la restriction établie — le fait que ces hommes habitaient à Jérusalem — constitue une erreur : d'autres inscriptions sur des ossuaires nous ont enseigné que les corps des Juifs habitant des territoires où la langue parlée était le latin étaient parfois amenés à Jérusalem pour y être inhumés. Il y avait aussi des Juifs qui parlaient le grec et le palmyrénien. Ainsi, même si Lemaire prétend avoir fait une estimation conservatrice — 200 personnes par acre dans ses calculs —, il a peut-être fait une erreur en limitant sa base de données à Jérusalem. De plus, n'y a-t-il pas plusieurs villages dans un rayon de trente-cinq à quarante kilomètres de Jérusalem dont il faudrait tenir compte ?

Mais d'autres facteurs peuvent réduire de façon significative les probabilités que 20 personnes (un nombre assez élevé) puissent correspondre à Jacques, fils de Joseph et frère de Jésus. Par exemple, comme l'ossilegium — le rassemblement des os du défunt dans une caisse — était une coutume juive, nous devrions exclure du groupe de personnes tous les non-Juifs habitant à Jérusalem. Nous pouvons aussi exclure tous les enfants et les adolescents. Nous savons que, quelle que soit la personne inhumée dans l'ossuaire de Jacques, il s'agissait d'un adulte parce que le format de la caisse correspond à la taille d'un adulte. Les ossuaires destinés aux enfants et aux adolescents sont plus petits.

Par surcroît, nous devrions exclure les gens qui étaient trop pauvres pour acheter un ossuaire ou ceux qui n'étaient pas des figures suffisamment connues pour que leurs amis et leurs disciples contribuent à un tel achat. Pour compliquer davantage la discussion, quelqu'un pourrait alléguer que presque tout le monde avait les moyens d'acheter un ossuaire parce que, comme nous l'expliquerons plus loin dans ce chapitre, une caisse funéraire ne coûtait que l'équivalent du salaire quotidien d'un artisan habile. Mais comment pouvons-nous être sûrs de cela ?

Et de toute façon, pourrait-on répliquer, ce n'est pas le coût de l'ossuaire qui est important mais le coût d'un caveau funéraire (tombeau). Un défunt n'aurait pas été inhumé dans un ossuaire si cet ossuaire n'avait pu être placé dans un caveau familial — et le fait est que ceux-ci coûtaient cher.

Un autre facteur : seul un petit pourcentage des ossuaires était inscrit. Dans le catalogue standard des ossuaires, ceux-ci représentent 26 % environ de l'ensemble. Mais, en fait, il n'y en avait pas plus de 20 % probablement car le catalogue ne comprend pas les milliers d'ossuaires unis — c'est-à-dire sans décoration ni inscription — qui ont été découverts. Le fait que seul un petit nombre d'ossuaires ait été inscrit indique que les inscriptions ont été ajoutées uniquement par les membres de familles instruites. En supposant que seulement 20 % de la population savait lire, cela réduit radicalement notre groupe de référence.

En fait, un professeur de statistiques de l'université de Tel Aviv a effectué ces calculs en utilisant des techniques extrêmement sophistiquées. Camil Fuchs a tenu compte des taux de naissance et de décès, de la taille des familles et du taux de croissance de la population ; il a aussi supposé que des frères ne portaient pas le même nom. Il a présumé également que les non-Juifs constituaient 5 % de la population de Jérusalem, que 50 % de la population avait les moyens d'acheter un ossuaire et que 20 % de la population savait lire ; de plus, ces facteurs n'étaient pas tous indépendants les uns des autres. Naturellement, il y aura des débats sur la validité de ces hypothèses. (Les pauvres avaient-ils les moyens d'acheter des ossuaires ? Les gens non instruits payaient-ils néanmoins quelqu'un pour faire graver une inscription sur un ossuaire ?) Ajoutons à cela que les pour-centages ne sont pas toujours établis à partir de statistiques fiables. Par exemple, comment pouvons-nous savoir que 5 % de la population de Jérusalem à cette époque n'était pas juive ? Fuchs pourrait répondre qu'il a étudié tous les témoignages disponibles et qu'il a fait une estimation conservatrice (exactement comme Lemaire a fait en estimant la population de Jérusalem à 200 personnes par acre).

Certaines estimations de Fuchs sont encore plus conservatrices que celles de Lemaire. En se basant sur la forme de plusieurs lettres de l'inscription, André Lemaire n'a tenu compte que des deux dernières générations avant la destruction de Jérusalem par les Romains en l'an 70 de notre ère. Fuchs a inclus la période allant de l'an 6 à l'an 70 apr. J.-C. et, dans une autre évaluation, de l'an 20 av. J.-C. à l'an 70 apr. J.-C. Fuchs fournit plus d'une estimation de la population de Jérusalem ; le chiffre de 80 000 personnes représente l'évaluation la plus élevée. Idem pour son estimation du taux de 20 % représentant la population instruite. Cependant, pour établir la fréquence de chacun des trois noms, il s'est basé sur les pourcentages correspondant à leur apparition sur les inscriptions des ossuaires plutôt que sur les inscriptions de toute provenance. Il présume ainsi que le groupe de personnes inhumées dans des ossuaires différait de la population juive globale de Jérusalem.

Fuchs conclut, avec un niveau de certitude de 95 %, que pas plus de quatre individus (3,63 pour être exact) possédaient la configuration nominale requise. À un niveau de certitude de 70 %, pas plus de deux individus (1,71 pour être exact) possédaient cette configuration nominale requise. Pour Lemaire, il y avait probablement 20 hommes qui s'appelaient Jacques, tout en étant fils de Joseph et frère de Jésus. Pour Fuchs, le nombre est beaucoup plus faible — entre 2 et 4.

Même en accordant à ces chiffres une valeur nominale, néanmoins, la probabilité d'avoir découvert l'ossuaire relié au Jacques du Nouveau Testament n'est pas très forte. En utilisant le chiffre de Lemaire, 20, il n'y a qu'une chance sur 20 pour que nous ayons le bon Jacques — une probabilité de 5 %. Avec le calcul de Fuchs, les probabilités sont meilleures mais elles ne se situent pourtant qu'entre 25 % et 50 %.

En résumé, les statistiques à elles seules ne nous fourniront pas la réponse. Mais l'analyse statistique de façon générale semble nous rapprocher de Jacques, le frère de Jésus de Nazareth.

LE FRÈRE DANS L'INSCRIPTION DE L'OSSUAIRE

Mais on n'a pas encore parlé du facteur le plus important — la mention très inhabituelle du frère décédé sur l'ossuaire de Jacques.

Habituellement, le défunt et son père sont nommés dans les inscriptions des ossuaires, ce qui, dans les temps anciens, équivalait au nom complet d'une personne, le nom du père correspondant en quelque sorte au nom de famille (en termes modernes). Sur les centaines d'inscriptions d'ossuaires connues, il n'y a qu'un seul autre cas où le nom du frère du défunt apparaît après la mention habituelle du père[5].

Lemaire ne propose que deux raisons pour lesquelles le frère est nommé dans l'inscription d'un ossuaire : 1) le frère était responsable des funérailles du défunt ; 2) le frère était une personnalité en vue avec laquelle le défunt désirait être identifié, une sorte de lien éternel. Dans le cas qui nous préoccupe, la première hypothèse ne pourrait s'appliquer. Jésus de Nazareth n'aurait pu être responsable de l'inhumation de Jacques car il avait été crucifié trente ans auparavant.

La seconde explication est néanmoins pertinente. À la mort de Jacques, Jésus était effectivement un personnage important ; il était l'inspiration d'un mouvement religieux naissant. En outre, Jacques lui-même était profondément impliqué dans le mouvement en tant que chef de l'Église de Jérusalem. Hégésippe, l'écrivain chrétien du deuxième siècle, donne à Jacques le titre de premier évêque de Jérusalem. C'est pourquoi la mention du frère, Jésus, dans l'inscription de cet ossuaire est en accord avec ce que l'histoire nous enseigne au sujet de Jacques[6].

En tenant compte de ce facteur, j'en suis arrivé à la conclusion qu'il était vraisemblable que cet ossuaire soit celui de Jacques, le frère de Jésus de Nazareth. S'il s'agissait d'une poursuite au criminel, cette preuve ne serait pas assez claire pour être recevable ; nous ne l'avons pas établie hors de tout doute raisonnable. Mais je crois qu'elle serait considérée comme suffisante dans le cas d'une poursuite au civil où la norme en matière de preuve repose sur la prépondérance des témoignages. Il y a plus de chances que cette caisse soit l'ossuaire de Jacques, le frère de Jésus de Nazareth, que de chances qu'elle ne le soit pas.

Par conséquent, il y a de fortes chances, selon moi, pour que cette inscription mentionne *effectivement* le Jacques, le Joseph et le Jésus du Nouveau Testament. Et dans ce cas, nous avons ici la première et la seule attestation archéologique de ces trois personnages du Nouveau Testament. Cela signifie, bien sûr, que c'est la première (et unique) fois que le nom de Jésus de Nazareth apparaît dans les annales archéologiques.

Pour le père Fitzmyer, par contre, le lien entre l'ossuaire et le Nouveau Testament demeure seulement une possibilité et non une probabilité. « Jacques de Jérusalem n'est jamais dit avoir eu un père nommé Joseph dans le Nouveau Testament », nous dit Fitzmyer[7]. Le verset 3.23 de Luc dit très précisément que « Jésus, lors de ses débuts, avait environ trente ans, et il était (à ce *qu'on croyait*) fils de Joseph [l'italique est de moi] ». Le mot grec *adelphos*, qui est traduit par « frère » quand Paul dit de Jacques qu'il est « le frère du Seigneur » (Galates 1.19), peut aussi signifier « parent », « membre de la famille ». Par conséquent, Jacques pourrait avoir été un simple parent de Jésus et non son frère. Dans la tradition catholique qui s'est développée plus tard, la nature de leurs liens de parenté a été définie comme étant une relation de cousinage. Si Jacques n'était qu'un cousin de Jésus, son père n'aurait pas été Joseph et l'inscription sur l'ossuaire de Jacques ne ferait pas référence à ce Jacques du Nouveau Testament.

Amos Kloner, un exégète de Jérusalem spécialisé dans les coutumes d'inhumation à la fin de la période du Second Temple, est aussi sceptique. Il attire notre attention sur le fait que la plupart des ossuaires portant des inscriptions étaient regroupés lors de leur découverte ; dans un vaste tombeau, il y en avait parfois jusqu'à vingt. Très peu ont été retrouvés seuls dans de petits caveaux, ce qui illustre le fait que la plupart des tombeaux, particulièrement ceux qui contiennent des inscriptions, étaient des tombes familiales. Est-ce que des membres de la famille de Jacques habitaient à Jérusalem ? C'est possible mais, bien sûr, nous ne savons pas à quel endroit cet ossuaire a été découvert. Il provenait peut-être d'un vaste ensemble de tombeaux. Mais nous ne possédons pas d'indications archéologiques là-dessus. Kloner soulève un autre point : les inscriptions ont été faites après l'inhumation de plusieurs personnes dans un même tombeau afin d'identifier les membres de ces différentes générations. Même si la famille de Jacques était installée à Jérusalem, il ne s'était pas écoulé suffisamment de temps entre la crucifixion de Jésus et la mort de Jacques, trente ans plus tard, pour qu'il soit nécessaire d'utiliser des inscriptions servant à identifier les défunts, soutient Kloner. On peut présumer que la communauté chrétienne primitive inhumait traditionnellement ses membres dans son propre caveau. Si la seconde partie (« frère de Jésus ») dans l'inscription de Jacques a effectivement été ajoutée à une époque ultérieure, cela correspondrait parfaitement à la proposition de Kloner voulant que les inscriptions aient été effectuées dans des lieux de sépulture destinés à plusieurs générations, que ce soit des tombes familiales ou un tombeau de la communauté chrétienne.

D'autres spécialistes ont soutenu que, si l'inscription de l'ossuaire faisait vraiment référence au Jésus du Nouveau Testament, celui-ci aurait été identifié comme Jésus de Nazareth ; ou encore, Jacques aurait été appelé « le frère du Seigneur », comme c'est le cas dans l'épître aux Galates. Il est intéressant de noter cependant que plusieurs éminents exégètes ont avancé un argument contraire. Il y a dans les écrits de Flavius Josèphe une description du procès et de la lapidation de

Jacques ; Jacques est identifié, en passant, comme « le frère de Jésus, celui qu'on appelait le Messie ». Le fait que Jacques soit appelé « le frère de Jésus » tout comme dans l'inscription de l'ossuaire de Jacques plutôt que « le frère du Seigneur » indique que le passage est une référence historique authentique à Jésus. Les éminents exégètes que sont le père John P. Meier de l'université Notre-Dame, Paul Winter et Emil Schürer partagent ce point de vue[8].

LE LIEN ARCHÉOLOGIQUE AVEC JÉSUS

Cette référence dans les écrits de Josèphe soulève une autre question : « Comment puis-je affirmer que l'ossuaire de Jacques constitue la première et la seule mention de Jésus de Nazareth dans les annales archéologiques ? » De fait, Josèphe n'est pas le seul à faire référence à Jésus de Nazareth : les écrivains romains Suétone et Tacite l'ont fait aussi. Et bien sûr, Jésus est la figure centrale des Évangiles et des lettres de Paul. Les lettres attribuées à Paul ont été écrites au milieu du premier siècle (toutes les lettres attribuées à Paul n'ont pas été écrites par ce dernier, cependant). Les Évangiles dits synoptiques, ceux de Matthieu, Marc et Luc (qui contiennent plusieurs parallèles), ont tous été écrits entre 70 et 100 apr. J.-C. environ. La date de l'Évangile de Jean est plus discutable, mais certains exégètes la situent vers l'an 100 de notre ère approximativement. On ne peut douter sérieusement de l'existence de Jésus. Il a certainement vécu sur cette terre. Nous n'avons pas besoin de preuves archéologiques pour nous le dire ou même nous le confirmer.

Mais ces références sont livresques ; elles ne font pas partie des témoignages archéologiques. Et aucune copie de ces références livresques ne date d'aussi loin que l'ossuaire de Jacques, au premier siècle. Notre copie la plus ancienne des écrits de Josèphe date du onzième siècle. Nos copies les plus anciennes des Évangiles remontent seulement au quatrième ou cinquième siècle. Un petit fragment des textes de Jean connu

Le plus ancien fragment d'un Évangile (avant et arrière) qui ait survécu date de l'an 125 de notre ère approximativement — au moins cinquante ans après l'ossuaire de Jacques. Connu sous le nom de Papyrus Rylands, le fragment de 8,6 centimètres de longueur dont le texte est rédigé en grec comprend quelques lignes brisées de l'Évangile de Jean. *John Rylands Library, Manchester, Royaume-Uni.*

sous le nom de Papyrus Rylands remonte à l'an 125 de notre ère environ, soit près d'un siècle après la mort de Jésus.

Il a été suggéré de procéder à l'analyse des os afin d'identifier la personne inhumée dans l'ossuaire de Jacques. Mais cet ossuaire, comme presque tous les ossuaires qui sont apparus sur le marché des antiquités, était vide quand il a été acheté. Néanmoins, il contenait quelques petits morceaux d'os ; le plus gros, dont la paroi interne ressemble à une alvéole dans une ruche d'abeilles, mesure 1,2 centimètre de largeur et 7,6 centimètres de longueur. Le propriétaire n'a pas prêté attention à ces morceaux d'os dans l'ossuaire jusqu'à ce que ce dernier devienne célèbre. Alors, il les a déposés dans un contenant en plastique où ils se trouvent encore aujourd'hui. Je doute qu'ils puissent nous en apprendre davantage. Nous ne pouvons même pas être sûrs qu'il s'agit bien des os du Jacques inhumé dans l'ossuaire ; les ossuaires contiennent souvent les os de plus d'une personne. Cependant, un test au carbone 14, lequel peut être effectué sur n'importe quel matériau organique, pourrait au moins révéler l'âge des os. Des analyses d'ADN peuvent aussi être effectuées sur des morceaux d'os. Or, ceci ne nous apprendrait pas grand-chose ; après tout, nous n'avons pas d'échantillon de l'ADN de la famille de Jésus. En outre, comme tout ce qui a trait aux ossements juifs anciens constitue un sujet très délicat en Israël — les os sont régulièrement brûlés à nouveau quand ils sont découverts lors de fouilles archéologiques pour respecter les lois israéliennes —, il y a peu de chances pour que des tests soient même effectués un jour.

LES FUNÉRAILLES CHEZ LES JUIFS DE JÉRUSALEM

Comment cet ossuaire s'inscrit-il dans la vie et les coutumes des Juifs de Jérusalem au début de notre ère ?

Au premier siècle av. J.-C. et au premier siècle apr. J.-C., les Juifs de Jérusalem inhumaient leurs morts dans des caveaux creusés dans du calcaire tendre. Il s'agissait le plus souvent de caveaux de famille utilisés pendant des générations. Ces tombeaux ont été découverts en si grand nombre à Jérusalem que nous pouvons en toute confiance en donner un exemple typique.

En entrant dans un caveau funéraire, on descend dans ce que les archéologues appellent un *standing pit*, soit la partie basse du vestibule où le visiteur peut se tenir debout. C'est là que les parents du défunt devaient se rassembler pour la cérémonie de commémoration. Un tombeau pouvait avoir plusieurs pièces ou caveaux adjacents, tous creusés dans le roc. Dans les vestibules et les chambres funéraires adjacentes, il y a de longues niches ou alcôves creusées dans le roc que l'on appelle des loculi (au

PLAN

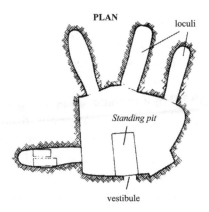

loculi

Standing pit

vestibule

SECTION

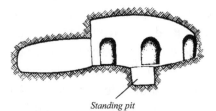

Standing pit

Le plan d'un caveau typique vu d'en haut (*en haut*) et en coupe verticale (*au milieu*). C'est dans les *loculi* — de profondes niches creusées dans les murs — que les corps et les ossuaires étaient déposés. Sur la photo (*en bas*), on peut voir les ossuaires qui sont encore dans les *loculi*. *Dessins de Zvi Greenhut, Israel Antiquities Authority. Photo : Zev Radovan, Jerusalem.*

singulier : loculus ; en hébreu : *kokh,* au pluriel : *kokhim*). Ces loculi s'enfoncent dans le roc à une profondeur de 1,8 mètre environ ; ils ont environ 0,45 mètre de largeur et 0,45 mètre de hauteur et, bien souvent, leur forme est légèrement arquée au sommet.

Le corps du défunt était d'abord placé dans un loculus, lequel était ensuite fermé par une pierre. Au bout d'un an environ, quand la peau du défunt s'était desséchée et qu'elle était tombée, le loculus était ouvert et les os rassemblés dans une caisse faite habituellement de calcaire et appelée un ossuaire. Nous savons presque exactement à quel moment la pratique de l'ossilegium a commencé : les lampes à huile les plus anciennes découvertes dans des tombeaux contenant des ossuaires peuvent être datées en toute certitude entre l'an 20 et l'an 15 av. J.-C. La pratique a été interrompue quand les Romains ont détruit Jérusalem et ont brûlé le temple en 70 de notre ère. Un nombre impressionnant d'ossuaires ont été utilisés dans un rayon de moins de 32 kilomètres environ autour de Jérusalem. On en découvre aussi parfois dans d'autres régions, en Galilée par exemple, où les Juifs de Jérusalem se sont réfugiés après la destruction de la ville par les Romains. (Cependant, les ossuaires de Galilée sont faits d'argile et non de pierre.) Quelques ossuaires provenant de communautés isolées plus petites remonteraient à aussi tard que la fin du troisième siècle. Mais la concentration d'ossuaires la plus imposante se trouve à Jérusalem et l'ossilegium y a été pratiqué durant une période de quatre-vingt-dix ans. Comme l'a observé un spécialiste, « La pratique s'est développée soudainement et elle a cessé tout aussi soudainement[9]. »

Pourquoi l'ossilegium s'est-il développé — et s'est-il arrêté ? La réponse à cette question demeure en grande partie inconnue. Plusieurs personnes, même des érudits, trouvent étrange que cette coutume soit juive ; après tout, les textes rabbiniques considèrent les os humains comme des éléments impurs, souillés. Et pourtant la pratique d'une seconde inhumation dans un ossuaire a été sanctionnée par les rabbins. Un sage de la fin du premier siècle est cité dans un texte rabbinique ultérieur. Il aurait dit à son fils : « Mon fils, enterre-moi d'abord dans un tombeau. Plus tard, rassemble mes os et place-les dans un ossuaire ; mais ne le fais pas de tes propres mains[10]. »

L'explication habituelle concernant l'utilisation d'ossuaires par les Juifs est basée sur deux doctrines théologiques : la résurrection éventuelle du mort et la nécessité d'expier ses péchés. Le défunt dont les os ont été rassemblés dans un ossuaire sera prêt pour la résurrection physique. L'expiation des péchés est associée à la douloureuse décomposition de la chair au terme de laquelle les os demeurent dans un état prétendument pur. Comme la croyance en la résurrection physique du défunt est connue pour être une doctrine des pharisiens (un texte rabbinique célèbre affirme : « Toute personne qui ne croit pas à la résurrection des morts ne trouvera pas de place dans le monde à venir »), certains émettent l'hypothèse suivante : l'ossilegium serait une coutume pratiquée surtout par les pharisiens. Le christianisme partage avec le judaïsme pharisien cette croyance en la résurrection (voir les Actes des apôtres 23.6-8) ; c'est pourquoi il est fort probable que les os de Jacques aient été rassemblés dans un ossuaire par ses disciples si ce n'est par les membres de sa famille. (Ben Witherington traitera davantage de ce sujet dans la deuxième partie de ce livre.)

Certains se sont demandé si les Juifs chrétiens avaient pratiqué l'ossilegium. La réponse est presque certainement affirmative. À cette époque, les chrétiens de Jérusalem se considéraient eux-mêmes comme des Juifs. Il serait plus exact en fait de leur donner le nom de chrétiens juifs plutôt que de Juifs chrétiens. Jacques aurait d'abord exigé que tous les convertis au mouvement soient des Juifs ; c'était la doctrine de l'Église de Jérusalem. Paul, cependant, voulait prêcher aux Gentils dans le monde grec. Comme nous le verrons au chapitre 9, un compromis a finalement été trouvé grâce au leadership de Jacques : les Gentils pourraient être acceptés dans la communauté à condition de ne pas s'adonner à la fornication, de s'abstenir de consommer du sang ou de la viande d'animaux sacrifiés aux idoles ou d'animaux qui ont été étranglés. En d'autres mots, ils n'étaient pas tenus d'observer les préceptes juifs en matière de diététique (*kashrut*), pas plus qu'ils n'étaient tenus de se faire circoncire. Mais les chrétiens de Jérusalem se considéraient toujours comme des Juifs et ils continuaient d'observer la loi juive. Et il y a de fortes probabilités pour que l'une des dernières choses qu'ils aient abandonnées ait été les coutumes funéraires.

Il existe une explication plus prosaïque et plus simple de la pratique de l'ossilegium à Jérusalem : comme il fallait de plus en plus d'espace dans les caveaux pour pratiquer d'autres inhumations, les os des personnes inhumées précédemment dans ces caveaux de famille devaient être retirés. Au lieu de simplement les empiler dans un charnier comme on faisait durant la période du Premier Temple, les gens plaçaient respectueusement les os de leurs ancêtres dans une caisse spéciale conçue à cet effet.

Une autre raison profane peut expliquer la popularité de l'ossilegium chez les Juifs de Jérusalem. « L'utilisation relativement soudaine des ossuaires est sans doute davantage liée au développement de l'industrie de la sculpture sur pierre qu'à des croyances théologiques », nous dit Steven Fine[11]. Cette industrie est souvent associée au gigantesque projet d'Hérode le Grand, soit la reconstruction du Temple et des édifices connexes et l'agrandissement du mont du Temple. Quand le projet monumental d'Hérode a été terminé, un grand nombre de tailleurs de pierres se sont retrouvés sans travail. Peu de temps après, les ossuaires ainsi que les tables et les récipients en pierre sont devenus populaires.

Peut-être que tous ces facteurs ont contribué au développement de l'ossilegium. En tout cas, cela devait correspondre à l'usage que de rassembler les os de Jacques et de les déposer dans un ossuaire un an après son décès.

Tel qu'il a été mentionné précédemment, les os de plus d'une personne étaient placés dans un ossuaire bien souvent. Les dimensions des ossuaires varient ; certains d'entre eux sont si petits que, manifestement, ils étaient destinés aux enfants. D'autres, légèrement plus grands, étaient destinés aux adolescents. Ceux des adultes mesuraient entre 40 et 64 centimètres de long. De forme trapézoïdale, l'ossuaire de Jacques mesure 56 centimètres de longueur environ au sommet et 50,8 centimètres à la base — des dimensions habituelles pour un ossuaire. L'ossuaire doit être suffisamment long pour contenir les os les plus longs, les fémurs (les os des cuisses) du défunt. La plupart des ossuaires ont une largeur d'environ 30 centimètres et une hauteur de 30 centimètres également.

Les ossuaires sont parfois installés sur quatre petites pattes basses, mais ce n'est pas très souvent le cas. (L'ossuaire de Jacques n'était pas installé de cette façon.) Les couvercles des ossuaires se présentent sous trois modèles — plat, comme dans le cas de l'ossuaire de Jacques, avec une forme courbe (en voûte) et à pignon. Le couvercle repose sur les bords des parois les plus longues ou sur de petits rebords intérieurs taillés à même le bord supérieur ; le couvercle de l'ossuaire de Jacques repose sur de tels rebords.

La surface de la grande majorité des ossuaires est unie et dépourvue d'inscriptions. On peut facilement être induit en erreur en jetant un regard trop rapide sur le catalogue standard des ossuaires de L. Y. Rahmani *(A Catalogue of Jewish Ossuaries in the Collections of the State of Israel,* 1994), dans lequel on trouve une liste de 897 ossuaires dont 233 — 25 % environ — sont inscrits. Mais le catalogue n'inclut pas les ossuaires unis, non décorés et non inscrits — qui constituent le plus grand nombre. Il doit y en avoir des milliers. Entrez dans n'importe quelle boutique d'antiquités de la Vieille Ville, et vous verrez plusieurs ossuaires à vendre dont la surface est unie. Un

journaliste à la recherche d'éléments pour écrire un article sur
l'ossuaire de Jacques a vu « quatre ossuaires sans ornement
recouverts de poussière [dans une boutique de la Via Dolorosa],
remplis d'objets hétéroclites et contenant même un tuyau
d'arrosage ». Le propriétaire de l'ossuaire de Jacques possède
plus de trente ossuaires dans sa collection. Ceux qui ne sont pas
décorés ne sont pas très prisés parce qu'en général les gens n'ont

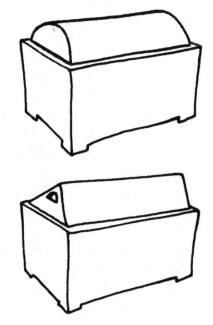

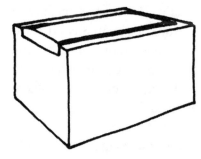

Les couvercles des ossuaires sont
plats (*en haut, à gauche*) comme
c'est le cas pour l'ossuaire de
Jacques, en voûte (*en haut à droite*)
ou à pignon (*en bas, à droite*).
Dessins tirés de *A Catalogue of
Jewish Ossuaries* de L. Y. Rahmani.

pas envie d'avoir dans leur living une simple caisse ayant servi
à recueillir des os.

L'ossuaire de Jacques est assez ordinaire, avec seulement
une ligne d'encadrement à environ 1,2 centimètre des bords
extérieurs. Cependant, à la suite d'un examen minutieux au
Musée royal de l'Ontario, on a aperçu sur la face arrière du
réceptacle deux rosaces à peine visibles, chacune d'elles placée
dans deux cercles concentriques. L'une d'elles était un peu plus
visible que l'autre. Certaines personnes ont même cru apercevoir
une autre rosace sur le côté droit de l'ossuaire (lorsqu'on se tient

en face de l'inscription). Quelques restes d'enduit rouge et une étoile à six branches étaient à peine visibles aussi à l'intérieur de l'une des rosaces (sur la face arrière de l'ossuaire). Plusieurs ossuaires sont décorés de rosaces, lesquelles peuvent avoir entre trois et vingt-quatre pétales. Un enduit rouge était souvent appliqué sur la surface des ossuaires.

Comme les rosaces de cet ossuaire sont situées sur la face arrière, certaines personnes ont soutenu qu'il avait déjà été utilisé au moment où il avait été acheté dans le but d'y déposer les os de Jacques et que l'inscription avait été ajoutée plus tard (au moment de réutiliser la caisse pour Jacques). Certains ossuaires étaient vidés et réutilisés. La chose avait pu se produire dans ce cas-ci. Cela concorde avec le fait que des archéologues ont découvert plusieurs ossuaires qui avaient été réparés dans les temps anciens. Parfois, les morceaux d'un ossuaire avaient été collés ou plâtrés ensemble à cette époque ancienne ; à deux reprises, on a découvert d'anciens rivets en fer qui tenaient ensemble des morceaux de l'ossuaire. Certains de ces ossuaires réparés ne sont pas décorés ; donc, ce n'étaient pas uniquement les caisses ouvragées (et plus dispendieuses) qui étaient réparées.

Pourquoi les rosaces gravées à l'arrière (et sur le côté) de l'ossuaire de Jacques sont-elles à peine visibles ? L'hypothèse la plus plausible est que le côté inscrit de l'ossuaire a reposé sur le sol pendant deux millénaires pendant que les autres côtés s'érodaient[12].

Le fait que certains ossuaires aient été réparés soulève la question du prix d'un ossuaire. Comme deux étiquettes indiquant le prix d'un ossuaire ont survécu, nous savons qu'un ossuaire sans ornement se vendait une drachme ou dinar et quatre oboles. Une drachme (le terme utilisé durant la période hellénique), ou un dinar (le terme employé durant la période romaine), équivaut à 3 1/2 grammes d'argent presque pur. Une obole vaut un sixième d'une drachme ou d'un dinar. Un autre ossuaire très ouvragé s'est vendu pour seulement une drachme ou un dinar de plus. Rahmani évoque la possibilité que le prix de ce deuxième ossuaire ne vaille que pour la décoration seulement ; l'ossuaire lui-même aurait coûté plus cher. Malgré tout, ce n'est vraiment pas cher. Une ancienne liste d'artisans qui fabriquaient des ossuaires indique le montant que chaque artisan devait recevoir ; ces montants vont d'une obole à quatre drachmes ou dinars. En bref, le salaire quotidien d'un artisan expérimenté aurait suffi à payer un ossuaire, ce qui a aussi été confirmé de façon expérimentale. Amos Kloner a remis un bloc de calcaire à un tailleur de pierres et lui a demandé de fabriquer un ossuaire avec ce matériau. Il lui a fallu quatre heures et demie pour s'exécuter.

Donc, même des gens relativement pauvres avaient les moyens d'acheter des ossuaires. En outre, nous ne pouvons conclure que les ossuaires sans ornement étaient destinés aux pauvres et que ceux possédant une décoration élaborée étaient destinés aux riches. Dans un même tombeau familial, nous pouvons retrouver des ossuaires décorés avec recherche, des ossuaires avec de simples rosaces et des ossuaires unis, sans ornement. Dans les célèbres tombeaux des rois à Jérusalem, lesquels appartenaient à la maison royale d'Adiabène, des sarcophages richement décorés reposent tout près du sarcophage beaucoup plus simple de la reine Hélène. « Ce témoignage réfute l'hypothèse selon laquelle un ossuaire ordinaire ou un simple cercueil indiquait la parcimonie ou un manque de considération pour le défunt », nous dit Rahmani. Par conséquent « le choix de modèles moins coûteux [d'ossuaires] ne devrait pas être inteprété comme un signe de relative pauvreté[13] ».

On retrouve souvent les mêmes motifs dans l'ornementation des ossuaires. En plus des rosaces, nous découvrons souvent des dattiers et des éléments architecturaux — des murs de pierre de taille, des portes, des clôtures et des colonnes. Certaines décorations architecturales semblant imiter un édifice ou un bâtiment sont peut-être associées au Temple situé tout près ou à

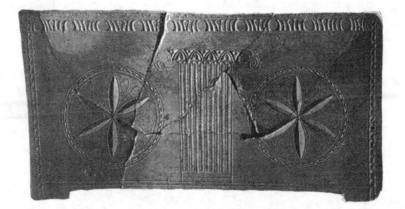

Un ossuaire du tombeau de la famille de Caïphe, ossuaire sur
lequel est gravée l'image d'une colonne corinthienne entre deux
rosaces à six pétales disposées dans des cercles concentriques.
Garo Nalbandian, Jerusalem.

l'entrée du tombeau dans lequel se trouvait l'ossuaire. Elles
n'ont pas de significations particulières, autant que nous
sachions.

Plusieurs inscriptions ont été exécutées négligemment,
souvent incisées avec un clou qui a été laissé sur les lieux
mêmes. Nous voyons parfois qu'une lettre a été ajoutée au-
dessus des autres dans une inscription dont la forme est
irrégulière parce qu'elle avait été omise accidentellement. Selon
nos calculs, seulement 15 des 233 inscriptions du catalogue de
Rahmani ont été gravées avec beaucoup de minutie, dans une
écriture formelle. La plupart, comme l'affirme Rahmani, ont été
« exécutées négligemment, maladroitement espacées, et plusieurs contiennent des erreurs d'orthographe (et autres). Cela est
vrai même lorsqu'il s'agit de familles célèbres ou occupant un
rang élevé dans la hiérarchie sacerdotale[14] ». Cette négligence
caractérise aussi les décorations ; sur environ quarante ossuaires
du catalogue de Rahmani, des détails décoratifs mineurs n'ont
pas été terminés.

Une entrée de porte à panneaux ouvragée — qui ressemblait peut-être à l'entrée du temple de Jérusalem — est gravée sur cet ossuaire. *Zev Radovan, Jerusalem/Hebrew University Institute of Archaeology.*

Le cadre de porte à droite ressemble à l'entrée de la porte d'un tombeau à Akeldama (*voir inséré couleur*). Sur le devant de cet ossuaire, on trouve quatre fenêtres encadrant des motifs de palmiers ainsi qu'une autre porte. *Israel Museum, Jerusalem.*

Tout cela explique pourquoi il devient très difficile de tirer des conclusions en observant la décoration à peine visible de l'ossuaire de Jacques, le mélange de lettres cursives et monumentales de l'inscription ou les lettres dégradées à la fin de celle-ci. S'agit-il d'un ossuaire qui a été réutilisé, décoré de rosaces sur la face avant par le premier utilisateur puis tourné de côté par le second utilisateur qui aurait alors inscrit la formule sur ce côté vierge ?

Ou bien, n'y a-t-il eu qu'un seul utilisateur qui a décidé de placer l'inscription à l'arrière ? La famille qui a acheté cet ossuaire était-elle riche ou pauvre ? de haut rang ou de rang inférieur ? Le chef de l'Église de Jérusalem a-t-il été inhumé dans un ossuaire tout simple comme celui-ci (afin de témoigner de son humilité et de ses qualités spirituelles) ou dans un ossuaire ouvragé (afin de refléter sa position élevée) ? Il n'est pas important de savoir si le mouvement de Jésus à cette époque était riche et puissant ou faible et pauvre : aucun de ces facteurs ne contribue à préciser si l'inscription de l'ossuaire de Jacques réfère ou non aux personnages du Nouveau Testament.

Des inscriptions ont été découvertes sur les côtés longs et sur les parties plus étroites des ossuaires. Les inscriptions aux extrémités des caisses peuvent avoir été faites pour identifier simplement le défunt tandis que les inscriptions gravées sur les côtés longs ont peut-être été exécutées dans le but d'honorer le défunt. Mais nous ne pouvons tirer de conclusions définitives du simple fait que l'inscription de l'ossuaire de Jacques soit sur le côté long. En règle générale, on accordait peu d'attention à l'emplacement des inscriptions sur les ossuaires. Les côtés décorés sont parfois inscrits, alors même qu'il y a de la place sur les côtés sans ornement. De temps à autre, les inscriptions gravées traversent les décorations ; elles sont parfois horizontales, parfois verticales et parfois de biais.

Il peut être tentant de tirer des conclusions à partir de la position décentrée de l'inscription de l'ossuaire de Jacques. Certaines personnes ont évoqué la possibilité que la seule partie originale de l'inscription soit le mot *Jésus* parce qu'il est près du centre ; tout ce qui précède ce mot serait une contrefaçon moderne. De telles spéculations sont vaines.

Nous pouvons parfois tirer certains renseignements des inscriptions gravées sur des ossuaires. Le style d'écriture peut nous indiquer le lieu d'origine du défunt, tel qu'illustré par quelques exemples latins et palmyréniens. Ces exemples démontrent que, même durant cette période primitive, les Juifs des autres régions apportaient leurs dépouilles à Jérusalem pour les inhumer. Nous ne savons pas si ce fut le cas pour Jacques, qui avait passé les premières années de sa vie en Galilée.

Cependant, la majorité des inscriptions sur les ossuaires sont rédigées en hébreu et en araméen (que les spécialistes appellent les écritures juives). Il est parfois difficile de voir les différences entre les deux. Mais, avec l'inscription sur l'ossuaire de Jacques, c'est facile. On y trouve le mot araméen (*bar*) signifiant « fils » au lieu du mot hébreu (*ben*) et aussi la forme araméenne du mot « frère » au lieu de la forme hébraïque.

Le type d'inscriptions sur ossuaire que l'on rencontre le plus fréquemment donne le nom du défunt ainsi que celui de son père. Cependant, d'autres identifications sont parfois ajoutées pour accroître le prestige du défunt ou de ses descendants. Ainsi, la fonction d'un prêtre de haut rang est mentionnée sur un ossuaire. Sur un autre, une femme est identifiée comme étant la fille d'un prêtre. Sur un autre encore, un homme est identifié comme un Ancien. L'inscription d'un ossuaire célèbre réfère à un certain Simon (Shimon) comme étant le « bâtisseur du sanctuaire [du temple]. » Nicanor est appelé celui « qui a fabriqué les portes [du temple]. » Tout cela nous porte à croire qu'il aurait été tout à fait naturel pour ceux qui ont inhumé Jacques de vouloir accroître son prestige en mentionnant le nom de son célèbre frère, Jésus. Or, comme l'a soutenu Kyle McCarter, l'expression *frère de Jésus* peut avoir été ajoutée par la famille plusieurs générations plus tard afin de clarifier l'identité de ce Jacques.

Bien que l'inscription sur l'ossuaire de Jacques ne soit pas requise pour prouver l'existence de Jésus, elle possède néanmoins une qualité tactile et visuelle qui relie les millénaires d'une manière très différente d'un texte littéraire. Cette caisse en pierre très ordinaire nous ramène près de deux mille ans en arrière, dans un tombeau en pierre de l'ancienne ville de Jérusalem où les amis et la famille d'un homme appelé Jacques y ont déposé ses os avec déférence et lui ont rendu hommage, à

L'inscription de cet ossuaire dit : « Simon, bâtisseur du sanctuaire ». La famille de Simon a, semble-t-il, ajouté la description de son emploi de façon à ce qu'on se souvienne toujours de son excellent travail (ainsi que de sa famille). *Israel Antiquities Authority.*

ce moment-là ou plus tard, en posant un geste extraordinaire : ils l'ont identifié en soulignant le lien avec son frère Jésus, qui selon toute vraisemblance était un homme célèbre.

1. Richard Bauckham, d'après les données de Tal Ilan, *Lexicon of Jewish Names in Late Antiquity : Part 1 — Palestine 330 B.C.E.-200 C.E.*, Texts and Studies in Ancient Judaism 91, Tübingen, Mohr Siebeck, 2002.
2. Voir Rachel Hachlili, « Noms et surnoms des Juifs durant la période du Second Temple », *Eretz-Israel* 17 (1984) : 188-211 (en hébreu) et p. 9*-10* (sommaire en anglais).
3. Voir Magen Broshi, « Estimating the Population of Ancient Jerusalem », *Biblical Archaeology Review*, juin 1978.
4. Il a aussi tenu compte d'autres facteurs tels que le fait que deux frères de la même famille ne pouvaient avoir le même nom. Mais ces facteurs n'ont qu'un effet mineur sur les résultats.
5. Voir L. Y. Rahmani, *A Catalogue of Jewish Ossuaries in the Collections of the State of Israel*, Jérusalem, Israel Antiquities Authority,

Israel Academy of Sciences and Humanities, 1994, n° 570, qui se lit ainsi :
« Shimi [Shimon ou Simon], fils de 'Asiya, frère de Hanin ».

6. Dans une inscription sur l'ossuaire d'une femme de Jéricho, il est fait
mention non pas de son mari mais de son fils — aussi inhabituel que de faire
référence à un frère. Rachel Hachlili, l'archéologue, explique que le « statut »
de la femme était « important », peut-être parce qu'elle était veuve et qu'elle
avait la responsabilité d'élever ses enfants. Rachel Hachlili, « The Goliath
family in Jericho : Funerary inscriptions from a first-century A.D. Jewish
monumental tomb », *Bulletin of the American Schools of Oriental Research*
235 (1979) : 31 aux p. 57-58.

7. Extrait d'une conversation personnelle.

8. Cité dans le livre de John P. Meier, « The Testimonium — Evidence
for Jesus Outside the Bible », *Bible Review* (juin 1991).

9. Steven Fine, « Why Bone Boxes ? », *Biblical Archaeology Review*
(Septembre/octobre 2001).

10. Semahot 12.9.

11. Fine, « Why Bone Boxes ? »

12. C'est la suggestion de Kyle McCarter. Dans une conversation avec
Frank Cross après que ce livre eut été composé, il m'a dit que le fait que
l'arrière de l'ossuaire soit érodé mais que le côté portant l'inscription ne le
soit pas le portait à croire que l'inscription pouvait être une contrefaçon
moderne. Quand je lui ai fait part de l'hypothèse de McCarter, Cross s'est
exclamé : « Toute l'affaire est à revoir. » À mon avis, les rosaces à moitié
effacées n'indiquent pas que l'inscription soit une contrefaçon moderne. Un
faussaire moderne aurait tout simplement utilisé un ossuaire non inscrit qu'il
aurait pu se procurer facilement. Il aurait été beaucoup plus compliqué pour
lui d'utiliser un ossuaire portant des décorations à moitié effacées. Par
conséquent, les rosaces à peine visibles sont un signe d'authenticité et non
l'inverse. De plus, les différences entre la première et la seconde parties de
l'inscription — qui sont insignifiantes du point de vue de la paléographie
selon Cross mais qui, pour McCarter, indiquent peut-être qu'il y a eu deux
mains d'écriture — auraient peu de chance d'apparaître dans le cas d'une
falsification moderne. Un faussaire moderne ne les aurait pas acceptées car
elles auraient pu éveiller les soupçons. De plus, l'absence de motivation
monétaire vient contredire la thèse de la falsification moderne. En tout cas,
les soupçons de Cross ne sont pas basés sur l'analyse paléographique de
l'inscription. Pour lui, comme pour tous les autres paléographes
expérimentés, l'inscription en elle-même ne contient aucun signe indiquant
qu'il s'agit d'une contrefaçon moderne.

13. Rahmani, *Catalogue*, 11.

14. Rahman, *Catalogue*, 12.

6

POUVONS-NOUS IGNORER CETTE DÉCOUVERTE ?

Toutes les personnes qui se sont intéressées à cette découverte seraient enchantées de savoir où l'ossuaire a été trouvé et s'il y avait des os à l'intérieur. Ces ossements auraient pu nous renseigner sur l'état de santé du défunt et la cause de son décès. Même en l'absence d'os, l'ossuaire de Jacques aurait pu nous fournir davantage de réponses s'il avait été exhumé dans le cadre de fouilles archéologiques professionnelles. L'ossuaire était-il dans un tombeau familial ? Comment était ce caveau funéraire — ordinaire ou richement décoré ? Y avait-il d'autres ossuaires dans ce caveau. Si tel était le cas, certains d'entre eux étaient-ils décorés ou inscrits à l'instar de celui-ci ? D'autres trouvailles nous auraient-elles permis d'en apprendre davantage sur les gens (ou la famille) inhumés à cet endroit ainsi que sur leur vie ? Où, exactement, se situait ce caveau par rapport aux autres caveaux funéraires, par rapport à la cité et au mont du Temple ?

Or, cet ossuaire nous est parvenu sans provenance connue. Il est apparu sur le marché des antiquités. Même si l'inscription est authentique (et nous en sommes presque certains), la connaissance de l'endroit et des circonstances entourant sa découverte nous auraient permis d'en apprendre davantage sur cet ossuaire et son inscription. Tel qu'il est, c'est un artéfact sans contexte. Ou, comme le disent les critiques, il a été « arraché à son contexte ».

Alors, que devrions-nous faire ? L'ignorer ?

Tout ce que nous savons de cet ossuaire, c'est le propriétaire qui nous l'a appris. Les limiers de la presse israélienne ont réussi à identifier ce dernier. Nous ne savons pas exactement comment cela s'est produit — peut-être par le Département des antiquités d'Israël (IAA) puisque son nom apparaissait sur le formulaire de demande relatif à l'exportation de l'ossuaire en prévision de l'exposition au Musée royal de l'Ontario. Quand les journaux israéliens ont appris l'identité du propriétaire, ils ont envoyé des paparazzi surveiller l'immeuble où il habite, et Joe a fait la une des journaux en Israël. Les chroniques des cahiers du week-end ont bientôt suivi, avec des descriptions détaillées de la vie et de l'emploi du temps de Oded Golan, un collectionneur de Tel Aviv âgé de cinquante et un ans. Il est désormais impossible pour lui de préserver sa vie privée, lui qui y tenait tant. Il est devenu, pour ainsi dire, une célébrité.

C'est pourquoi nous pouvons maintenant l'appeler par son véritable nom.

Oded Golan a commencé à collectionner des antiquités dès l'âge de huit ans. À neuf ans, il a découvert dans un tas de débris rejetés par des archéologues professionnels une tablette cunéiforme qui avait échappé à l'attention de ces derniers. Tout jeune, il s'est lié d'amitié avec Yigael Yadin, un célèbre spécialiste israélien de l'archéologie biblique qui a invité le jeune garçon de onze ans à participer aux fouilles qu'il dirigeait à Masada ; Oded était le plus jeune membre de l'équipe.

Aujourd'hui, Oded Golan est un entrepreneur, un homme d'affaires et un ingénieur réputé ; il est aussi pianiste et en voie de devenir un professionnel dans la pratique de cet art. Un piano demi-queue blanc, entouré de vitrines dans lesquelles sont disposés d'étonnants artéfacts anciens, est installé dans son appartement situé dans un quartier de la classe moyenne de Tel Aviv. Golan prétend que sa collection est « fort probablement la plus grande et la plus importante collection privée du genre en Israël ».

Il dit avoir acheté l'ossuaire il y a plusieurs années d'un marchand d'antiquités arabe dans la Vieille Ville de Jérusalem. Aujourd'hui, il ne se souvient plus de son nom. Ce vendeur lui a dit que l'ossuaire avait été trouvé à Silwan, un village arabe de la région de Jérusalem d'où l'on peut apercevoir le mont du Temple ; ce village est situé tout juste au sud du mont des Oliviers, sur le flanc de la vallée de Kidron ; le soubassement de cette région est fait de calcaire tendre et le sol est criblé de tombeaux funéraires dans lesquels un nombre incalculable d'ossuaires ont été retrouvés. Le Israël Geological Survey a établi que le calcaire tendre de l'ossuaire de Jacques correspondait bien au calcaire de Silwan. Souvent, c'est tout un groupe d'ossuaires qui est découvert et vendu tel quel mais Golan dit que, selon le vendeur, cet ossuaire est apparu isolément sur le marché.

Oden Golan (alias « Joe »), entrepreneur et ingénieur réputé de Tel Aviv, indique de la main l'inscription de l'ossuaire de Jacques, l'un des milliers d'artéfacts anciens qu'il a commencé à collectionner à l'âge de huit ans. *Associated Press.*

Pendant des années, l'ossuaire est demeuré sur le balcon de l'appartement où demeuraient Golan et ses parents.

Quand il a déménagé dans son propre appartement, Golan a apporté sa collection avec lui, avec, entre autres choses, l'ossuaire. C'était il y a une quinzaine d'années environ. Sa collection s'est agrandie avec le temps et, comme il ne pouvait plus la conserver dans son appartement, il a entreposé certains articles. Ainsi qu'il l'a raconté à un journaliste du *Globe and Mail* de Toronto, quand il avait vingt-trois ans l'ossuaire représentait une pièce importante de sa collection mais, vingt ans plus tard, c'était une des pièces les moins importantes et il l'a entreposée. L'objet était encore entreposé quand André Lemaire a rendu visite à Golan la première fois à son appartement pour examiner d'autres inscriptions. Le collectionneur a fait voir à Lemaire une photographie de l'ossuaire de Jacques et de son inscription, et nous connaissons la suite de l'histoire.

LE BRUIT COURT

Une fois l'identité de Golan révélée, la rumeur publique, particulièrement en Israël, est passée en quatrième vitesse.

Jaloux, un collectionneur très en vue a prétendu que l'ossuaire de Jacques lui avait été offert un an avant la parution de l'article dans la *Biblical Archaeology Review*. À l'époque, dit-il, seuls les mots « Jacques, fils de Joseph » étaient inscrits.

On raconte aussi que l'ossuaire a été exhumé illégalement dans un village arabe, sur le côté sud-est du mont du Mauvais Conseil dont parle le Nouveau Testament, à peine trois mois avant qu'il ne soit publié dans *BAR*. Selon cette version des événements, les fouilleurs illégaux ont vendu l'ossuaire 1 800 $ à un intermédiaire arabe appelé Abu George. Cet homme, dit-on, est un vendeur d'antiquités non autorisé (c'est-à-dire un revendeur pour les pillards) qui a été arrêté plus d'une fois par l'IAA ; aujourd'hui, cependant, il pourrait travailler comme agent pour l'IAA. Selon la rumeur, Abu George aurait vendu l'ossuaire à Golan pour la somme de 80 000 $. Toujours selon la même rumeur, les fouilleurs illégaux auraient été trompés par Abu George et pourraient s'en prendre à lui physiquement. Dans ce scénario, Golan aussi serait menacé.

Des commentaires désobligeants auraient aussi circulé au sujet de la personnalité de Golan. Certains disent qu'il ne s'intéresse pas vraiment aux antiquités : il ne penserait qu'à l'argent. Amir Ganor, l'investigateur en chef de l'IAA, aurait dit : « Je crois que [Golan] se moque de nous et qu'il veut simplement faire de l'argent[1]. » Selon une autre rumeur largement répandue, un fonctionnaire du musée occupant un poste élevé aurait affirmé que Golan avait intentionnellement fait emballer l'ossuaire de piètre façon afin que ce dernier se brise durant le voyage de manière à pouvoir empocher une somme très importante de la compagnie d'assurances. D'autres ont insinué que Golan n'était pas un collectionneur mais un vendeur d'antiquités opérant sans permis.

Les journaux ont rapporté que la police faisait enquête sur Golan. Mais la vérité, c'est que les gens de l'IAA ont eu une conversation avec lui afin d'en apprendre davantage sur l'ossuaire et la façon dont il l'avait acquis. Jamais la police n'a été mêlée à l'affaire.

Puis il y a ceux qui prétendaient connaître le nom du faussaire qui avait gravé l'inscription — un certain vendeur d'antiquités bien connu qui aurait été payé par Golan. Un universitaire israélien renommé qui se vantait de connaître le faussaire (mais qui n'a pas voulu me dire son nom) a fait cette remarque : « Le faussaire de Jérusalem a encore frappé. »

Avec toutes les histoires qui ont circulé, il n'est pas difficile de comprendre pourquoi Oded Golan voulait garder l'anonymat.

EST-CE QUE TOUT CONCORDE ?

Il faut dire cependant que certaines parties du récit de Golan posent aussi problème ; certaines incohérences ont alimenté la rumeur publique. La date de l'achat de l'ossuaire constitue en soi une zone grise. Elle est importante car elle peut servir à déterminer qui, de Golan ou de l'État d'Israël, a un droit sur l'ossuaire. Selon la loi israélienne, si un objet a été acquis avant 1978 (l'année où la loi a été votée), personne ne questionne sa provenance même s'il a été acheté d'un pillard. Depuis 1978 par contre, dans une vaine tentative pour combattre le pillage, l'État oblige les acheteurs à conserver un reçu d'un marchand d'antiquités autorisé, lequel à son tour doit tenir un registre indiquant comment il a acquis légalement un quelconque artéfact (d'une personne qui en était propriétaire avant 1978). Si un artéfact a été acquis après 1978 et que l'acheteur n'a pas de reçu d'un vendeur d'antiquités autorisé, l'article peut être confisqué par l'État. Tout le monde reconnaît que cette loi n'a eu qu'un impact très limité. Bien sûr, les gens qui vendent des objets aux marchands d'antiquités jurent que l'objet en question a toujours appartenu à la famille. Le pire, c'est qu'au lieu de demeurer en Israël les antiquités illégales quittent le pays pour la Jordanie ou le Liban et, de là, elles sont expédiées à Zurich ou à Londres. Mais la situation de Golan présente peut-être une occasion unique de mettre la loi en application — et éventuellement, de confisquer l'ossuaire de Jacques.

On dit que l'application de la loi est assez différente. Mais ce sont des on-dit, de vagues paroles — et invérifiables officiellement. Le marché des antiquités suit ses propres règles. Même si ces règles sont imprécises, l'IAA les connaît. Et il existe un *modus vivendi* où tout le monde est à l'aise, malgré le fait que les intérêts des collectionneurs, des vendeurs, des intermédiaires et de l'IAA soient parfois diamétralement opposés.

Selon différents journaux, Golan serait propriétaire de l'ossuaire depuis quinze, vingt-cinq, trente ou trente-cinq ans. Dans certains articles, on prétend qu'il en est propriétaire depuis le début des années 70, dans d'autres depuis le milieu de cette décennie ; pour d'autres encore, le moment de l'achat varie du début au milieu des années 70. C'est moi qui ai informé la presse que Golan possédait l'ossuaire depuis une quinzaine d'années — c'est ce qu'il m'avait dit, il me semble. Golan maintient aujourd'hui qu'il parlait alors du nombre d'années pendant lesquelles l'ossuaire avait été dans son propre appartement. Il est possible que, lors de notre première conversation chez lui, je lui aie demandé depuis combien de temps il conservait l'ossuaire à cet endroit. Avant ces quinze années, dit Golan, il était dans l'appartement de ses parents.

Pourtant, en 2002, au moment où Lemaire a vu pour la première fois une photographie de l'ossuaire, celui-ci n'était pas dans l'appartement de Golan mais dans un entrepôt.

Si Golan a effectivement acquis l'ossuaire il y a quinze ans seulement, l'État pourrait avoir un droit sur cet objet. S'il l'a acheté il y a plus de vingt-cinq ans, au milieu des années 70, il l'aurait donc acquis avant la date cruciale de 1978. Golan déclare que plusieurs personnes — d'ex-petites amies et des amis de ses parents — ont vu l'ossuaire chez ses parents et que ces personnes peuvent témoigner de sa présence à cet endroit autrefois. Mais sont-elles certaines d'avoir vu *cet* ossuaire ? Le journaliste du *Globe and Mail* a trouvé un peu étrange l'explication de Golan mais il a conclu par ces mots : « Il a fait ce récit avec un enthousiasme évident et sans chercher à se défendre. » Aussi cette histoire semble-t-elle tout à fait plausible.

Une autre incohérence apparaît également lorsque Golan explique pourquoi il n'a pas reconnu la signification de l'inscription. Je l'ai questionné à ce sujet et il a répondu : « Je ne savais pas que le Fils de Dieu pouvait avoir un frère. » Dans certains articles de presse, on a dit qu'il n'avait pas réussi à comprendre l'inscription parce qu'il ne pouvait déchiffrer le mot peu commun utilisé pour désigner un frère (*achui*).

À présent, je pense connaître Golan assez bien. En l'écoutant, on sent qu'il dit la vérité. Il est charmant, sans prétention, intelligent et totalement ouvert. Mais je peux comprendre qu'une autre personne se fasse une opinion très différente si elle se base uniquement sur la liste de ces incohérences — et sur le tourbillon de la rumeur.

Nous devons préciser une chose importante, cependant. Le comportement de Golan et les incohérences dans son récit ne sont liés qu'à la question du droit du gouvernement sur l'ossuaire et non à l'authenticité de l'inscription — à savoir s'il s'agit en tout ou en partie d'une contrefaçon. Pour en arriver à la conclusion qu'il s'agit d'un faux, une personne doit rejeter l'opinion de paléographes expérimentés, le jugement d'un spécialiste de l'araméen de renommée internationale comme le père Fitzmyer, et les résultats des analyses de l'Israël Geological Survey. Cela me semble très difficile, sinon impossible, à faire.

UNE POLITIQUE ERRONÉE

Or, une autre question fondamentale se cache derrière les déclarations des sceptiques. C'est la question de la légitimité du marché des antiquités. La politique officielle de l'American Schools of Oriental Research (ASOR) — l'association professionnelle américaine des archéologues du Proche-Orient — interdit à ses membres d'entreprendre des recherches sur des objets dont la provenance est indéterminée. Un objet sans provenance ne peut initialement faire l'objet de publication dans son prestigieux journal professionnel, le *Bulletin of the American Schools of Oriental Research (BASOR)*. (Cependant, une fois que quelqu'un a publié un article sur un objet sans provenance dans un autre journal, il est acceptable, semble-t-il, de le citer dans *BASOR*.) Un exposé sur un artéfact sans provenance ne peut être présenté à l'assemblée annuelle de l'ASOR. C'est pourquoi l'ASOR, dont l'assemblée a eu lieu à Toronto en 2002 en même temps que celle de la Society of Biblical Literature (SBL), a ignoré l'ossuaire, du moins officiellement. En revanche, la SBL a organisé une session spéciale sur l'ossuaire qui a attiré une foule immense.

La politique de l'ASOR contribue tout simplement au développement d'un marché « underground » : nous n'entendons pas parler d'artéfacts importants dits sans provenance, tout simplement. Golan mentionne plusieurs découvertes importantes que les collectionneurs gardent pour eux-mêmes de crainte d'être fustigés et diffamés par des associations archéologiques professionnelles comme l'ASOR et l'Archaeological Institue of America (AIA), laquelle a adopté une politique similaire.

Quelles mesures devraient être prises pour contrer le pillage ? Voilà une question majeure discutée au sein de la profession. Les politiques de l'ASOR et de l'AIA constituent-elles le meilleur moyen de gérer l'affaire ? Cette question litigieuse fait l'objet de nombreux débats. Nous méprisons tous les pillards ; pourtant, de l'avis général, le pillage est pire que jamais. Les politiques de l'ASOR et de l'AIA ont lamentablement échoué dans leur tentative de l'arrêter ou même de le réduire. Il est temps maintenant d'examiner des solutions basées sur le marché, des solutions qui peuvent au moins endiguer la vague de commerce illégal et révéler des trésors auxquels le public n'a pas accès présentement. Le pillage de bas niveau des poteries et des lampes à huile, vendues pour moins d'une centaine de dollars, pourrait devenir une activité non lucrative si les gouvernements acceptaient de vendre une partie des milliers d'articles de cette nature qui gisent dans des entrepôts poussiéreux remplis à pleine capacité d'objets archéologiques. Qui voudrait acheter une poterie qui provient du pillage (même d'un marchand d'antiquités autorisé) et qui risque de n'être qu'une contrefaçon si on pouvait acheter à la place un objet dont l'authenticité est certifiée par le gouvernement, avec un permis d'exportation valide ?

Parfois, les autorités savent qu'un site important est pillé et, pourtant, elles semblent impuissantes à faire cesser ce pillage. Dans de tels cas, les archéologues engagent parfois les pillards — qui sont souvent de pauvres villageois n'ayant pas d'autres façons de gagner leur vie — pour fouiller le site sous la supervision de professionnels. C'est, soit dit en passant, ce que le père Roland de Vaux a fait quand il a surpris des Bédouins en train de fouiller dans des grottes contenant des fragments des manuscrits de la mer Morte. Ce n'était un secret pour personne (et c'est encore ainsi) que les sites du Tell Beit Mirsim en Cisjordanie, ainsi que ceux de Bab edh-Dhra et de Qazone en Jordanie ont été et sont encore pillés. Dans les deux premiers sites, il s'agit surtout de poteries ; à Qazone, ce sont des pierres tombales inscrites. Tell Beit Mirsim ne peut plus être sauvé (les pillards ont presque entièrement détruit le site) mais, à Bab edh-Dhra et à Qazone, les pillards pourraient être engagés comme travailleurs. Pour financer les fouilles, on pourrait utiliser le produit de la vente de certains articles en double (après les avoir photographiés et avoir consigné leur découverte). Malgré certains inconvénients, il est préférable d'employer cette méthode que d'assister au pillage des sites.

Lorsque d'importants artéfacts sont mis au jour, nous devrions veiller à ce que ceux qui ont effectué la découverte soient justement rémunérés. Jusqu'à un certain point, cela peut vouloir dire pactiser avec les pillards, exactement comme des enquêteurs lorsqu'ils paient une rançon dans les cas d'enlèvement. Différentes situations requièrent différentes stratégies. Parfois, vous devez transiger avec des pillards, comme les archéologues l'ont fait à la fin des années 1940 pour récupérer les manuscrits de la mer Morte.

Les collectionneurs qui récupèrent d'importants objets provenant du marché devraient être honorés. Il ne semble pas y avoir d'autres moyens pour les archéologues de localiser des objets de la plus haute importance, tels que des bulles ayant été fabriquées pour certains rois de l'ancienne Judée. C'est pourquoi la plupart des bulles (ces impressions faites avec des sceaux) qui ont survécu et que nous connaissons proviennent du marché des antiquités. Il en va de même pour les pièces de monnaie. Ce doit être frustrant pour des archéologues professionnels travaillant sur le terrain de se faire damer le pion par des pillards. Cependant, il est déraisonnable de prétendre, comme le font parfois certains universitaires, que nous ne pouvons absolument pas croire à l'authenticité de tout article qui apparaît sur le marché des antiquités.

De plus, nous devrions faire une nette distinction entre les objets provenant du pillage et ceux qui sont trouvés par hasard. Plusieurs artéfacts sont découverts par hasard — en labourant un champ, en creusant le sol pour établir des fondations afin d'agrandir une maison, en installant un nouveau gazoduc ou en construisant une route nationale. Force est de reconnaître qu'il n'est pas facile de déterminer si un objet a été trouvé ou s'il provient du pillage, tout comme il est souvent impossible d'établir depuis combien de temps une personne possède un objet. Mais nous devons faire de notre mieux et récompenser de juste façon celui qui remet sa découverte aux autorités plutôt que de la vendre sur le marché des antiquités.

Les problèmes sont variés et difficiles à résoudre et les solutions trouvées n'apportent pas toujours les résultats souhaités. Ce qui est sûr, toutefois, c'est que les politiques actuelles sont inefficaces et nous empêchent d'être tenus au courant de découvertes importantes. Les suggestions mentionnées précédemment ne résoudraient peut-être pas le problème mais, à tout le moins, elles mériteraient qu'on essaie de les mettre en pratique. On pourrait peut-être les développer ou les modifier. Et, en attendant, il est grand temps que cessent les diffamations sur Oded Golan parce qu'il a acheté l'ossuaire de Jacques sur le marché des antiquités.

Je vous ai donc raconté l'histoire de l'ossuaire de Jacques, telle qu'on la connaît jusqu'à présent. D'autres questions relèvent maintenant du domaine des exégètes du Nouveau Testament. Qui était Jacques ? Quelle était sa relation avec son frère Jésus avant et après la crucifixion de ce dernier ? Quel rôle la famille de Jésus a-t-elle joué dans l'émergence du christianisme ? L'Église mère du mouvement à Jérusalem était une communauté de Juifs se distinguant des autres parce que ses adeptes croyaient que le Messie était venu en la personne de

Jésus : quelles sont les implications d'une telle prise de conscience pour le christianisme ?

Ben Witherington, mon collègue, se penchera sur ces questions dans la deuxième partie du présent ouvrage.

1. Cité dans le *Toronto Star*, 8 novembre 2002.

L'HISTOIRE DE JACQUES, FILS DE JOSEPH, FRÈRE DE JÉSUS

BEN WITHERINGTON III

INTRODUCTION

SA MORT, UN COMMENCEMENT

Tandis que j'écris ces lignes, des milliers de personnes font la file pour voir l'ossuaire de Jacques présenté au Musée royal de l'Ontario à Toronto. Pourquoi autant d'intérêt pour une caisse funéraire remontant au premier siècle, de modestes proportions et au sobre design, qui ne porte qu'une inscription d'une seule ligne ? Assurément, si cette découverte suscite autant d'intérêt, c'est que le dernier mot de l'inscription de cet ossuaire est le nom de Jésus. Dans les sociétés d'Amérique du Nord, comme dans la plupart des pays occidentaux, Jésus est virtuellement omniprésent, même si la population en général ne connaît pas du tout la Bible. La figure de Jésus exerce une fascination inépuisable, semble-t-il, mais l'ignorance de ce que les Évangiles et les autres textes du Nouveau Testament disent vraiment de lui, de sa famille et des premiers chrétiens est également omniprésente. Même les croyants convaincus ont tendance à se contenter d'une connaissance rudimentaire de ce que la Bible dit vraiment. En stimulant leur intérêt, j'espère que cette découverte permettra aux gens d'obtenir un portrait plus complet de la vie de Jésus et de son héritage.

Cette découverte présente aussi un autre intérêt non négligeable : la possibilité de « toucher » Jésus pour la première fois, d'établir un lien physique avec Lui par le biais de cette caisse funéraire inscrite au nom de son frère Jacques, une figure centrale du christianisme primitif occultée par l'Histoire. Aujourd'hui, grâce à cette simple inscription, certains personnages des Évangiles, Jésus, Joseph et Jacques — que l'on ne connaissait jusqu'à ce jour que par des textes — deviennent éminemment tangibles. À une époque où l'on exige des témoignages irréfutables pour appuyer les proclamations religieuses et historiques, le monde possède un élément concret à voir, à examiner, un élément qui peut stimuler une réflexion et une réponse.

Cette découverte nous encourage particulièrement à redécouvrir la figure de Jacques et à modifier la conception que nous avons de lui. Jacques était un personnage extrêmement important durant les premiers siècles du christianisme. Il a été le premier chef de l'Église chrétienne de Jérusalem, l'Église mère du mouvement de Jésus et — tout comme les membres de sa communauté — un Juif croyant qui observait la Torah. Il a été à l'origine de la réconciliation des judéo-chrétiens. Le fait que son héritage soit remis en lumière sera sûrement bénéfique et contribuera certainement à ouvrir les yeux de nombreuses personnes.

Ben Witherington III
Lexington, KY
Hanukkah/Noël 2002

7

DE FRÈRE À DISCIPLE

L'ossuaire pourrait très bien être la découverte en archéo-logie biblique la plus significative de notre époque et le premier objet nous reliant au Jésus historique du Nouveau Testament.

Mais qui était ce Jacques, le « frère de Jésus » ? Et pourquoi est-il si important de le connaître pour comprendre la famille et le mouvement primitif de Jésus, lequel est devenu par la suite le christianisme ?

Comme nous le verrons, Jacques a joué un rôle très impor-tant. En fait, si quelqu'un avait demandé aux membres de l'Église du premier siècle qui étaient leurs principaux leaders, ils auraient probablement mentionné trois ou quatre noms : Pierre, Jean, Paul et Jacques, le frère de Jésus. En fait, ils auraient probablement mentionné Jacques en premier.

Cependant, en se développant et en devenant la principale religion de l'Empire romain et éventuellement du monde occidental, le christianisme a été connu comme étant essentiel-lement l'Église de Pierre et de Paul. L'ossuaire ramène à l'avant-plan l'Église de Jérusalem, centrée sur la personne de Jacques et de la famille de Jésus, un regroupement beaucoup plus près de la tradition juive que les autres communautés chrétiennes qui se formaient à Rome et partout ailleurs dans l'Empire. (Notre mot *église* provient du grec *ekklesia*, qui signifie simplement « assemblée » et il est apparenté au mot *synagoge* ou « synagogue ».) Malheureusement, l'Église de Jérusalem a vu son influence s'amoindrir considérablement avec la violente répression de la révolte des Juifs par les Romains à partir de la moitié du premier siècle.

L'ossuaire nous incite à découvrir l'histoire et la forme authentique du christianisme primitif, lesquelles ont été occultées en grande partie, mais qui sont sans doute étroitement liées à la personne et au mouvement religieux de Jésus.

JÉSUS AVAIT-IL UN FRÈRE ?

Quand l'ossuaire est apparu au grand jour pour la première fois, plusieurs personnes ont été étonnées d'apprendre que Jésus avait peut-être eu un frère. Marie n'a-t-elle pas toujours été vierge ?

L'enseignement officiel de l'Église catholique romaine affirme que les membres de la famille mentionnés dans la Bible étaient les cousins de Jésus. L'Église orthodoxe orientale affirme que ce sont des demi-frères et des demi-sœurs (soutenant que Joseph était veuf et qu'il avait eu des enfants d'un mariage précédent). Les protestants, en revanche, n'acceptant pas la doctrine de la virginité *perpétuelle* de Marie, croient que Jésus avait des frères et des sœurs qui étaient les enfants de Marie et de Joseph. En d'autres mots, ils considèrent que Marie était vierge lorsqu'elle a donné naissance à Jésus mais qu'elle ne l'était plus par la suite, au cours de sa vie avec Joseph, son époux. Néanmoins, même chez les protestants, on ne met pas l'accent sur le fait que Jésus ait eu des frères et des sœurs.

Quels sont les témoignages qui nous portent à croire que Jacques était effectivement le frère de Jésus plutôt que, par exemple, son cousin ou son demi-frère ? Examinons la terminologie que l'on retrouve dans la Bible même.

En premier lieu, les autres frères et sœurs de Jacques et de Jésus ont toujours été appelés ses frères et ses sœurs dans les Évangiles. Quand Jésus est allé prêcher à Nazareth, les citoyens de sa ville natale ont été abasourdis. Perplexes et ne sachant comment réagir, ils ont essayé de le situer parmi les membres de sa famille : « Celui-là n'est-il pas le fils du charpentier ? N'a-t-il pas pour mère la nommée Marie, et pour frères Jacques, Joseph, Simon et Jude ? Et ses sœurs ne sont-elles pas toutes chez nous ? » (Matthieu 13.55-56).

De fait, il y a dans la langue grecque un mot pour désigner un cousin, le mot *anepsios*, et ce mot n'est jamais utilisé pour parler de Jacques ou des autres frères et sœurs de Jésus. Il est intéressant de voir comment Hégésippe, l'écrivain chrétien du deuxième siècle, fait la distinction entre ceux qui étaient les cousins de Jésus (*anepsioi*), et Jacques et Jude, qui sont appelés frères de Jésus (cité par Eusèbe, historien du quatrième siècle, *Hist. Eccl.* 4.22.4 ; voir 2.23.4, 3.20.1). Manifestement, les deux termes ne signifient pas la même chose en grec.

Deuxièmement, l'histoire de la virginité de Marie (selon Matthieu et Luc) se situe, semble-t-il, à l'époque de la naissance de Jésus uniquement. Lorsque Joseph apprend que sa fiancée est enceinte, il décide d'abord de mettre fin à leur engagement sans faire de vagues, mais un ange lui apparaît en rêve pour lui dire de n'en rien faire : « Une fois réveillé, Joseph fit comme l'Ange du Seigneur lui avait prescrit : il prit chez lui sa femme ; et il ne la connut pas *jusqu'au jour où elle enfanta un fils* » (Matthieu 1.24-25 ; l'italique est un ajout). La manière la plus naturelle de comprendre ce passage est celle-ci : la phrase grecque suggère fortement que Joseph a eu des relations sexuelles avec Marie après la naissance de Jésus.

Troisièmement, dans le contexte de la culture juive de l'époque, il était considéré comme un devoir, et non un choix, pour les couples mariés d'observer le commandement — « croissez et multipliez-vous » — dans la mesure où les époux n'avaient pas de défauts physiques ou de problèmes de santé[1]. Si

Joseph et Marie étaient des Juifs dévots, et les témoignages nous portent à croire qu'ils l'étaient, ils ont fort probablement obéi à la Loi — le mariage étant alors considéré comme un moyen de maintenir la lignée familiale et de conserver un héritage à l'intérieur de la famille.

Quatrièmement, nous avons maintenant un témoignage rédigé en araméen, l'inscription de l'ossuaire de Jacques. Cette dernière nous dit que Jacques était le frère de Jésus et, ici comme ailleurs, on n'essaie pas de nuancer le terme *frère* d'une façon ou d'une autre. Aucun témoignage ne nous permet d'établir que Joseph avait fait un premier mariage (car il n'en est aucunement fait mention dans le Nouveau Testament) ou de conclure que les frères et sœurs étaient en fait des cousins (car aucun texte du Nouveau Testament ne le laisse entendre non plus).

La question ici n'est pas de savoir s'il est théoriquement possible que Marie ait prononcé un vœu de chasteté pour toute la durée de sa vie. Il est possible mais hautement improbable que cette femme de religion juive ait fait une pareille chose alors qu'elle était déjà fiancée et sur le point d'avoir un enfant : Jésus. L'idée de la virginité perpétuelle de Marie est probablement apparue pour la première fois dans un texte chrétien du deuxième siècle appelé le *Protévangile de Jacques*. Nous examinerons ce texte de façon plus détaillée quand nous parlerons des théories traditionnelles au sujet de Jacques, lesquelles ont émergé après l'écriture du Nouveau Testament.

La notion de virginité perpétuelle de Marie ne doit pas être confondue avec l'idée de la conception virginale de Jésus, parfois appelée la naissance virginale. La croyance en la virginité perpétuelle de Marie constitue un développement consécutif à la croyance en la conception virginale. Cette conception virginale est mentionnée en Matthieu 1 et en Luc 1-2 et elle est en lien avec la proclamation des Évangiles selon laquelle Jésus a été conçu dans l'utérus de Marie sans que celle-ci ait eu des relations sexuelles avec un homme. La doctrine de la virginité perpétuelle est une croyance voulant que, après avoir donné naissance à Jésus, Marie soit demeurée vierge jusqu'à la fin de ses jours. En fait, cette doctrine implique toujours que Marie soit demeurée vierge (physiquement intacte) après avoir donné naissance à Jésus, la naissance et la conception étant considérées comme miraculeuses et n'affectant en aucune façon le corps de Marie, du moins, en ce qui concerne sa virginité.

L'idée que la virginité perpétuelle de Marie soit essentielle dans la doctrine catholique a pris naissance au cours du seizième siècle. Les catholiques et les protestants ne s'entendaient pas sur la question de la naissance de Jésus, à savoir s'il s'agissait effectivement d'un miracle ou non. La phrase en Luc 2.22 (« et lorsque furent accomplis les jours pour leur purification, selon la loi de Moïse, ils l'emmenèrent à Jérusalem pour le présenter au Seigneur ») semble suggérer que Marie et Joseph passèrent tous les deux par une période de purification après la naissance de Jésus avant d'emmener ce dernier au Temple pour le consacrer au Seigneur. Ce texte laisse donc entendre que Marie et Joseph percevaient l'arrivée de Jésus comme une naissance normale qui exigeait un certain temps et peut-être certains rituels de purification[2].

Finalement, Eusèbe, l'historien de l'Église du quatrième siècle qui cite Hégésippe, un historien du deuxième siècle, dit que Jacques est devenu le premier évêque de Jérusalem, *entre autres raisons* parce qu'il était le frère de Jésus. (Jacques est aussi devenu un leader parce qu'un signe le désignait comme l'un des apôtres : le Seigneur lui était apparu personnellement après la résurrection — voir la liste des témoins de la résurrection de Jésus établie par Paul dans la première épître aux Corinthiens 15.5-8[3].)

LA SIGNIFICATION PROFONDE D'UN NOM

Maintenant, parlons de Jacques lui-même. Il ne s'appelait *pas* Jacques, — comme Hershel Shanks l'a expliqué précédemment ; il s'appelait Ya'akov en hébreu, qui se traduit en anglais par Jacob[4]. En fait, toutes les personnes du Nouveau Testament auxquelles on a donné le nom de Jacques s'appelaient Jacob. Le nom grec *Jacobus* a été traduit en latin par *Jacomus*. Quand ce nom latin a été traduit en espagnol, la forme *Jaime* a été employée. Les premiers traducteurs anglais se sont souvent basés sur les formes des noms latins ou d'autres langues européennes. Les traducteurs sont reconnus pour être conservateurs, et puisque dans la Version du roi James en 1611 le nom a été traduit par James, il est resté tel quel depuis ce temps dans les traductions anglaises.

Mais le nom original, Jacob, est important. Dans la généalogie de Jésus établie au début de l'Évangile de Matthieu, il n'est fait mention que de deux Jacob ou Jacques : le patriarche (1.2 — petit-fils d'Abraham, fils d'Isaac, père des douze tribus d'Israël) et le grand-père de Jacques (1.16 — « Jacob engendra Joseph, l'époux de Marie, de laquelle naquit Jésus, que l'on appelle le Christ. ») Il est clair que la famille de « Jacques » était fière de son héritage patriarcal juif et qu'elle avait donné à son fils le nom de son grand-père, nom qui était aussi celui d'une des grandes figures de la Genèse.

Or, dans les Évangiles, plusieurs personnes portent le nom de Jacques. Il y a Jacques le fils de Zébédée, frère de l'apôtre Jean ; Jacques le fils d'Alphée, un autre disciple ; Jacques, le père de Judas et de Thaddée, et aussi le père de deux disciples de Jésus ; et puis il y a Jacques qui est appelé le frère du Seigneur. Ils sont tous mentionnés dans les textes évangéliques. Comment pouvons-nous les différencier alors qu'il n'y avait pas de nom de famille à cette époque ?

La réponse nous apparaît clairement lorsqu'on consulte la liste mentionnée précédemment. Tout comme nous, les gens du premier siècle se devaient de distinguer les personnes portant un nom semblable. Ils utilisaient quatre moyens différents pour le faire : les patronymes (la phrase « fils de... » suivie du prénom du père : « Jacques, fils de Joseph ») ; les surnoms (Pierre est appelé Céphas, l'équivalent de « Rocky » ou « Roc ») ; une épithète descriptive (« le petit ») ; ou encore la désignation

géographique du lieu de naissance (« de Nazareth »).
Heureusement, il existe suffisamment d'indices de ce genre dans
les Évangiles pour nous permettre généralement d'identifier les
acteurs sans avoir le programme de la pièce.

Historiquement, la distinction entre le Jacques/Jacob que
nous étudions et les autres personnes portant le même nom a été
faite de trois façons différentes : 1) il est appelé le frère du
Seigneur (par l'apôtre Paul dans l'épître aux Galates 1.19) ; 2) il
est appelé Jacques le Juste (dans l'Évangile de Thomas, lequel
n'est pas conforme aux canons de l'Église, dans les écrits
d'Eusèbe et ailleurs) ; et 3) maintenant, nous avons l'inscription
de l'ossuaire qui l'identifie comme étant le fils de Joseph et le
frère de Jésus. L'association de Jacques avec Joseph, son père,
est implicite mais néanmoins claire dans le verset de Matthieu
13.55 (où les villageois s'interrogent au sujet de Jésus : « Celui-
là n'est-il pas le fils du charpentier… N'a-t-il pas pour frères
Jacques, Joseph, Simon et Jude ? ») ; chaque fois que sont
mentionnés les noms des frères et sœurs de Jésus, le nom de
Jacques vient toujours au premier rang (voir aussi Marc 6.3,
Matthieu 27.56[5]).De fait, il n'y avait qu'un seul Jacques qui
pouvait être appelé Jacques de façon courante, sans qu'il y ait
ambiguïté et sans que le locuteur soit obligé de fournir des
explications supplémentaires : c'était Jacques, le frère de Jésus.
Ainsi, le Jacques auquel nous faisons référence est désigné par
son nom dans les Évangiles de Matthieu et de Marc, dans les
Actes des Apôtres, les épîtres aux Corinthiens 1 et aux Galates,
ainsi que les épîtres de Jacques et de Jude.

Même si Jacques était le frère de Jésus, il n'était probablement pas un de ses disciples du vivant de Jésus. Dans
l'Évangile de Jean 7, nous lisons :

Or la fête juive des Tentes était proche. Ses frères [de
Jésus] lui dirent donc : « Passe d'ici en Judée, que tes
disciples aussi voient les œuvres que tu fais : on n'agit
pas en secret, quand on veut être en vue. Puisque tu fais

ces choses-là, manifeste-toi au monde. » (Pas même ses frères en effet ne croyaient en lui) (Jean 7.2-5).

Ici, il est assez clair que les frères de Jésus ne croyaient pas en lui pleinement et qu'ils ne le suivaient pas dans ses déplacements avant sa mort. C'est pourquoi, quand nous évoquerons les « premières années » de Jacques, nous ne parlerons pas de son rôle comme l'un des douze apôtres mais plutôt de sa vie alors qu'il grandissait au sein du judaïsme primitif, une période que nous abordons maintenant.

GRANDIR AVEC JÉSUS À NAZARETH

Quel genre d'éducation Jacques, un Juif vivant en Galilée au premier siècle de notre ère, peut-il avoir reçu ? Quel genre de vie a-t-il pu mener ? La tradition orthodoxe orientale présente Jacques comme l'aîné et le demi-frère de Jésus et il serait issu d'un mariage précédent de Joseph. Mais aucun témoignage du Nouveau Testament ne vient appuyer cette théorie. En fait, rien ne nous incite à croire que Joseph était beaucoup plus âgé que Marie quand il l'a épousée. Cette idée se serait développée parce que Joseph, semble-t-il, n'était pas dans les parages à l'époque où Jésus a commencé son ministère (voir Marc 6.1-3 ; nous reparlerons de tout ceci un plus loin).

En revanche, les textes de Matthieu et de Luc traitant de la naissance de Jésus suggèrent que Joseph, un homme vertueux et respectueux de la Loi, s'était fiancé à Marie à un âge normal (environ seize ans pour un jeune Juif et entre douze et quatorze ans pour une jeune fille). Les deux Évangiles commencent par le récit de la naissance de Jésus et ne mentionnent que plus tard ses frères et ses sœurs. Alors, en termes de logique narrative, ces évangélistes suggèrent fortement que les frères et les sœurs ne sont présents qu'après la naissance de Jésus, et non avant.

Remarquez que, dans l'Évangile de Luc 2.41-52, lorsque Joseph et Marie conduisent Jésus alors âgé de douze ans à Jérusalem — le seul récit biblique portant sur la jeunesse de

Jésus en notre possession —, on ne dit pas que les autres frères et sœurs se rendaient à Jérusalem avec eux pour la fête, ce qu'ils auraient sûrement fait s'ils avaient été plus âgés que Jésus. Ceci est particulièrement significatif quand nous voyons que « sa mère et ses frères » et parfois « ses sœurs » sont presque toujours mentionnés ensemble plus loin dans les récits (voir Marc 3.31-35, Marc 6.1-3 et Jean 2.12). Nous prendrons donc comme hypothèse de travail, puisque le Nouveau Testament ne fournit pas de témoignage contraire, que Jacques était le frère de Jésus, qu'il était plus jeune et qu'il a grandi dans la même maison que lui.

Une bonne partie de notre conception de la vie à l'époque dont parle le Nouveau Testament est modelée par les connaissances que nous possédons sur Jérusalem, le centre culturel et spirituel dans la vie des Juifs. Mais la vie en Galilée, une province située au nord de Jérusalem, différait de la vie en Judée. Politiquement, la Galilée était gouvernée par un tétrarque nommé Hérode Antipas plutôt que régie directement par la loi romaine comme en Judée. Ce que nous savons d'Hérode Antipas, c'est qu'il était originaire de l'Idumée — il n'était pas juif à part entière mais tout de même d'origine sémitique. Il se faisait le promoteur de la culture et des coutumes grecques qu'il affectionnait particulièrement, construisant des villes sur le modèle grec telle que Sepphoris, tout près de Nazareth[6]. Tout ceci a certainement déplu à plusieurs Juifs de la région, entre autres à Jean le Baptiste. En fait, Jésus lui-même dit d'Hérode Antipas qu'il est un « renard ». Ainsi, il y avait des tensions dans la vie politique en Galilée, particulièrement si vous faisiez partie d'une famille pieuse[7].

Comment pouvons-nous savoir que la famille de Jacques était composée de Juifs pieux ? Premièrement, considérez les noms des fils de Joseph et de Marie. En plus de Jésus, il y avait Jacques et Joseph qui avaient reçu le nom d'un patriarche célèbre, et Jude et Simon qui portaient les noms des héros juifs de la révolte des Maccabées (Marc 6.3). Il apparaît clairement que la famille était fière de son héritage juif et, en particulier, du fait d'appartenir à un peuple libre qui respectait la volonté de Dieu.

Deuxièmement, nous voyons que la famille observe les coutumes religieuses juives du fait qu'elle se rend à plusieurs reprises à Jérusalem pour assister aux fêtes juives. En Luc 2.41, nous lisons : « Ses parents se rendaient chaque année à Jérusalem pour la fête de la Pâque. » Nous trouvons également en Jean 7.3 que les frères de Jésus encouragent celui-ci à les accompagner à Jérusalem pour la fête des Tentes.

Troisièmement, certains passages nous indiquent que la famille de Jésus assistait aux offices à la synagogue. Sinon pourquoi Jésus se serait-il retrouvé aussi souvent dans ce contexte après avoir commencé son ministère ? « Le sabbat venu, il se mit à enseigner dans la synagogue » (Marc 6.2 et autres).

Quatrièmement, le récit en Luc 4.16-30 indique que Jésus pouvait lire les manuscrits hébreux dans la synagogue. Quand il est retourné à Nazareth après avoir commencé son ministère, Jésus « entra, selon sa coutume le jour du sabbat, dans la synagogue, et se leva pour faire la lecture ». Cela indique qu'il avait fait cet apprentissage à la maison ou à la synagogue, car la langue parlée dans la famille était l'araméen et non l'hébreu.

Cinquièmement, et Matthieu (1-2) et Luc (1-2), indépendamment l'un de l'autre, dépeignent Joseph et Marie comme des Juifs pieux qui ont des visions religieuses, des rêves et même des rencontres avec des anges. Ils sont clairement dépeints comme de saintes personnes. Tout aussi important, le passage en Luc 2.41-52 nous dit que Marie et Joseph ont transmis à leurs enfants leur foi ; ce n'est sûrement pas par hasard qu'on dit que Jésus a été conduit au Temple lorsqu'il a eu l'âge requis pour devenir un « fils des commandements » (*bar-mitzvah*), et qu'on met l'accent sur l'aptitude de Jésus à transmettre sa foi et ses enseignements ; nous apprenons en effet qu'au cours de ce voyage à Jérusalem le garçon de douze ans converse avec les professeurs juifs.

Joseph participait aux activités de cette famille juive très pieuse et pratiquait un métier respectable : la menuiserie. Selon Marc (6.3), Jésus lui-même était ébéniste et charpentier tout comme son père (Matthieu 13.55). Joseph a probablement enseigné à ses fils un métier que son propre père lui avait enseigné, et ainsi on peut très bien imaginer que Jacques a aussi fait l'apprentissage de la menuiserie.

Le travail du bois était considéré comme un noble métier qui n'entrait pas en contradiction avec les rites — à l'instar par exemple du tannage des peaux pour lequel le travailleur devait toucher aux carcasses des animaux, ce qui le rendait impur selon les prescriptions rituelles. Il est possible que la famille de Jésus ait travaillé à la construction de certains édifices à Sepphoris, une ville située tout près de Nazareth transformée en une grandiose cité hellénistique pour l'époque. Des témoignages archéologiques et littéraires nous apprennent que différents éléments de mobilier étaient fabriqués également dans cette région[8]. Les menuisiers ne se situaient certainement pas en haut de l'échelle sociale mais ils ne se retrouvaient pas non plus au bas de la structure sociale ; les métayers et les manœuvres étaient certainement plus pauvres, tout comme les bergers et les ouvriers agricoles. Jésus n'était pas un paysan. En outre, si plusieurs travaux de construction étaient effectués tout près, à Sepphoris, même un ébéniste fabriquant simplement des meubles avait la possibilité de gagner suffisamment d'argent pour subvenir aux besoins de sa famille.

Nous savons que divers villages de Galilée étaient spécialisés dans différents métiers et que le blé de Sepphoris était célèbre (Jérusalem Talmud Qam. 6D). Il est donc possible que certains membres de la famille de Jésus aient pratiqué des activités agricoles. Autant les paraboles de Jésus que certains enseignements de sagesse que l'on retrouve dans le livre de

Jacques indiquent clairement que ces hommes connaissaient bien différentes cultures et divers travaux de la ferme.

En résumé, Jacques, le deuxième fils, a grandi dans une région gouvernée par un tétrarque qui adorait la culture grecque ; il a été élevé au sein d'une famille religieuse et son père tâchait de subvenir aux besoins de la famille en fabriquant des meubles.

La vie de famille au temps de Jésus était assez différente de ce qu'elle est aujourd'hui. En premier lieu, dans les temps anciens, presque tous les mariages juifs étaient arrangés. Essentiellement, le mariage était une transaction portant sur des biens matériels qui avait comme objectif d'assurer le futur d'une famille au moyen d'une alliance avec une autre. La société était fortement marquée par le patriarcat, ce qui signifie que les mariages étaient arrangés par les deux chefs de famille, donc des hommes. Il n'y avait pas de rendez-vous galants ou d'idylle, au sens moderne du terme, mais des fiançailles officielles, comme ce fut le cas pour Marie et Joseph. Les fiançailles possédaient un statut légal : il fallait poser un geste officiel pour les annuler. Dans la culture juive, contrairement à la culture gréco-romaine, toute activité sexuelle extraconjugale était jugée immorale ou péché, particulièrement pour les femmes. En plus de mettre l'accent sur l'encadrement précis des activités sexuelles en les confinant au mariage, la tradition juive insistait aussi pour que les adeptes honorent leurs parents (comme nous l'enseignent les dix commandements).

En gardant ces valeurs à l'esprit, nous sommes en mesure d'apprécier la subtilité de la réponse de Jésus en Luc 2.41-52 :

> Ses parents se rendaient chaque année à Jérusalem pour la fête de la Pâque. Et lorsqu'il eut douze ans, ils y montèrent, comme c'était la coutume pour la fête. Une fois les jours écoulés, alors qu'ils s'en retournaient, l'enfant Jésus resta à Jérusalem à l'insu de ses parents. Le croyant dans la caravane, ils cheminèrent une journée

durant, puis ils se mirent à sa recherche parmi leurs parents et connaissances. Ne l'ayant pas trouvé, ils revinrent, toujours à sa recherche, à Jérusalem. Et il advint, au bout de trois jours, qu'ils le trouvèrent dans le Temple, assis au milieu des docteurs, les écoutant et les interrogeant ; et tous ceux qui l'entendaient étaient stupéfaits de son intelligence et de ses réponses. À sa vue, ils furent saisis d'émotion, et sa mère lui dit : « Mon enfant, pourquoi nous as-tu fait cela ? Vois ! Ton père et moi, nous te cherchons, angoissés. » Et il leur dit : « Pourquoi donc me cherchiez-vous ? Ne saviez-vous pas que je dois être dans la maison de mon Père ? » Mais eux ne comprirent pas la parole qu'il venait de leur dire. Il redescendit alors avec eux et revint à Nazareth ; et il leur était soumis.

Ce récit montre toute la difficulté d'être prophète et leader spirituel dans son propre milieu familial, particulièrement dans une famille qui semble avoir observé fidèlement les traditions religieuses. Et pourtant, à la fin du récit, on voit que Jésus obéissait à ses parents tout en répondant à l'appel du Divin dans sa vie.

Le concept de famille peut aussi correspondre à la famille élargie et on remarque avec intérêt que, dans son célèbre aphorisme sur les prophètes incompris dans leur propre pays, Jésus parle de cercles de plus en plus restreints où ça semble être le cas — dans leur ville natale, parmi leurs parents et dans leur propre maison (Marc 6.4). Des parents de Jésus habitaient à Nazareth, semble-t-il, mais remarquez que ce dernier fait la distinction entre ceux-ci et les personnes résidant dans sa propre demeure. Ceci nous porte à croire que, dans la maison même qu'ils habitaient, Jésus et Jacques ne vivaient pas au sein d'une famille élargie, avec par exemple des frères et sœurs ainsi que leurs époux ou épouses (ou encore avec des esclaves).

JACQUES ET LE MINISTÈRE DE JÉSUS

Que se passe-t-il dans une famille lorsque le fils aîné, qui était le chef ou le premier héritier, décide de ne pas reprendre le flambeau de l'entreprise familiale et de ne pas subvenir aux besoins de la famille ? Qu'arrive-t-il lorsqu'il embrasse une carrière de professeur itinérant ou de prédicateur ? Notez qu'à cette époque les professeurs juifs ne pratiquaient généralement pas leur métier sur les routes. Jésus ne se conformait pas aux usages à cet égard, ce qui a probablement affecté sa famille. Il a peut-être suivi l'exemple de Jean le Baptiste. Remarquez également que Jésus s'est établi à Capharnaüm et non à Nazareth durant son ministère, ce qui a sans doute affecté aussi sa famille. Nous réfléchissons rarement à ce qu'il est advenu de la famille de Jésus lorsqu'il l'a quittée pour commencer ses prédications. La structure sociale de la famille a dû changer radicalement, particulièrement si Joseph est décédé avant ou pendant le ministère de Jésus (la dernière fois que son nom est mentionné, Jésus avait douze ans). Quel a été l'impact du départ de Jésus sur la vie de Jacques ?

Comme Jacques était sans doute le deuxième fils, il a probablement été obligé de veiller au bien-être de la famille, une responsabilité qui lui incombait et qu'il n'appréciait peut-être pas entièrement. En gardant ceci à l'esprit, examinons le récit en Marc 3.20, 31-35 :

> Et les siens, l'ayant appris [que Jésus guérissait les malades et chassait les démons], partirent pour se saisir de lui, car ils disaient : « Il a perdu le sens. » [...] Sa mère et ses frères arrivèrent et, se tenant dehors, ils le firent appeler. Il y avait une foule assise autour de lui et on lui dit : « Voilà que ta mère et tes frères et tes sœurs sont là dehors qui te cherchent. » Il leur répond : « Qui sont ma mère et mes frères ? » Et, promenant son regard sur ceux qui étaient assis en rond autour de lui, il dit :

« Voici ma mère et mes frères. Quiconque fait la volonté de Dieu, celui-là m'est un frère et une sœur et une mère. »

Cette histoire montre qu'à l'intérieur de la famille on se préoccupait beaucoup du comportement de Jésus. De fait, les membres de la famille de Jésus se faisaient tellement de soucis pour lui que, comme l'histoire l'indique, ils ont essayé de l'éloigner de la foule pour le ramener à la maison, croyant qu'il « avait perdu le sens ».

Dans une culture où, traditionnellement, l'honneur et la honte constituaient des préoccupations majeures, cette affaire avait une grande importance ; lorsqu'un membre était un sujet de honte pour sa famille, il incombait à celle-ci de gérer la situation. Si on rapproche ce récit du texte de Jean (7.5) où l'on affirme que les frères de Jésus ne croyaient pas en lui et du fait que Joseph n'apparaît dans aucun récit portant sur cette époque, on peut en déduire que, pour Jacques, ces événements devaient soulever certains problèmes. Jacques devient de facto le chef de famille ; il doit prendre des décisions en accord avec sa mère et, afin d'éviter que la honte ne retombe un jour sur la famille, ramener Jésus dans le cercle familial. Jésus cependant n'avait pas ces problèmes. Il dit que sa première famille est celle de ses partisans et de ses disciples.

Si le point de vue de Jacques se reflète en Jean 7.3-5 où le frère de Jésus presse celui-ci de faire connaître ses miracles à Jérusalem, il semble bien que Jacques ait considéré Jésus un peu comme un prétendant au rôle de messie effectuant seul sa quête. La situation ressemble à celle que l'on retrouve dans le récit de la rivalité entre le patriarche Joseph et ses frères, telle qu'elle est décrite dans la Genèse (37). Remarquez qu'en Jean 7.3-5 Jésus n'accompagne pas ses frères à Jérusalem mais qu'il se détourne d'eux et se rend seul à la fête. Nous voyons aussi que les frères reconnaissaient que Jésus pouvait faire des choses remarquables, entre autres des miracles, qu'il avait des disciples et qu'il cherchait à en recruter d'autres.

Or, s'il y avait une certaine distance entre Jésus et sa famille durant son ministère, comment se fait-il que Jacques soit devenu le chef de l'Église de Jérusalem dès le début, semble-t-il ? Dans les Actes des Apôtres 1.14, nous trouvons les disciples de Jésus rassemblés juste avant la Pentecôte : « Tous, d'un même cœur, étaient assidus à la prière avec quelques femmes, dont Marie mère de Jésus, *et avec ses frères*. » Le réputé exégète de la Bible, F.F. Bruce présente bien la question : « On aurait pu s'attendre à ce que la disgrâce entraînée par son exécution vienne confirmer dans leur esprit les doutes qu'ils avaient nourris à son sujet[9]. » Qu'est-ce qui les a fait changer d'idée ?

Si nous voulions trouver d'autres preuves au sujet de cette distance entre Jésus et sa fratrie, nous n'aurions qu'à étudier ce qui s'est passé à la mort de Jésus ; dans tous les récits, on mentionne qu'il n'a pas été inhumé par sa famille ou le petit noyau de ses disciples, même si sa mère avait apparemment assisté à son décès (voir Jean 19.25-27). J'ai bien l'impression que la question de la honte est cruciale ici. Si ses frères et sœurs considéraient que Jésus avait déshonoré sa famille durant son ministère, le fait qu'il soit mort de la façon la plus honteuse possible pour l'époque a peut-être été « la goutte qui a fait déborder le vase », l'élément décisif de la rupture totale entre Jésus et sa fratrie — à moins qu'un événement extraordinaire ne se soit produit par la suite qui soit venu rectifier les choses. Remarquez aussi que, selon tous les Évangiles, Jésus n'a pas été inhumé dans un caveau familial mais dans le tombeau de Joseph d'Arimathie. Ceci nous porte à croire que la famille ne possédait pas de lopin de terre à Jérusalem, ce qui n'a rien d'étonnant car elle ne visitait Jérusalem que durant les fêtes et résidait à Nazareth.

Ceci soulève certaines questions intéressantes concernant la caisse funéraire de Jacques et l'inhumation de ce dernier à Jérusalem. On peut présumer que son ossuaire a été déposé dans le caveau d'une seule personne et non pas dans un caveau familial et que ce sont des judéo-chrétiens de Jérusalem qui se sont chargés de ses funérailles. Peut-être qu'à la fin de sa vie Jacques, tout comme Jésus, en était venu à considérer sa famille dans la foi comme sa principale famille. Il faut noter également que, dans tous les récits décrivant l'ensevelissement de Jésus, celui-ci n'est pas inhumé dans la terre mais déposé dans un tombeau (voir Matthieu 27.57-61). Ce fait est important car il suggère que la pratique de la deuxième inhumation dans un ossuaire allait être pratiquée lorsque la peau du corps de Jésus ne recouvrirait plus ses os (bien que les Évangiles proclament que le processus n'a pas été suivi jusqu'au bout). Donc, l'inhumation de Jacques dans un tombeau et le transfert de ses os dans un ossuaire par la suite ont sans doute constitué un précédent.

JACQUES ET LA RÉSURRECTION DE JÉSUS

Selon les Actes 1.14, Marie et les frères de Jésus (mais où étaient ses sœurs ?) étaient réunis dans la chambre haute pour prier à l'occasion de la Pentecôte lorsque l'Esprit saint est descendu sur les disciples de Jésus. Comment se fait-il que Jacques ait été présent à ce moment précis alors qu'en fait il n'avait pas été un disciple de Jésus durant son ministère sur terre ? La réponse à cette question se trouve dans la première lettre de Paul à l'Église de Corinthe, dans laquelle on trouve la plus ancienne liste de ceux qui ont vu Jésus ressuscité[10]. Paul écrit :

> Je vous ai donc transmis en premier lieu ce que j'avais moi-même reçu, à savoir que le Christ est mort pour nos péchés selon les Écritures, qu'il a été mis au tombeau, qu'il est ressuscité le troisième jour selon les Écritures, qu'il est apparu à Céphas [Pierre], puis aux Douze. Ensuite, il est apparu à plus de cinq cents frères à la fois — la plupart d'entre eux demeurent jusqu'à présent et quelques-uns se sont endormis —, ensuite il est apparu à Jacques, puis à tous les apôtres. Et en tout dernier lieu,

il m'est apparu à moi aussi, comme à l'avorton (1 Corinthiens 15.3-8).

La liste de ceux à qui Jésus est apparu semble suivre un ordre chronologique car Paul utilise à plusieurs reprises les mots grecs signifiant *ensuite* et *puis* avant de conclure en ajoutant son propre nom avec cette précision : « en tout dernier lieu ». Paul cite probablement une ancienne liste de témoins de Jérusalem, exactement comme le disent les traditions dans les versets 1-4 (« Je vous ai donc transmis en premier lieu ce que j'avais moi-même reçu », v. 3).

Paul mentionne d'abord l'apparition à Pierre, et ensuite une apparition aux Douze (qui en fait étaient onze à ce moment-là, car Judas Iscariote était mort), puis une apparition à plus de cinq cents croyants en même temps, la plupart d'entre eux étant encore vivants, semble-t-il, au début des années 50 de notre ère. Vient ensuite la mention d'une apparition à Jacques, puis à tous les apôtres, et finalement à Paul. La liste contient plusieurs éléments intéressants parmi lesquels, et non les moindres, le fait que les deux seuls noms mentionnés soient ceux de Céphas et de Jacques. La question essentielle qui se pose ici est de savoir si le Jacques mentionné dans cette liste est le frère de Jésus ou s'il s'agit d'un autre Jacques.

Cette liste peut être comparée à ce que Paul dit en 1 Corinthiens 9.5 : « N'avons-nous pas le droit d'emmener avec nous une épouse croyante, comme les autres apôtres, et les frères du Seigneur, et Céphas ? » Si Paul voulait parler de l'apôtre Jacques, le fils de Zébédée, lorsqu'il mentionne le nom de « Jacques » en 1 Corinthiens 15, il n'aurait pas eu de raison de le distinguer des autres membres du groupe des Douze. Non, dans ce cas-ci, Paul parle de trois apparitions à des individus (Pierre, Jacques et Paul) et de certaines apparitions à des groupes de gens (les Douze, les cinq cents, les apôtres). Les Évangiles ne font pas le récit d'une apparition de Jésus ressuscité à Jacques, mais l'apparition à Pierre/Céphas lorsqu'il était seul n'est pas non plus racontée mais seulement mentionnée en passant en Luc 24.34.

Si une telle liste correspond à un ordre chronologique, il est possible que cette apparition à Jacques ait eu lieu plus tard, peut-être en Galilée. Et à nouveau, si Jacques était à Jérusalem pour la fête de la Pâque, il est probable que cette dernière ait eu lieu à Jérusalem. Nous ne le savons pas. Cependant, il convient de noter que, en ce qui concerne les apparitions, on fait la distinction entre Jacques et les Douze et Jacques et les apôtres, ce qui nous porte à croire qu'il ne faisait partie d'aucun de ces groupes au départ. Comme Jacques le frère de Jésus est le seul Jacques que Paul mentionne dans toutes ses lettres, il fait certainement référence ici à la personne qu'il qualifie de « colonne de l'Église de Jérusalem » dans la première épître aux Galates et de « frère du Seigneur ».

Il semble que Jacques, comme Paul, se soit converti au mouvement de Jésus parce que, à un certain moment, il a vu Jésus ressuscité, car rien avant la Pâque ne peut expliquer pourquoi il est devenu un disciple aussi fervent de Jésus, encore moins le leader des disciples de Jésus.

CONCLUSIONS

Le véritable nom de Jacques est Jacob et il a reçu ce nom en l'honneur de son grand-père et du patriarche qui a vécu à une période beaucoup plus ancienne de l'histoire du judaïsme. Le nom de Jacques se retrouve sur la liste des frères et sœurs de Jésus, et il est toujours associé à celui de Marie dans les Évangiles. Il est identifié comme étant Jacques, le frère du Seigneur, par Paul.

Jacques a grandi dans une pieuse famille juive à Nazareth. Il n'est jamais distingué de ses frères et sœurs dans les récits évangéliques et nous ne possédons aucun récit particulier dans le Nouveau Testament sur ses accomplissements individuels avant le décès de Jésus. On remarque qu'à chaque fois qu'on nous présente une liste des frères et sœurs de Jésus le nom de Jacques est toujours mentionné le premier, ce qui porte à croire qu'il était le plus âgé parmi les autres frères et sœurs de Jésus ; ainsi, il y a de fortes chances pour qu'il ait été considéré comme le chef de famille, avec Marie, si Joseph et Jésus étaient tous deux absents ou décédés. L'important récit en Jean 7.3-5 indique que les frères de Jésus n'étaient pas des disciples de ce dernier durant sa vie ; en revanche, ils croyaient, semble-t-il, que Jésus pouvait faire des miracles et qu'il avait des intentions messianiques. On peut dire de la famille de Jacques qu'il s'agit d'une famille ordinaire de la classe ouvrière dont les membres pratiquaient l'ébénisterie ou la menuiserie, et qu'ils n'étaient certainement pas des paysans. Le fait que Marc (6) montre que Jésus savait lire et écrire et qu'il pouvait lire l'hébreu suggère que la famille, ou du moins les hommes de la famille, a reçu une certaine instruction. Le fait que les membres de la famille participaient régulièrement aux fêtes à Jérusalem nous en apprend beaucoup sur leur dévotion et leur respect de la religion juive, leur religion.

Selon toute probabilité, c'est l'apparition de Jésus à Jacques, sûrement à Jérusalem durant la Pâque en l'an 30, qui a amené Jacques à devenir non seulement un disciple de Jésus mais aussi le chef de l'Église de Jérusalem. Nous le découvrons en compagnie des disciples avant la Pentecôte (Actes 1.14). Ceci nous porte à croire que Jacques, comme ses propres frères et sœurs et Marie, était à Jérusalem quand Jésus est mort même si, selon le compte rendu en Jean 19.25-27, seule Marie était présente lors de la crucifixion ; les Évangiles synoptiques (les trois premiers Évangiles — Matthieu, Marc, Luc — qui contiennent plusieurs récits similaires) ne mentionnent aucun autre membre de la famille au pied de la croix. Quelque chose d'extraordinaire a dû se passer dans la vie de Jacques après la mort de Jésus pour qu'il soit identifié comme un disciple dans les Actes et plus tard nommé chef de l'Église de Jérusalem. C'est l'apparition de Jésus à Jacques qui, semble-t-il, a provoqué la conversion de ce dernier et sa célébrité soudaine.

1. Voir le débat sur le sujet dans le livre de Ben Witherington, *Women in the Ministry of Jesus*, Cambridge, Cambridge University Press, 1984.

2. Bien sûr, dans le processus normal de l'accouchement, il y a du sang et l'expulsion du placenta, et on peut comprendre que, du point de vue du judaïsme primitif et de ses rites, ceci pouvait être considéré comme autant d'éléments qui rendaient la mère temporairement impure.

3. Cette liste date de moins de vingt ans après la mort de Jésus, alors que des témoins oculaires étaient encore vivants, car Paul a écrit la première épître aux Corinthiens au début des années 50.

4. Exactement comme le nom de Jésus est un dérivé d'un mot grec : Iesous, une traduction du mot hébreu Yehoshua et du mot araméen Yeshua (c'est-à-dire Joshua).

5. La Marie, mère de Jacques, en Luc 24.10 n'est certainement pas la mère de Jésus car la mère de Jésus est toujours identifiée en lien avec ce dernier, ce qui signifie que le Jacques en question en Luc 24.10 n'est pas non plus le frère de Jésus.

6. Le terme *hellénisant* signifie ce qui suit : qui essaie d'imiter la culture, les coutumes et le langage des Grecs. Le terme *Iduméen* provient de la région d'Édom. Dans l'Ancien Testament, Jacob et Ésaü étaient des frères rivaux et, avec le temps, une rivalité s'est développée entre la nation formée par les descendants d'Ésaü, appelés les Édomites (et plus tard les Iduméens), et les descendants de Jacob. Le terme *Sémite* est appliqué à une grande variété de peuples sémitiques, incluant et les Israélites et les Édomites.

7. Autant Jean le Baptiste que Jésus étaient en colère contre Hérode parce qu'ils considéraient que celui-ci contaminait ou détruisait la foi biblique des Juifs. Ils n'étaient pas simplement contrariés par ses tentatives de construction grandioses. Il ne faut pas confondre Hérode Antipas avec Hérode le Grand, son père, qui a dirigé tout le territoire à l'époque de la naissance de Jésus, aux environs de l'an 4 ou 5 avant notre ère. Le territoire fut divisé entre les trois fils d'Hérode le Grand, et Hérode Antipas a hérité de la Galilée qu'il a gouvernée jusqu'à la fin des années 30 de notre ère, soit bien après la mort de Jésus en l'an 30.

8. Voir l'entrée « Galilée » dans le livre de J. F. Strange, *The Dictionary of New Testament Background*, éd. C.A. Evans et S. Porter, Downers Grove, IL, InterVarsity Press, 2000, p. 394.

9. F. F. Bruce, *Peter, James, and John*, Grand Rapids, MI, Eerdmans, 1979, p. 87.

10. La grande majorité des exégètes s'entendent pour dire que les épîtres de Paul sont les documents du Nouveau Testament les plus anciens, chronologiquement parlant, même si, de façon générale, les Évangiles rapportent des événements antérieurs à ceux mentionnés dans les lettres de Paul.

8

DE DISCIPLE À CHEF DE L'ÉGLISE DE JÉRUSALEM

On dit que l'Histoire est écrite par les vainqueurs. On peut par conséquent comprendre pourquoi une figure comme Jacques, le frère de Jésus, a été autant négligée. Le mouvement chrétien primitif tel que développé par Jacques s'était affaibli et avait presque complètement disparu au début du quatrième siècle. C'est la forme de christianisme développée sous l'influence de Pierre qui a prédominé en Occident et qui a donné naissance au catholicisme romain. En Orient, une certaine forme de judéo-christianisme a continué de se propager dans plusieurs secteurs, en Syrie et ailleurs, mais en général c'est la tradition orthodoxe (copte, arménienne, syrienne, russe, grecque) qui a prospéré et dominé le paysage.

Jacques n'a pas joué un rôle de premier plan dans ces courants traditionnels majeurs, bien que les traditions orthodoxes orientales lui aient accordé plus d'importance que celles ayant vu le jour en Occident. Comme si ce n'était pas suffisant, la Réforme au seizième siècle, laquelle a commencé en Allemagne pour s'étendre ensuite à la Suisse, l'Angleterre, l'Écosse et d'autres régions, a adopté une forme de christianisme façonnée en grande partie selon les vues de Paul. Or, de toutes ces formes de christianisme, aucune n'a rendu justice à Jacques. En fait, Martin Luther, le réformateur, a qualifié la lettre de Jacques « d'épître de paille ».

Dans le monde de l'Église au premier siècle, Pierre et Paul étaient certainement les meneurs du nouveau mouvement chrétien mais Jacques, le frère de Jésus, était aussi un leader vénéré dans « l'Église mère » de Jérusalem au sein de laquelle il était considéré par plusieurs comme la figure prééminente.

JACQUES LE JUSTE

L'Évangile apocryphe des Hébreux présente un compte rendu plus complet de la visite de Jésus à son frère après sa résurrection. On raconte que Jacques avait fait le serment de ne pas manger de pain avant d'avoir vu Jésus ressuscité. Quand Jésus lui est apparu, « Il [Jésus] prit le pain, le bénit, le rompit et en donna à Jacques le Juste, lui disant : « Mon frère, mange ton pain, puisque le Fils de l'Homme est ressuscité d'entre les dormants[1]. »

Ce document, qui daterait de la fin du deuxième siècle, aurait été rédigé par une communauté judéo-chrétienne qui se situait en continuité avec Jacques et les tout premiers judéo-chrétiens. Même si ce récit est légendaire, il peut très bien contenir plusieurs éléments historiques de la vie de Jacques qui méritent d'être examinés. La difficulté est d'arriver à distinguer ce qui traduit une réalité historique et ce qui reflète les intérêts de la chrétienté à une époque ultérieure.

Les comptes rendus historiques font ressortir quelques traits caractéristiques de la personnalité de Jacques. Premièrement, autant dans la tradition chrétienne que dans les écrits de Josèphe, l'historien juif du premier siècle, Jacques est présenté comme une personne réputée pour sa profonde piété et sa droiture. On dit de Jacques qu'il est un « ascète ». L'ascétisme est la pratique de l'abstinence de certaines choses, principalement de nourriture et de boisson mais parfois d'activités sexuelles et parfois même de tout contact avec d'autres êtres humains, dans le but de purifier sa vie. C'est pourquoi Jacques a fini par être surnommé Jacques le Juste ou Jacques le Vertueux.

Cette réputation signifie, entre autres, que pour Jacques la fidélité à la Loi et aux diverses traditions juives — même si celles-ci n'étaient pas inscrites spécifiquement dans la Loi — revêtait une grande importance. Cette perception traditionnelle de Jacques correspond bien, comme nous le verrons plus loin, à ce que nous enseignent à son sujet l'épître de Paul aux Galates et le compte rendu de Luc sur l'Église primitive (Actes 15[2]).

Jacques tenait à perpétuer les traditions du judaïsme primitif, c'est-à-dire à perpétuer l'observance de la Loi. Il était en accord, à tout le moins, avec les pharisiens judéo-chrétiens. Les pharisiens formaient une secte ou un courant particulier à l'intérieur du judaïsme primitif ; ils établissaient une claire distinction entre les Juifs et les non-Juifs en ce qui concerne leur identité et leurs pratiques, d'où l'accent sur la circoncision, l'observation du sabbat, les rituels de purification, et ainsi de suite. Pour les pharisiens devenus des disciples de Jésus, les nouveaux chrétiens devaient observer la Loi. Jacques a fini par jouer le rôle de médiateur entre, d'un côté, les pharisiens judéo-chrétiens et, de l'autre, Paul et ceux qui s'intéressaient à l'évangile libéré de la Loi ; néanmoins, Jacques n'a pas laissé ces préoccupations quant à l'intégration des Gentils dans l'Église dicter aux judéo-chrétiens leur conduite et déterminer leur manière de vivre.

Jacques est connu non seulement pour avoir observé la Loi juive mais aussi pour avoir pratiqué l'ascétisme. Le compte rendu que l'on trouve dans l'Évangile des Hébreux, comme il a été mentionné précédemment, laisse entendre que Jacques a observé une ancienne pratique ascétique — le jeûne — dans le but de voir Jésus ressuscité. Sous la gouverne de Jacques, la promulgation du décret présenté en Actes 15 a permis de résoudre un différend sur la façon d'intégrer les Gentils dans l'Église ; la nourriture constitue un sujet de préoccupation et on y mentionne en particulier les lieux où les Gentils ne devaient pas manger, à savoir dans les temples païens, en présence des idoles. Un ascète juif devait être très perturbé par de telles pratiques. Par contre, il ne faudrait pas pousser trop loin l'interprétation de l'ascétisme de Jacques, car Paul laisse entendre clairement en 1 Corinthiens 9.5 que Jacques et les autres frères de Jésus, contrairement à ce dernier, étaient mariés[3].Et pourtant, Jacques observait fidèlement la Torah et croyait qu'il était de toute première importance d'agir avec droiture lorsqu'on était un disciple de Jésus[4]. C'est ce qui apparaît en filigrane dans la célèbre déclaration de l'épître de Jacques du Nouveau Testament par l'auteur éponyme (2, v. 14-26) : « La foi sans les œuvres est morte ! »

L'ascétisme de Jacques peut avoir été modelé par les enseignements de l'Ancien Testament qu'il aurait choisi de suivre, dont les vœux du naziréat, lesquels n'exigeaient pas le célibat mais l'abstinence de certains aliments et l'abandon de pratiques normales telles que la coupe de cheveux (voir le livre des Nombres 6). Dans les Actes 21.24, Jacques et les leaders de Jérusalem demandent à Paul de prononcer un vœu nazirétique. Hégésippe, l'historien de l'Église du deuxième siècle, et peut-être aussi l'Évangile des Hébreux semblent confirmer que Jacques était un *nazir* et qu'il observait de temps à autre les pratiques liées aux vœux nazirétiques. Ceci pourrait expliquer pourquoi Jacques a eu la réputation de passer beaucoup de temps dans le Temple, car les *nazirs* étaient tenus de demeurer dans les environs du Temple (Nombres 6.18-20). Cette théorie pourrait aussi expliquer pourquoi Jacques est resté à Jérusalem et n'a, semble-t-il, jamais voyagé[5].

En plus de montrer que Jacques respectait la Loi et pratiquait l'ascétisme, le récit de l'Évangile apocryphe révèle une autre caractéristique importante. Jésus se présente comme « le Fils de l'Homme ». Paul n'a jamais appelé Jésus le Fils de l'Homme et, effectivement, à l'exception des Évangiles et d'une mention dans les Actes, ce titre n'est appliqué à Jésus nulle part ailleurs dans le Nouveau Testament. Comme seules exceptions, il y a certaines allusions au chapitre 7 du livre de Daniel dans le livre de la Révélation. Il semble clair que, comme le titre de Fils de l'Homme ne signifiait pas pour les Gentils ce qu'il suggérait dans le livre de Daniel, à savoir que Jésus était à la fois un humain et un personnage divin, ce titre a été rapidement abandonné au cours de la mission chez les Gentils.

Et pourtant, cette façon de s'identifier est celle que l'on retrouve le plus souvent sur les lèvres de Jésus dans les Évangiles. Ceci suggère quelque chose d'important. Le judéo-christianisme, qui s'est développé bien après la période couverte par le Nouveau Testament, a conservé non seulement son héritage juif mais aussi l'héritage que Jésus a transmis à ses disciples, entre autres sa façon de se présenter lui-même comme le Fils de l'Homme.

LE LEADER DE L'ÉGLISE PRIMITIVE

Jacques et les disciples de Jésus ne se percevaient pas comme des chrétiens. Ils se considéraient comme des Juifs qui suivaient le Messie juif. On ne doit pas perdre de vue que ces gens ne se percevaient pas comme les fondateurs d'une nouvelle religion. Lorsque nous disons que Jacques était le chef de l'Église primitive, nous ne considérons pas que l'Église constituait une entité religieuse distincte. Au cours du débat fondamental dans l'Église de Jérusalem sur l'obligation pour les Gentils convertis au christianisme de suivre la Loi (entre autres, de se faire circoncire et de pratiquer certaines restrictions alimentaires),

Jacques, pour avoir gain de cause, cite un passage de la Bible hébraïque (Amos 9) où il est dit que le royaume de Dieu a toujours été destiné aux Gentils aussi bien qu'aux Juifs. Jacques considérait que le message évangélique consistait à expliquer aux Juifs que les promesses de l'Ancien Testament se réalisaient, et aux Gentils qu'ils pouvaient se joindre à un mouvement messianique juif centré sur la personne de Jésus ; il ne considérait pas qu'il s'agissait d'une nouvelle religion à laquelle des Juifs adhéraient.

Jacques et les premiers judéo-chrétiens doivent être considérés comme les promoteurs d'une sorte de secte issue du judaïsme primitif qui n'est pas sans rappeler la secte de Qumran. (Les Esséniens qui appartenaient à la secte de Qumran ont rédigé les manuscrits de la mer Morte. Ce groupe d'adeptes qui pratiquaient une forme d'ascétisme rigoureux a contribué au renouveau du mouvement à l'intérieur du judaïsme à l'époque de Jésus. Il s'agissait apparemment d'un large groupe de personnes vivant sur le bord de la mer Morte et qui exhortaient les gens à se préparer avant l'intervention suprême de Dieu et le jugement de la corruption en Israël.)

L'explication de Craig A. Evans, exégète du Nouveau Testament, nous est fort utile pour situer Jacques et son Église dans le contexte du judaïsme primitif :

> En résumé, si nous dessinions trois cercles pour représenter les différentes formes de judaïsme, celles de Qumran, des rabbins et de Jacques, les cercles se chevaucheraient. Mais ce ne serait pas le cas pour les centres de ces cercles représentant l'essence de chacune de ces formes de judaïsme. Nous aurions trois cercles se chevauchant, mais trois centres distincts, séparés. Le judaïsme de Qumran, centré sur le renouveau de l'alliance, accorde une grande importance à la réforme du culte. Le judaïsme des rabbins est axé sur l'étude et l'obéissance à la Torah, le meilleur moyen de vivre en ce monde et dans le monde à venir. Le judaïsme de Jacques est axé sur la foi et la piété envers le Messie, Jésus[6].

L'Église primitive se percevait comme une secte juive. On trouve une confirmation de ceci dans le fait que la langue utilisée pour rédiger l'inscription de l'ossuaire de Jacques est l'araméen et non le grec — lequel aurait été la langue d'usage dans une communauté païenne ou même dans une communauté mixte de Juifs et de Gentils. Même au cours des années 60, les caractéristiques juives du mouvement de Jésus à Jérusalem étaient encore dominantes. Mais comme de nombreux chrétiens considèrent que leur histoire est celle de la branche de l'Église qui s'est développée dans la communauté des Gentils, ils croient généralement que les préoccupations et les coutumes des païens occupaient une place prédominante dans le mouvement de Jésus vers les années 60, soit à l'époque où Paul achevait sa mission. Mais ce n'était pas le cas pour l'Église mère de Jérusalem. Il existait plus d'un courant à l'intérieur du christianisme primitif et la découverte de l'ossuaire nous incite fortement à ne pas l'oublier.

Mais pourquoi Jacques est-il devenu si rapidement le chef de l'Église de Jérusalem ? Nous avons déjà mentionné que Jacques s'est joint aux disciples de Jésus peu après la résurrection mais avant la Pentecôte (Actes 1.14). Alors, comment se fait-il que ce soit Jacques qui ait assumé le leadership de l'Église peu de temps après sa fondation à Jérusalem (à la Pentecôte) ?

On trouve une partie de la réponse dans les Actes (1.14). Pourquoi Luc, le rédacteur de ces Actes, aurait-il mentionné « les frères de Jésus » si ce n'était parce qu'ils étaient destinés à jouer un rôle de leader ?

Nous retrouvons Jacques en Actes 12 ; il y a d'abord le récit d'un événement lié à une autre figure centrale qui porte également le nom de Jacques : il s'agit du fils de Zébédée et frère de Jean[7]. En colère contre les chrétiens, le roi Hérode Agrippas « fit périr par le glaive Jacques, frère de Jean » (v. 2). Puis il fit arrêter Pierre dans le but de lui faire subir le même sort : « Il le fit saisir et jeter en prison, le confiant à la garde de quatre escouades de quatre soldats ; il voulait le faire comparaître devant le peuple, après la Pâque » (v. 4). Or, tandis qu'il était en prison, Pierre a reçu un visiteur :

> Soudain, l'ange du Seigneur survint, et le cachot fut inondé de lumière. L'ange frappa Pierre au côté et le fit lever : « Debout ! Vite ! » dit-il. Et les chaînes lui tombèrent des mains. L'ange lui dit alors : « Mets ta ceinture et chausse tes sandales » ; ce qu'il fit. Il lui dit encore : « Jette ton manteau sur tes épaules et suis-moi. » [...] Ils franchirent ainsi un premier poste de garde, puis un second, et parvinrent à la porte de fer qui donne sur la ville. D'elle-même, elle s'ouvrit devant eux. Ils sortirent, allèrent jusqu'au bout d'une rue, puis brusquement l'ange le quitta (Actes 12. 7-10).

Sa rencontre avec les croyants de la communauté locale est assez amusante car, sachant qu'il devait être en prison, ceux-ci n'arrivent pas à croire que ce soit bien lui. Avant de quitter la ville pour se cacher à Césarée, Pierre dit aux disciples rassemblés ce qui s'était passé et leur demande ceci : « Annon-cez-le à Jacques et aux frères » (v. 17).

Remarquez son pressant besoin de faire savoir la nouvelle à Jacques. Ceci suggère que Jacques était déjà un leader important à cette époque, soit dans les années 40 probablement. Selon John Painter, on devrait peut-être considérer ce passage des Actes (12) comme un retour en arrière qui nous indique comment Jacques, le frère de Jésus, est devenu le chef de l'Église de Jérusalem parce que Pierre avait été obligé de s'éloigner de la ville et que les autres Jacques avaient été exécutés[8]. Il y a probablement une part de vérité dans cette hypothèse, mais il est douteux que Jacques ait atteint un rang aussi élevé uniquement par défaut. En fait, Eusèbe, le père de l'histoire de l'Église du quatrième siècle, ne reconnaît pas du tout le leadership de Pierre dans l'Église de Jérusalem. Dans son livre *L'histoire de l'Église* (*Historia Ecclesia*), il cite Clément d'Alexandrie qui affirme que Pierre,

Jacques et Jean, après l'ascension de Jésus, ont choisi Jacques, le frère de Jésus, comme premier évêque de Jérusalem (*Hist. Eccl.* 2.1.3). En tenant compte de l'emploi du terme chrétien *évêque* apparu ultérieurement, cette perception pourrait très bien trouver sa source dans un fait réel. Eusèbe a sa propre vision des choses : il affirme que, après le martyre d'Étienne, c'est Jacques qui est devenu le chef (2.1.2).

Quelle que soit la façon dont il y est parvenu, il semble clair que Jacques soit devenu un leader de premier plan dans l'Église de Jérusalem — s'il n'en était pas le chef — une dizaine d'années après la mort et la résurrection de Jésus.

DÉBAT AU SUJET DE PAUL

L'épître aux Galates est l'une des premières lettres de Paul. Il pourrait bien s'agir de sa toute première, écrite en l'an 49 environ, avant l'important concile de Jérusalem mentionné en Actes 15⁹. En tout cas, c'est une lettre authentique de Paul qui reconnaît très tôt la grande importance de Jacques, tout comme celle de Pierre et de Jean.

Dans cette lettre, Paul s'oppose fortement à ceux qui veulent obliger les Gentils à embrasser la religion juive pour devenir chrétiens (en se faisant circoncire et en suivant la Loi). Pour soutenir son argumentation, il décrit le cheminement qu'il a lui-même effectué une vingtaine d'années auparavant :

> Vous avez certes entendu parler de ma conduite jadis, de la persécution effrénée que je menais contre l'Église de Dieu et des ravages que je lui causais... Mais quand Celui [Dieu]... daigna révéler en moi son Fils pour que je l'annonce parmi les païens, aussitôt, sans consulter la chair et le sang, sans monter à Jérusalem trouver les apôtres mes prédécesseurs, je m'en allai en Arabie, puis je revins encore à Damas. Ensuite, après trois ans, je montai à Jérusalem rendre visite à Céphas et demeurai auprès de lui quinze jours ; je n'ai pas vu d'autre apôtre,

mais seulement Jacques, le frère du Seigneur (Galates
1.13-19).

Nous pouvons dater cette rencontre avec Pierre et Jacques de
façon assez précise. Paul dit qu'il a effectué cette visite trois ans
après son voyage à Damas. On peut donc situer cet événement
dans les années 30, peut-être en l'an 37[10]. Ce texte laisse
entendre que, quelques années après la mort de Jésus (qui selon
toute vraisemblance s'est produite en l'an 30), Jacques était déjà
reconnu comme leader du mouvement de Jésus à Jérusalem.
Remarquez aussi que, dans cette référence à Jacques, l'une des
toutes premières dans le Nouveau Testament (l'épître aux
Galates est l'un des plus anciens écrits du Nouveau Testament),
Paul distingue ce Jacques des autres Jacques en lui donnant le
titre de « frère du Seigneur ». La seule marque d'identification
appliquée systématiquement à Jacques — au début, au milieu et
vers la fin de sa vie — est, semble-t-il, la mention « frère de
Jésus ». C'est pourquoi il n'y a rien d'étonnant à ce qu'il soit
identifié de cette façon sur l'ossuaire également.
Paul mentionne à nouveau le nom de Jacques lorsqu'il décrit
sa deuxième visite à Jérusalem, aux environs de l'an 48 :

> Ensuite, au bout de quatorze ans, je montai de nouveau à
> Jérusalem avec Barnabé et Tite que je pris avec moi… —
> et reconnaissant la grâce qui m'avait été départie,
> Jacques, Céphas [Pierre] et Jean, ces notables, ces
> colonnes, nous tendirent la main, à moi et à Barnabé, en
> signe de communion : nous irions nous aux païens, eux à
> la Circoncision ; nous devions seulement songer aux
> pauvres, ce que précisément j'ai eu à cœur de faire
> (Galates 2.1-10).

Il s'agit de la visite effectuée pour apporter des vivres à ceux
qui souffraient de la famine et qui est mentionnée brièvement
dans les Actes (11.30) ; ce fut aussi pour Paul l'occasion d'avoir

un entretien privé et une discussion au sujet de sa mission évangélique avec « les colonnes » — Jacques, Pierre et Jean. Il faut se souvenir que Paul déclenche une polémique en Galates 2 et qu'il adopte une attitude défensive pour tout ce qui touche à son travail évangélique auprès des Gentils. C'est pourquoi lorsqu'il dit de ces hommes qu'ils sont « reconnus comme notables » (au verset 2) ou « reconnus comme colonnes » (au verset 9), ce n'est pas parce qu'il remet en question leur leadership. Cela reflète plutôt les préoccupations de Paul au sujet de son propre statut et la reconnaissance de la légitimité de sa mission chez les Gentils. Ce verset reflète également l'importance accordée par les premiers Juifs aux titres honorifiques, une importance qui se retrouvait dans tout le monde gréco-romain.

Remarquez aussi qu'en Galates 2.9 le nom de Jacques est mentionné le premier parmi les « colonnes ». Que penser de cette terminologie ?

Le terme grec *stuloi*, « colonnes », suggère que ces trois hommes — Jacques, Pierre et Jean — étaient considérés comme les principales colonnes du futur temple (future tente) promis par Dieu et qui se construisait peu à peu par l'Évangile[11]. Le mot apparaît fréquemment dans la version grecque de l'Ancien Testament (appelée la Septante ou LXX) pour faire référence aux supports du Tabernacle, et plus tard aux colonnes du Temple (1 Rois 7.15-22 ; 2 Chroniques 3.15-17). Les premiers leaders chrétiens sont donc considérés comme les colonnes de soutènement du futur peuple de Dieu ou peuple « eschatologique ». (Le terme *eschatologique* vient du mot *eschaton*, qui signifie « la fin des temps ». Les gens du premier siècle croyaient que Dieu préparait déjà à leur époque le salut final et le jugement dernier.) L'idée que les leaders étaient des colonnes de soutènement apparaît aussi dans l'Apocalypse 3.12 : « Le vainqueur, je le ferai colonne dans le temple de mon Dieu ; il n'en sortira plus jamais et je graverai sur lui le nom de mon Dieu, et le nom de la Cité de mon Dieu, la nouvelle Jérusalem qui descend du Ciel, de chez mon Dieu, et le nom nouveau que je porte. »

Dans le judaïsme primitif, on spéculait beaucoup sur la destruction et la reconstruction du Temple en rapport avec le peuple de Dieu[12] ; Jésus lui-même avait des choses à dire sur le sujet (Marc 14.58 ; voir aussi Jean 2.19 ; Actes 6.14), et Paul également (1 Corinthiens 3.16-17 ; 2 Corinthiens 6.16). Par conséquent, nous ne sommes pas surpris de voir que les premiers disciples juifs de Jésus croyaient que Dieu avait commencé à rebâtir sa nation (son peuple), tout comme il rebâtissait son nouveau Temple et que Jacques était l'un des piliers de cette reconstruction. Il est donc très significatif que Jacques lui-même parle de la reconstruction du peuple de Dieu en Actes 15.16-17, en utilisant la métaphore du redressement de la tente de David (une citation tirée d'Amos 9). Jacques croit que, dans l'avenir, Dieu redressera la tente juive, ce qui en retour permettra aux Gentils d'y entrer[13].

Nous voyons aussi en Galates 2.9 Paul mentionnant que les notables lui « tendirent la main en signe de communion ». Il a exprimé sa crainte de travailler en vain, à moins que les colonnes n'approuvent sa mission et son évangile. Nous pouvons percevoir clairement l'importance accordée à Jacques et aux leaders de Jérusalem ainsi que l'autorité qu'ils exerçaient, non seulement aux yeux de Paul mais aussi pour l'Église dans son ensemble. La phrase « nous tendirent la main » décrit le geste affable d'une personne en position supérieure (voir Josèphe, *Ant.* 18.328-29). Cela nous indique que, déjà au cours des années 30, Jacques était un des principaux leaders du mouvement de Jésus. Et l'épître aux Galates peut nous en apprendre davantage sur Jacques.

Paul continue en relatant un incident en lien avec Pierre, incident qui a eu lieu à Antioche au milieu des années 40 :

Mais quand Céphas [Pierre] vint à Antioche, je lui résistai en face, parce qu'il s'était donné tort ; en effet,

avant l'arrivée de certaines gens de l'entourage de
Jacques, il prenait ses repas avec les païens ; mais quand
ces gens arrivèrent, on le vit se dérober et se tenir à
l'écart, par peur des circoncis. Et les autres Juifs
l'imitèrent dans sa dissimulation, au point d'entraîner
Barnabé lui-même à dissimuler avec eux (Galates 2.11-
13).

Que les croyants juifs et les païens convertis mangent
ensemble, voilà qui constituait manifestement un problème à
Antioche. Paul nous dit que Jacques a envoyé quelques hommes
de Jérusalem pour juger de la situation. Selon ce passage de
l'épître aux Galates (2.12), Pierre a cessé de partager ses repas
avec les Gentils lorsque les hommes envoyés par Jacques sont
arrivés. Cela suggère que Jacques était reconnu comme le chef
de l'Église de Jérusalem, de sorte que même Pierre s'en
remettait à son jugement. Remarquez qu'il n'est pas dit que les
hommes venaient de la part de l'Église de Jérusalem mais bien
qu'ils avaient été envoyés par Jacques lui-même.

Nous voyons dans les trois références à Jacques en Galates
1-2 l'ascension progressive de Jacques au sein de l'Église de
Jérusalem. Pierre est mentionné en premier dans la première
référence en Galates 1.18 mais, par la suite, c'est Jacques qui est
mentionné le premier et il semble maîtriser les situations. Cette
impression se voit confirmée en Actes 15 lors du célèbre concile.
À cette occasion, Pierre et Paul ont des entretiens mais c'est
Jacques qui conclut l'affaire. Nous reparlerons davantage de
cette rencontre cruciale dans le prochain chapitre.

Résumons ce que les Actes et Paul, et non seulement la
tradition chrétienne qui s'est développée plus tard, nous
apprennent au sujet de Jacques et de son rôle de leader dans
l'Église de Jérusalem. Premièrement, dans les Actes des
Apôtres, on n'utilise pas le terme *évêque* pour parler de lui. Les
leaders de Jérusalem sont appelés les anciens en Actes 11.30, en

continuité avec la tradition juive et, en Actes 15.2, ils sont appelés les apôtres et les anciens. Dans la première épître aux Corinthiens (9.5), Paul parle des apôtres et des frères du Seigneur, et il établit une nette distinction entre les deux groupes. Et comme nous l'avons vu, l'épître aux Galates laisse entendre que Jacques était une colonne et même, semble-t-il, le chef des colonnes de la communauté chrétienne de Jérusalem, laquelle était perçue comme la reconstitution du peuple de Dieu à l'époque eschatologique.

Personne n'a jamais émis l'hypothèse que Jacques ait pu être un apôtre itinérant. Il n'a, semble-t-il, jamais voyagé. Il était toujours à Jérusalem ; les gens venaient le voir et il envoyait des émissaires et des messages dans les autres communautés. C'est peut-être pour cette raison que la tradition chrétienne ne lui accorde généralement pas le titre d'apôtre, le terme *apostolos* faisant référence à un délégué, un émissaire ou un missionnaire. Et c'est peut-être pour la même raison qu'on ne lui a pas donné plus tard le titre de pape. Cependant, il est certain que son nom apparaît sur les premières listes des évêques de Jérusalem que l'on retrouve dans deux des premiers écrits chrétiens : chez Eusèbe (*Hist. Eccl.* 4.53-4 ; 5.12.1-2) et Épiphane (*Pan.* 66.21-22)[14].

Sur l'ossuaire, aucun titre honorifique n'est appliqué à Jacques. La mention de pareils titres n'était pas inhabituelle sur les inscriptions des tombeaux au premier siècle, mais il n'y en a pas sur l'ossuaire de Jacques. Il est simplement identifié comme le « fils de Joseph, frère de Jésus ». Cela est en accord avec la lettre que Jacques a écrite et qui est incluse dans le Nouveau Testament. Au début de sa lettre, Jacques se présente simplement comme « Jacques, serviteur de Dieu et du Seigneur Jésus-Christ » (Jacques 1.1). Il ne semble pas vouloir revendiquer un titre prestigieux, quel qu'il soit. Ce que Paul dit en Galates 2, c'est qu'il est reconnu comme « colonne », ce qui signifie que d'autres personnes accordaient à Jacques ce titre honorifique. Néanmoins, autant l'épître aux Galates que les Actes indiquent très clairement que Jacques était une figure importante. Si un apôtre missionnaire à l'esprit libre comme Paul a ressenti le besoin d'obtenir l'appui de Jacques afin de ne pas travailler en vain et si Luc en Actes 15 le décrit comme celui qui a pu résoudre la crise majeure que l'incident d'Antioche avait suscitée, tout cela nous indique que Jacques était véritablement une figure centrale du christianisme primitif.

Il est important d'insister là-dessus, précisément parce que, parmi les « trois grands » — Pierre, Jacques et Paul —, c'est presque toujours Jacques qui est le personnage négligé dans les discussions sur le sujet. C'est logique dans la mesure où Paul a écrit, ou est dit avoir écrit, environ 40 pour cent du Nouveau Testament. Le succès de la mission de Paul chez les Gentils a modifié le christianisme de façon à accorder de plus en plus d'importance à l'influence des Gentils au cours du premier siècle. Bien sûr, Pierre est une figure centrale des Évangiles et des Actes, et deux des lettres qui lui sont attribuées sont incluses dans le Nouveau Testament. Plus tard, l'Église de Rome et la tradition catholique romaine lui ont accordé une énorme importance. Jacques a œuvré longtemps dans l'ombre de ces deux figures dominantes. Et pourtant, selon l'épître aux Galates (1-2) et les Actes 15, Pierre et Paul ont répondu à Jacques et ils ont accepté son jugement.

PROBLÈME À ANTIOCHE

Nous avons déjà mentionné le fait qu'en Galates 2 est relaté un incident à Antioche survenu aux environs de l'an 48, un incident qui révèle l'existence de tensions entre Jacques, Pierre et Paul, et plus largement entre les Juifs et les Gentils convertis au christianisme. Lorsque le mouvement de Jésus a commencé à se développer, Antioche était la ville la plus importante après Jérusalem — et éventuellement Damas — pour le recrutement des disciples, autant parmi les Juifs que les Gentils. Antioche, qui était la troisième plus grande ville de l'Empire romain, porte aujourd'hui le nom d'Antakya dans la Turquie moderne.

Selon Luc, Antioche est la ville où les disciples de Jésus furent appelés pour la première fois *christianoi* ou « chrétiens », ce qui signifie littéralement « ceux qui reconnaissent le Christ ou lui obéissent » ; le nom *Christ* vient bien sûr du mot grec *christos,* qui signifie « celui qui est béni par l'onction » ou, en termes juifs, le Messie (Actes 11.26). Un nombre significatif de païens dans cette ville sont devenus des disciples du Christ ; ces conversions ont fait surgir le problème du partage des repas et aussi la question, plus sérieuse, de la nécessité ou non pour les Gentils convertis de se conformer pleinement à la Loi de Moïse — entre autres, l'obligation de se faire circoncire ou non.

Il est clair qu'un bon nombre de disciples juifs de Jésus à Jérusalem croyaient que les Gentils devaient devenir des Juifs s'ils voulaient être des disciples de Jésus et ainsi être sauvés. Était-ce aussi le point de vue de Jacques ?

Certains exégètes ont cru que tel était le cas et ont imaginé un différend majeur entre Jacques et Paul à ce sujet. Cependant, les témoignages ne viennent pas vraiment appuyer cette théorie.

La mention en Galates 2 de l'arrivée de certains hommes envoyés « par Jacques » à Antioche — une arrivée qui a provoqué des remous — doit être rapprochée de ce que Luc en dit dans les Actes (15) : « Cependant, certaines gens descendues de Judée enseignaient aux frères : « Si vous ne vous faites pas circoncire suivant l'usage qui vient de Moïse, vous ne pouvez être sauvés. » » (v. 1). Dans l'épître aux Galates, Paul dit que même Pierre et Barnabé n'ont plus voulu accepter l'hospitalité des Gentils à cause de ces enseignements. Or, ces consignes ont aussi amené Paul et Barnabé à discuter âprement avec ces représentants de l'Église de Jérusalem. Quand cette dispute a été rapportée aux membres de la communauté de Jérusalem, Luc dit que « certaines gens du parti des Pharisiens qui étaient devenus croyants intervinrent pour déclarer qu'il fallait circoncire les païens et leur enjoindre d'observer la Loi de Moïse » (15.5).

On peut conclure naturellement que le groupe qui avait été envoyé à Antioche appartenait à la communauté des chrétiens pharisiens de Jérusalem. Cela pourrait très bien expliquer pourquoi cette histoire a suscité une telle colère chez Paul, colère que ce dernier exprime en Galates 2. Après tout, Paul avait abandonné le groupe des pharisiens lorsqu'il avait prêté allégeance à Jésus. Il croyait que la Loi de Moïse ne devait pas être imposée aux païens qui s'étaient convertis, considérant que ce n'était ni obligatoire ni suffisant pour leur procurer le salut. Du point de vue de Paul, certains adeptes à Jérusalem ne comprenaient pas les sérieuses implications que pouvait avoir un évangile proclamant que la foi en Jésus procurait le salut par la grâce et que c'était un moyen d'entrer dans la communauté du peuple de Dieu. Paul accusait ces pharisiens judéo-chrétiens d'essayer de « judaïser » ses convertis, non seulement à Antioche mais aussi en Galatie. C'est toute cette affaire qui l'a incité à écrire sa lettre aux nouveaux chrétiens de Galates.

La question cruciale devint : « Comment alors les croyants devaient-ils vivre dans la foi du Christ tout en étant juifs ou gentils ? Devait-il y avoir des communautés séparées pour chaque sorte de christianisme ? Comment tout cela allait-il permettre aux prophéties de se réaliser (la reconstitution du peuple de Dieu, y compris l'intégration des Gentils dans ce peuple) ? » Aucune question n'était plus cruciale pour le mouvement de Jésus au milieu du premier siècle de notre ère. Et, au cœur du débat, il y avait Pierre, Paul et Jacques, et c'est ce dernier qui allait résoudre le dilemme, comme nous le verrons au chapitre suivant.

CONCLUSIONS

Il est clair que Jacques était un personnage important et l'un des premiers leaders du mouvement de Jésus, reconnu pour sa piété juive et sa fidélité envers la Torah. De fait, il a eu très rapidement la réputation d'être un ascète, en quelque sorte. Il ne faut pas non plus mettre trop d'accent sur cet aspect de sa pratique religieuse car, contrairement à son frère Jésus, il était marié.

Jacques est perçu par Paul dans son épître aux Galates comme une colonne de la nouvelle Église, comprise comme le futur Temple ou Temple « eschatologique » appelé le peuple de Dieu. Il est clair que, déjà à l'époque où sont consignés les événements en Actes 12, il était le chef de l'Église de Jérusalem, ce qui est confirmé plus loin en Actes 15 et en Galates 2. D'autres participants discutent, mais c'est Jacques qui conclut. D'autres évangélisent ou agissent en tant qu'apôtres ou missionnaires, mais c'est Jacques qui donne son aval. C'est Jacques qui selon les Actes 15 a écrit l'encyclique aux Gentils convertis au christianisme, et c'est lui qui a écrit l'encyclique aux judéo-chrétiens, lettre que nous appelons l'épître de Jacques dans le Nouveau Testament. Jacques était au cœur de l'action ; il envoie des messagers et des missionnaires et ceux-ci reviennent lui faire des comptes rendus. Même à la fin des années 50, Paul continuait de récolter des fonds qu'il faisait parvenir à Jacques et aux « saints » de l'Église de Jérusalem dans l'espoir de cimenter l'union des Juifs et des Gentils (voir Romains 15).

Mais quel genre de leader Jacques était-il ? Souhaitait-il que le judéo-christianisme adopte une ligne dure, même si celle-ci risquait de nuire à l'intégration des Gentils au groupe de disciples de Jésus ? Ou a-t-il plutôt joué un rôle de médiateur ?

1. Une des façons d'aborder aujourd'hui le sujet qui s'avère très utile est celle de John Painter dans son livre *Just James* (Columbia, University of South Carolina Press, 1997).

2. Au cas où nous serions enclins à croire que Jacques était le seul qui avait développé de telles tendances parmi les premiers disciples juifs de Jésus, Paul nous dit qu'à Rome il y avait des Juifs chrétiens qui ne mangeaient pas de viande et s'abstenaient de boire du vin (voir Romains 14.2, 21).

3. Il s'agit d'un texte important qui ne doit pas être écarté à la légère. Il montre que le portrait de Jacques présenté ultérieurement comme un ascète extrêmement rigoureux constitue très probablement une exagération.

4. Le mot *Torah* réfère à l'Ancien Testament en général, ou plus particulièrement au Pentateuque, les cinq premiers livres de la Bible attribués à Moïse, et de façon encore plus précise à la Loi inscrite dans chacun de ces livres.

5. Les vœux du *nazir* sont expliqués dans le livre des Nombres (6). Ce texte dit que, si quelqu'un veut faire le serment de se « consacrer » au Seigneur d'une façon toute spéciale, il doit s'abstenir de boire du vin, d'utiliser du vinaigre de vin, du jus de raisin et de manger des raisins. Les nazirs doivent s'abstenir de se raser la tête et ils ne doivent jamais s'approcher d'un cadavre. Ce vœu est généralement considéré comme temporaire car dans le même chapitre il est dit que, lorsque la période correspondant à la durée du vœu était terminée, les participants devaient se raser le crâne et offrir des sacrifices. Au sujet de la théorie voulant que Jacques ait été un nazir, consultez le chapitre : « James in Relation to Peter, Paul, and the Remembrance of Jesus », dans le livre de Bruce Chilton, *The Brother of Jesus* (Nashville, Westminster/John Knox, 2001, p. 146-147). Je suis aussi redevable à Richard J. Bauckham d'un essai qui sera publié bientôt sur les Actes 21 et le dernier entretien de Jacques et de Paul.

6. Craig A. Evans, « Comparing Judaisms : Qumranic, Rabbinic, and Jacobean Judaisms Compared » dans *Brother of Jesus*, p. 182.

7. En comparant les versets des Actes (12.2 et 12.17), on voit clairement qu'on ne devrait jamais faire l'erreur d'identifier Jacques le fils de Zébédée et Jacques le frère de Jésus. Sur la fiabilité historique de ceci et d'autres traditions dans les Actes, consultez le livre de Ben Witherington, *The Acts of the Apostles*, Grand Rapids, MI, Eerdmans, 1998.

8. Painter, *Just James*, 43.

9. Voir les commentaires dans le livre de Ben Witherington, *Grace in Galatia*, Grand Rapids, MI, Eerdmans, 1998.

10. Voir la discussion sur le sujet dans l'annexe du livre de Ben Witherington, *The Paul Quest*, Downers Grove, IL, InterVarsity Press, 1998.

11. Voir l'excellent essai de Richard J. Bauckham, « For What Offense Was James Put to Death » dans, *James the Just and Christian Origins*, éd. Bruce Chilton and Craig A. Evans, Leiden, Brill, 1999, p. 199-231.

12. Voir Ezek 40-48 ; Jub. 1.17-28 ; Enoch 90.28-29 ; 11QTemple ; Test. Ben. 9.2.

13. Voir l'essai de Richard J. Bauckham, « James and the Gentiles (Acts 15.13-21) », dans *History, Literature, and Society in the Book of Acts*, éd. Ben Witherington, Cambridge, Cambridge University Press, 1996, p. 154-84.

14. Voir les commentaires dans le livre de Richard J. Bauckham, *Jude and the Relatives of Jesus in the Early Church*, Edinburgh, T & T Clark, 1990, p. 71-72.

9

Jacques, médiateur entre les Juifs et les Gentils

Presque tous les exégètes s'entendent pour dire qu'en Actes 15 Luc donne son point de vue sur l'un des événements les plus importants survenus au sein de l'Église primitive, le concile de Jérusalem. La perspective de Luc est aussi celle de Paul dans la mesure où Luc était étroitement associé à ce dernier. Contrairement à la réunion privée à laquelle Paul fait référence en Galates 2, cette assemblée publique fut, de toutes les assemblées de l'Église primitive, l'une de celles qui ont réuni le plus de fidèles, celle également qui risquait le plus de susciter la controverse. Si, dans la lettre adressée à ses convertis de Galates (2), Paul avait parlé de l'assemblée décrite en Actes 15, il aurait certainement mentionné le décret de Jérusalem car celui-ci stipulait que les Gentils n'étaient pas tenus de subir la circoncision. (Dans l'épître aux Galates, Paul ne dit pas un mot sur la décision de l'Église de Jérusalem, laquelle n'obligera pas les païens à se faire circoncire.)

Au milieu du premier siècle, vers l'an 49 environ, Jacques a présidé cette réunion qui marquait le premier tournant dans l'histoire du christianisme primitif. Il n'y aurait sans doute pas eu de concile si la mission chez les Gentils n'avait pas obtenu un succès aussi retentissant ; en fait, ce succès était si grand qu'il menaçait de transformer radicalement le mouvement de Jésus et de lui faire perdre son caractère judéo-chrétien original. Selon Luc, le premier voyage en mission de Paul (mentionné en Actes 13-14) couplé à la crise d'Antioche (mentionnée en Actes 12) forçaient l'Église à examiner la question de l'intégration des Gentils au sein des disciples de Jésus — sans que ceux-ci soient obligés de se faire juifs (ou du moins prosélytes ou très croyants).

Or, un autre facteur important a aussi exercé une influence. Plus tôt, au cours de cette même année (en 49), l'empereur Claude avait expulsé les Juifs et les judéo-chrétiens de Rome à la suite d'une dispute au sujet du Christ[1]. À tout point de vue, l'année 49 a été une année tumultueuse ; on peut facilement comprendre la nervosité et l'inquiétude des judéo-chrétiens de Jérusalem — particulièrement des pharisiens — devant l'ampleur prise par le mouvement de Jésus en quittant la synagogue et en acquérant son autonomie et l'éventuelle réaction à travers tout l'empire que celle-ci pouvait susciter. Que se passerait-il si, à travers tout l'empire, les gens commençaient à croire que le mouvement de Jésus ne constituait pas simplement une autre forme de judaïsme primitif — lequel avait réussi à se faire reconnaître par Rome comme une religion ancienne et respectée —, mais plutôt une nouvelle forme de superstition qui ne pourrait compter sur la tolérance dont faisaient preuve les Romains vis-à-vis des religions anciennes et indigènes de divers peuples tels que les Juifs ?

En général, les Romains permettaient aux peuples conquis de conserver leur religion, mais exigeaient qu'ils y ajoutent les cultes romains, particulièrement le culte de l'empereur. Les Juifs constituaient un cas particulier car ils étaient monothéistes et ils n'acceptaient pas de rendre un culte à d'autres divinités. Les Romains toléraient généralement les anciennes religions établies depuis longtemps mais pas les nouvelles, particulièrement si elles venaient de l'Est et qu'elles menaçaient de déstabiliser la

région. Lorsque le mouvement chrétien s'est distancé du
judaïsme, il n'a plus été perçu comme une religion ancienne et
légale. Surveillé de près, il risquait à tout moment d'être interdit ; ses adeptes devaient également vénérer l'empereur. À
l'époque des persécutions sous Néron dans les années 60, le
problème s'accentua et ne fit que s'amplifier davantage à partir
de la chute de Jérusalem en l'an 70 de notre ère.

Les gens avaient sans doute les nerfs en boule lorsque Paul
et Barnabé se sont rendus à Jérusalem pour cette assemblée.
L'Église de Jérusalem avait peut-être l'impression, à juste titre,
que les Juifs ne seraient pas attirés par le mouvement de Jésus
s'ils croyaient que les disciples n'exigeraient pas des convertis
qu'ils observent fidèlement la Loi de Moïse. Mais comment se
prononcer sur cette question sans trahir l'essence même de
l'évangile prêché aux Gentils et aux Juifs, à savoir le salut par la
grâce que procurait la foi en Jésus ? Qui formait le peuple de
Dieu et sur quelle base ? Quelle place occupaient les Gentils
dans le peuple de Dieu ? Les enjeux étaient considérables.

Voici le compte rendu de Luc sur cette réunion :

Arrivés à Jérusalem, ils [Paul et Barnabé] furent
accueillis par l'Église, les apôtres et les anciens, et ils
rapportèrent tout ce que Dieu avait fait avec eux. Mais
certaines gens du parti des pharisiens qui étaient devenus
croyants intervinrent pour déclarer qu'il fallait circoncire
les païens et leur enjoindre d'observer la Loi de Moïse.
Alors les apôtres et les anciens se réunirent pour
examiner cette question. Après une longue discussion,
Pierre se leva et dit : « Frères, vous le savez : dès les
premiers jours, Dieu m'a choisi parmi vous pour que les
païens entendent de ma bouche la parole de la Bonne
Nouvelle et embrassent la foi. Et Dieu, qui connaît les
cœurs, a témoigné en leur faveur, en leur donnant
l'Esprit saint tout comme à nous. Et il n'a fait aucune
distinction entre eux et nous, puisqu'il a purifié leur cœur

par la foi. Pourquoi donc maintenant tentez-vous Dieu en voulant imposer aux disciples un joug que ni nos pères ni nous-mêmes n'avons eu la force de porter ? D'ailleurs, c'est par la grâce du Seigneur Jésus que nous croyons être sauvés, exactement comme eux. » Alors toute l'assemblée fit silence. On écoutait Barnabé et Paul exposer tout ce que Dieu avait accompli par eux de signes et de prodiges parmi les païens (Actes 15.4-12).

Comme nous pouvons le voir, Pierre ouvre la discussion en adoptant le point de vue de Paul. Le fait que ce soit Pierre qui parle le premier s'explique par le fait que c'est lui qui a converti le premier païen (voir le récit de la conversion de Corneille en Actes 10). Paul et Barnabé racontent simplement les signes miraculeux et les prodiges accomplis par Dieu chez les païens au cours de leur périple missionnaire.

La deuxième personne à se lever pour s'adresser à l'assemblée est Jacques.

LE DISCOURS DE JACQUES

La position prise par les pharisiens chrétiens n'a pas prévalu parce que Jacques refusait d'exiger la circoncision des Gentils. Il ne s'est pas contenté non plus de répéter le discours de Pierre. Jacques était un médiateur et c'est le rôle qu'il a joué dans le règlement de ces questions litigieuses. Il prononce son discours immédiatement après le compte rendu de Paul et de Barnabé.

Quand ils eurent cessé de parler, Jacques prit la parole et dit : « Frères, écoutez-moi. Syméon [une variante de Shimon en hébreu, traduit en anglais par Simon et faisant référence ici à Pierre] a exposé comment, dès le début, Dieu a pris soin de tirer d'entre les païens un peuple réservé à son Nom. Ce qui concorde avec les paroles des Prophètes, puisqu'il est écrit : « Après cela je reviendrai et je relèverai la tente de David qui était tombée ; je relèverai ses ruines et je la redresserai, afin que le reste des hommes cherchent le Seigneur, ainsi que toutes les nations qui ont été consacrées à mon Nom, dit le Seigneur qui fait connaître ces choses depuis des siècles » » (Actes 15.13-18).

Jacques reprend là où Pierre s'est arrêté. Il fournit, semble-t-il, un appui aux arguments de Pierre en se servant des Écritures et en expliquant qu'on ne devait pas obliger les Gentils à observer la Loi de Moïse dans son intégralité[2].

Il existe plusieurs ressemblances entre certaines expressions employées dans ce discours (particulièrement 15.13 : « Frères, écoutez-moi. Syméon a exposé comment, dès le début, Dieu a pris soin de tirer d'entre les païens un peuple réservé à son Nom ») et les affirmations que l'on trouve dans l'épître de Jacques (voir 2.5 : « Écoutez, mes frères bien-aimés : Dieu n'a-t-il pas choisi les pauvres selon le monde comme riches dans la foi et héritiers du Royaume qu'il a promis à ceux qui l'aiment ? ») Ces deux passages parlent du rôle de Dieu dans le choix d'un peuple.

C'est la seule fois en Luc et dans les Actes (les deux ayant été écrits par Luc) que Pierre est appelé Syméon — la forme sémitique littérale de son nom. Cela suggère que Jacques a prononcé un discours en araméen. En tout cas, Luc souligne le caractère juif du langage employé par Jacques en utilisant ce type d'appellation.

Le discours de Jacques nous est parvenu en grec. Et, comme c'est le cas pour tous les Actes, les citations de l'Ancien Testament proviennent toujours de la Septante (ou version grecque), probablement parce que c'était la seule version que Luc connaissait et à laquelle il avait accès[3]. Mais Jacques, qui parlait l'araméen, a-t-il utilisé la Septante pour convaincre son auditoire ?

L'argumentation de Jacques est basée sur la traduction grecque d'Amos 9.12 plutôt que sur la version hébraïque de ce verset, laquelle présente une légère différence. Le texte hébreu parle de la possession « du reste d'Edom et toutes les nations qui furent appelées de mon nom ». La version grecque de l'Ancien Testament dit cependant : « afin que le reste d'Adam [c'est-à-dire les hommes] ainsi que toutes les nations qui ont été consacrées à mon nom cherchent le Seigneur ».

Nous voyons ici deux changements significatifs : 1) *Edom* devient *Adam*, de façon à ce que le verset ne fasse pas référence au rival d'Israël mais à tous les peuples, les descendants d'Adam, sans doute à l'exception des Juifs ; 2) l'idée de « possession » n'apparaît pas dans la Septante, elle est remplacée par l'idée que les nations païennes seront capables de chercher le Seigneur.

Manifestement, Jacques cite un extrait d'une version publiée de la Septante. Comme l'a montré Richard Bauckham, un expert dans les différentes interprétations des Écritures dans le judaïsme primitif et le judéo-christianisme, l'utilisation d'une citation des Écritures visant surtout à appuyer une argumentation était une pratique fort répandue[4]. Ici, l'utilisation de la Septante était tout à fait appropriée puisque c'était la version employée le plus souvent dans la Diaspora (dans les régions à l'extérieur de la Judée où vivaient des Juifs) et celle qui avait le plus de chances d'être connue par les Gentils qui craignaient Dieu ainsi que par les prosélytes (les Gentils convertis au judaïsme).

De fait, en citant les Écritures, il semble que Jacques ait combiné un passage d'Amos 9.11-12 (« En ces jours-là, je relèverai la hutte branlante de David, je réparerai ses brèches, je relèverai ses ruines, je la rebâtirai comme aux jours d'autrefois, afin qu'ils possèdent le reste d'Adam et toutes les nations qui furent appelées de mon nom, dit le SEIGNEUR qui a fait cela » LXX) et de Zacharie 2.11 (« Des nations nombreuses s'attacheront à Yahvé, en ce jour-là : elles seront pour lui un peuple. Elles habiteront au milieu de toi et tu sauras que Yahvé Sabaot m'a envoyé vers toi. »)

Jacques utilise cette citation biblique afin de montrer que Dieu relèvera la tente de David qui s'était effondrée et que les Gentils seront alors intégrés au peuple de Dieu. Jacques semble avoir été un des premiers défenseurs du rétablissement de la théologie israélite. Le Seigneur revient relever la tente d'Israël *afin que* les autres peuples puissent chercher le Seigneur. Personne ne devrait être surpris de voir arriver les païens en grand nombre au cours de cette période eschatologique (le temps de l'accomplissement était venu) puisqu'un tel afflux avait été prophétisé longtemps auparavant. On voit que ce discours avait comme objectif de préparer l'auditoire à accepter l'appui que Jacques allait donner à l'intégration des Gentils dans le mouvement de Jésus, sans exiger que ceux-ci deviennent des Juifs ou qu'ils observent la Loi de Moïse dans son intégralité. Quelle est alors la nature du compromis que Jacques a offert ce jour-là à la communauté divisée des chrétiens ?

LE DÉCRET

Après avoir cité le prophète Amos, Jacques poursuivit :

> C'est pourquoi je juge, moi, qu'il ne faut pas tracasser ceux des païens qui se convertissent à Dieu. Qu'on leur mande seulement de s'abstenir de ce qui a été souillé par les idoles, des unions illégitimes, des chairs étouffées et du sang. Car depuis les temps anciens Moïse a dans chaque ville ses prédicateurs, qui le lisent dans les synagogues tous les jours de sabbat » (Actes 15.18-21).

Après le discours de Jacques, le décret fut présenté sous forme écrite :

> Alors les apôtres et les anciens, en accord avec l'Église tout entière, décidèrent de choisir quelques-uns d'entre eux et de les envoyer à Antioche avec Paul et Barnabé. Ce furent Jude, surnommé Barsabbas, et Silas, hommes

considérés parmi les frères. Ils leur remirent la lettre suivante : « Les apôtres et les anciens, vos frères, aux frères de la gentilité qui sont à Antioche, en Syrie et en Cilicie, salut ! Ayant appris que, sans mandat de notre part, certaines gens venus de chez nous ont, par leurs propos, jeté le trouble parmi vous et bouleversé vos esprits, nous avons décidé d'un commun accord de choisir des délégués et de vous les envoyer avec nos bien-aimés Barnabé et Paul, ces hommes qui ont voué leur vie au nom de notre Seigneur Jésus-Christ. Nous vous avons donc envoyé Jude et Silas, qui vous transmettront de vive voix le même message. L'Esprit Saint et nous-mêmes avons décidé de ne pas vous imposer d'autres charges que celles-ci, qui sont indispensables : vous abstenir des viandes immolées aux idoles, du sang, des chairs étouffées et des unions illégitimes. Vous ferez bien de vous en garder. Adieu » (Actes 15.22-29).

Après avoir pris connaissance de ces deux versions du décret, nous voyons qu'elles réfèrent à une autre rencontre mentionnée en Actes 21.25 et à laquelle Jacques et Paul ont participé : « Quant aux païens qui ont embrassé la foi, nous leur avons mandé nos décisions : se garder des viandes immolées aux idoles, du sang, des chairs étouffées et des unions illégitimes. »

Malheureusement, il y a de légères variations dans ces versions du décret. La version qui semble la plus ancienne et qui explique les modifications subséquentes est celle dans laquelle sont mentionnés les éléments dont les Gentils doivent s'abstenir : 1) la viande sacrifiée aux idoles (*eidolothuton*), 2) le sang, 3) les corps étranglés et 4) la fornication (*porneia*). Si les Gentils s'abstiennent de ces choses, ils pourront se joindre au groupe des judéo-chrétiens.

Mais quelle importance les Gentils accordent-ils à ces éléments et qu'est-ce que Jacques leur demande réellement ?

Jacques exige-t-il des païens qu'ils observent les lois diététiques du Lévitique (par exemple, 17.10 : « Tout homme de la maison d'Israël ou tout étranger résidant parmi vous qui mangera du sang, n'importe quel sang, je me tournerai contre celui-là qui aura mangé ce sang, et je le retrancherai du milieu de son peuple ») ? Ou mentionne-t-il peut-être les restrictions imposées par Dieu à Noé en Genèse 9.3-4 (« Seulement vous ne mangerez pas la chair avec son âme, c'est-à-dire le sang ») ? Le décret a souvent été interprété selon cette deuxième hypothèse mais pareille perspective soulève certains problèmes.

En premier lieu, le passage de la Genèse (9.3-4) parle de l'abstinence de viande contenant du sang et ne dit pas un mot sur la « viande des idoles » ou les associations avec le culte païen. En outre, dans le judaïsme primitif, on considérait que les restrictions mentionnées en Genèse 9 concernaient les Gentils qui vivaient en Israël mais pas ceux de la Diaspora. On ne parle pas non plus dans ce texte de la Genèse de l'immoralité sexuelle.

Qu'en est-il alors des versets 17 et 18 du Lévitique ? Jacques a-t-il fait référence à ce texte et a-t-il décidé que les païens devaient respecter ces commandements ? À nouveau, ces règles s'appliquent pour les Gentils vivant en Israël et non pour ceux à qui la lettre de l'Église de Jérusalem était adressée. Les versets du Lévitique (17.10-14) interdisent de manger des aliments contenant du sang mais rien de plus. Il n'est fait aucunement mention dans ce texte du fait de manger en présence des idoles. On ne dit rien non plus des corps étranglés ; le terme *porneia* (fornication) n'est pas utilisé — ce terme décrit les aberrations sexuelles qui se produisent entre des personnes apparentées de trop près par le sang. Jacques voulait-il vraiment imposer aux Gentils ces restrictions mentionnées dans le Lévitique ? Cela semble improbable, particulièrement dans la mesure où il existe une explication beaucoup plus plausible concernant l'application du décret.

Supposons que le décret ait été appliqué autant à l'égard du lieu de rendez-vous que de la nourriture et de l'immoralité sexuelle. Alors, nous pouvons nous poser les questions suivantes : « Quel est le lieu fréquenté régulièrement par les Gentils où ces quatre éléments pouvaient constituer une source de tentation ? Quelles étaient les consignes de base les plus importantes que Dieu demandait aux peuples de respecter ? » De toute évidence, les dix commandements suggèrent qu'une personne doit abandonner l'idolâtrie et l'immoralité pour rendre un culte au Dieu de la Bible de façon convenable. C'est très probablement ce que Jacques a voulu exiger en promulguant le décret et en disant : « Éloignez-vous des temples païens, là où on rend un culte aux idoles, où il y a de la viande et du sang offerts aux idoles, des choses étranglées et où on pratique l'immoralité sexuelle[5]. »

Jacques exige donc que les Gentils oublient leur passé païen, qu'ils cessent de vénérer des idoles, d'avoir des pratiques immorales et d'assister aux cultes et aux banquets qui se déroulaient dans les temples païens. Les temples, les prêtres et les sacrifices constituaient l'essence même de la religion païenne dans l'Antiquité. Les sacrifices étaient souvent exécutés de façon rituelle, dans un contexte de festivités et de banquets. Les temples païens ressemblaient à certains clubs modernes, avec leurs associations et corporations qui permettaient aux groupes et aux individus de socialiser et de conclure des affaires entre amis. Pour les Gentils, cesser de fréquenter les temples païens ne signifiait pas uniquement s'abstenir de participer à des rituels païens. Cela signifiait abandonner une grande partie de leur réseau social.

Jacques n'impose pas de règles alimentaires comme telles aux Gentils. Si les païens acceptaient de suivre fidèlement les consignes de Jacques, tous les Juifs de l'empire pourraient être convaincus que ceux-ci respectaient l'essence même des dix commandements. La question de la participation aux fêtes païennes est abordée dans la première épître aux Corinthiens (8-10) ; on y apprend que les Gentils devenus chrétiens étaient tentés de poursuivre ces activités sociales, même après leur conversion. Paul mentionne que ces pratiques scandalisaient les judéo-chrétiens ainsi que les Juifs de Corinthe. À mon avis, Paul applique ici le décret.

Les implications de cette interprétation du décret sont importantes pour notre compréhension de Jacques. Celui-ci n'impose pas aux Gentils un minimum de règles alimentaires tirées de l'Ancien Testament. Il les presse plutôt d'effectuer une coupure définitive avec leur passé païen, particulièrement en ce qui concerne le culte païen et les repas rituels dans les temples. À cet égard, les positions idéologiques de Jacques et de Paul ne sont pas très éloignées l'une de l'autre[6].

Là où Jacques et Paul divergent d'opinions, semble-t-il, c'est sur la nécessité pour les judéo-chrétiens (et non pour les Gentils) de continuer à observer la Loi de Moïse. La réponse de Paul est non ; l'observation de ces préceptes constitue un bon choix mais non pas une exigence (voir 1 Corinthiens 9). La réponse de Jacques, apparemment, est affirmative ; les judéo-chrétiens devaient continuer à observer la Loi, notamment parce que le leader conservait l'espoir de convaincre de nombreux Juifs de devenir des disciples de Jésus.

Que devaient faire les judéo-chrétiens pour conserver des liens avec les païens convertis dont le nombre augmentait sans cesse ? Cette question litigieuse allait contribuer à creuser un fossé entre les disciples. Certains judéo-chrétiens étaient prêts à dîner avec des Gentils et donc à se retrouver temporairement en situation d'impureté, quitte à effectuer par la suite un rituel de purification. D'autres n'étaient pas disposés à le faire ; une communauté prônant un judéo-christianisme pur et dur allait donc se développer de son côté, et elle n'aurait que très peu de contacts ou de relations sociales avec les païens convertis. Quelle est alors la signification de l'épître aux Gentils de la Diaspora ?

LA LETTRE AUX GENTILS

On remarque immédiatement le ton pacifique de la lettre que l'on trouve en Actes 15.23-29. Il y est mentionné que l'Église de Jérusalem reconnaît que certains de ses membres se sont rendus chez les Gentils et ont perturbé ces derniers, et ce, sans être mandatés pour le faire. Voilà pourquoi les dirigeants ont envoyé Jude et Silas, deux représentants de l'Église de Jérusalem en compagnie de Paul et Barnabé, pour transmettre le message ou expliquer le sens de la lettre et le décret contenu dans celle-ci.

On se préoccupait également de ne pas faire porter aux païens un trop lourd fardeau (15.28), un problème soulevé par Pierre dans son discours (15.10). Rien ne devait être ajouté aux quelques éléments mentionnés dans le décret. Jude et Silas sont présentés comme des prophètes, ce qui veut dire des gens inspirés par l'Esprit et aptes à présenter fidèlement le décret.

Remarquez que ce n'est ni à Paul ni à Barnabé qu'est confiée la tâche de transmettre ou d'interpréter la lettre. Ce sont les représentants de l'Église de Jérusalem qui doivent assumer ces responsabilités. Paul et Barnabé auraient pu être accusés de présenter le décret avec un parti pris que l'Église de Jérusalem n'aurait pas nécessairement endossé. Cette habile manœuvre permettait d'éviter pareil problème.

Le portrait global de Jacques est celui d'un homme capable de compromis et suffisamment souple pour ne pas nuire à la mission chez les Gentils. Et si on reconnaît un bon leader à sa capacité de choisir la voie la plus susceptible de répondre aux besoins de toute la communauté — et non pas la voie la plus facile —, on peut dire que Jacques a passé l'épreuve haut la main. On le verra clairement en analysant le prochain récit qui fait référence à Jacques, celui de la dernière rencontre entre Jacques et Paul, telle que consignée en Actes 21.

JACQUES ET L'ARRESTATION DE PAUL

À tout point de vue, Paul était un personnage controversé ; son affirmation en 1 Corinthiens 9.20-21 — à savoir qu'il pouvait se faire juif parmi les Juifs, et gentil parmi les Gentils, car il n'était plus soumis à la Loi de Moïse mais bien à celle du Christ — était de nature à faire sourciller plusieurs Juifs, à Jérusalem et ailleurs.

En Actes 21, nous avons un exemple de cette approche pragmatique à l'égard des coutumes juives. Jacques demande à Paul de démontrer qu'il respecte la Loi en se soumettant à un vœu particulier. Ironiquement, c'est ce qui a conduit Paul à sa perte : alors qu'il était dans l'enceinte du Temple, il a été reconnu et accusé d'avoir enseigné aux Gentils à enfreindre la Loi de Moïse.

Ce récit est fait par Luc, probablement présent à Jérusalem en même temps que Paul lorsque ce dernier a remis une certaine somme d'argent, un don des Églises des Gentils à l'Église de Jérusalem pour combattre la famine qui sévissait vers l'an 58 (voir la description de Paul sur l'effort fourni en Corinthiens 16, 2, Corinthiens 8-9 et Romains 15.25-27).

À notre arrivée à Jérusalem, les frères nous reçurent avec joie. Le jour suivant, Paul se rendit avec nous chez Jacques, où tous les anciens se réunirent. Après les avoir salués, il se mit à exposer par le détail ce que Dieu avait fait chez les païens par son ministère. Et ils glorifiaient Dieu de ce qu'ils entendaient. Ils lui dirent alors : « Tu vois, frère, combien de milliers de Juifs sont devenus croyants et tous se trouvent être de zélés partisans de la Loi. Or à ton sujet ils ont entendu dire que, dans ton enseignement, tu pousses les Juifs qui vivent au milieu des païens à la défection vis-à-vis de Moïse, leur disant de ne plus circoncire leurs enfants et de ne plus suivre les coutumes. Que faire donc ? Assurément la multitude ne manquera pas de se rassembler, car on apprendra ton arrivée. Fais donc ce que nous allons te dire. Nous avons ici quatre hommes qui sont tenus par un vœu. Emmène-les, joins-toi à eux pour la purification et charge-toi des frais pour qu'ils puissent se faire raser la tête. Ainsi tout le monde saura qu'il n'y a rien de vrai dans ce qu'ils ont entendu dire à ton sujet, mais que tu te conduis, toi aussi, en observateur de la Loi (Actes 21.17-24).

Luc dit que Paul et lui-même ont été bien accueillis par les membres de l'Église de Jérusalem, ce qui signifie que le don en argent a été bien reçu également, encore que ce don n'ait pas produit les effets escomptés, à savoir tisser des liens entre les églises de la gentilité et l'Église mère de Jérusalem[7]. Le deuxième jour de leur séjour à Jérusalem, ils ont eu une rencontre avec Jacques (v. 18) à laquelle tous les anciens assistaient. Paul a présenté un compte rendu de sa mission et, en entendant ses paroles, les leaders de Jérusalem ont loué Dieu.

Puis Jacques et les anciens ont adressé une requête à Paul — le terme *adressé* n'est peut-être pas suffisamment fort dans la circonstance. Jacques se préoccupait des milliers de Juifs qui croyaient en Jésus mais qui observaient aussi la Loi avec zèle. Il semble que ceux-ci avaient entendu dire que Paul enseignait aux Gentils à se détourner de la Loi de Moïse. Pour calmer les esprits, on a demandé à Paul de se joindre à un groupe de quatre hommes qui allaient effectuer certains rites de purification et de payer leurs dépenses (à même les fonds réunis lors de la collecte ?). L'objectif était de montrer que Paul vivait conformément à la Loi.

On ne dit pas de manière précise que cette requête a été formulée par Jacques mais, à tout le moins, qu'il l'approuvait. Ont-ils demandé à Paul de renier ses principes ? Était-ce une façon de jeter de la poudre aux yeux alors que la réalité était tout autre ? Paul a-t-il vu là une occasion de montrer qu'il pouvait être « un Juif parmi les Juifs » ? Il a peut-être perçu la situation sous cet angle mais, évidemment, le mieux qu'il pouvait faire était de montrer à tous qu'il observait parfois la Loi et qu'il était heureux d'afficher ses convictions à cette occasion.

Nous voyons ici que Jacques tenait beaucoup à ce témoignage de la foi pour les Juifs pratiquants et les Juifs convertis qui observaient encore la Loi. Il ne voulait pas que ce témoignage soit affaibli, particulièrement par le refus de Paul de se conformer à la Loi alors qu'il visitait Jérusalem. Le paiement des rites de purification pour d'autres personnes n'était pas obligatoire mais optionnel selon la Loi ; or, en le faisant, Paul pouvait démontrer qu'il était un Juif très pieux. Par contre, comme nous le savons, ce plan a eu l'effet inverse et Paul a passé les deux années suivantes en assignation à résidence dans Césarée Maritime, endroit où vivait le proconsul.

Devrions-nous prendre au sérieux l'affirmation voulant qu'il y ait eu des « milliers » de Juifs pratiquants parmi les premiers chrétiens à Jérusalem ? Je crois que oui ; et ceux-ci étaient contents, semble-t-il, d'avoir Jacques pour chef. Jacques était aussi un Juif pratiquant et il croyait que tous les judéo-chrétiens devaient observer la Loi, ce qui laisse entendre qu'il a dû avoir de sérieux différends avec Paul à ce sujet car, après être devenu un disciple de Jésus, Paul considérait que les chrétiens n'étaient pas obligés d'observer la Loi.

Mais Jacques a-t-il critiqué dans ses écrits les positions de Paul ou a-t-il dénoncé les fréquentes méprises à son sujet (comme en Actes 21.21) ? Dans le prochain chapitre, nous analyserons l'épître de Jacques et nous verrons si nous pouvons éclaircir cette question.

Le récit en Actes 21 nous apprend que Jacques était encore vivant à la fin des années 50. En fait, Luc ne mentionne nulle part la mort de Jacques dans ses récits. Luc et Paul ont quitté Rome vers l'an 60 de notre ère, donc avant que Festus ne quitte son poste et avant la mort de Jacques, laquelle est survenue durant l'interrègne entre Festus et Albinus en l'an 62. Luc ne savait probablement pas à ce moment-là que Jacques était mort car il avait quitté les environs de Jérusalem avant. Cela signifie également que Jacques était encore vivant quand Luc a quitté la région en 60. Bref, les témoignages des Actes, de Josèphe et de l'ossuaire nous indiquent que la mort de Jacques s'est produite après l'an 60.

CONCLUSIONS

Lorsque des personnes possèdent des aptitudes leur permettant de régler des situations délicates impliquant des gens ou des groupes qui ne partagent pas les mêmes opinions, il arrive parfois que ces personnes, obligées de faire des compromis, soient perçues comme des gens dépourvus de principes solides et enclins à se diriger là où le vent les pousse. Une telle critique ne rendrait pas justice à Jacques. Ce dernier était juif et respectait fidèlement la Torah ; il avait consacré sa vie à Jésus qu'il considérait comme le Messie juif. Il fut le premier grand leader de l'Église à être fermement convaincu de la nécessité d'intégrer dans ce mouvement religieux les Gentils ainsi que les Juifs qui continuaient à observer la Loi de Moïse. Mais comment accomplir tout cela ?

Si Jacques avait insisté — comme le faisaient certains pharisiens judéo-chrétiens qui avaient opté pour la ligne dure —, s'il avait exigé que les Gentils quel que soit leur âge subissent la circoncision et respectent toutes les exigences de la Loi, il ne fait pas de doute qu'il aurait été pratiquement impossible d'intégrer un grand nombre de païens dans l'Église. D'un autre côté, faute d'un compromis acceptable, tant les Juifs que les judéo-chrétiens qui observaient la Loi pouvaient, scandalisés, décider de rejeter ou d'abandonner le mouvement de Jésus. Jacques a décidé de s'en tenir au cœur de la Loi et donc à l'essence même des dix commandements exigeant que les adeptes ne vénèrent pas d'idoles et se gardent de l'immoralité.

Jacques n'impose pas aux Gentils de la Diaspora les règles alimentaires que l'on retrouve dans le Lévitique ou la Genèse. Il dit essentiellement ce que Paul lui-même exige dans des textes tels que la première épître aux Thessaloniciens (1.9) (« Vous

vous êtes tournés vers Dieu, abandonnant les idoles pour servir le Dieu vivant et véritable ») ainsi que la première épître aux Corinthiens (8-10). Les Gentils ne devaient plus fréquenter les temples païens et devaient abandonner les pratiques réputées courantes en ces lieux — rendre un culte à de faux dieux, rendre un culte à une idole en mangeant de la viande contenant du sang et participer à des activités sexuelles immorales durant les fêtes païennes. En d'autres mots, il veut que les Gentils abandonnent complètement les pratiques religieuses païennes traditionnelles.

Jacques était convaincu que les Gentils devenus disciples de Jésus devaient satisfaire ces exigences minimales pour que subsiste l'espoir de tisser des liens entre eux et les Juifs, de les voir partager le même culte et même des repas communautaires. Il pensait peut-être aussi que, lorsque les Juifs et les Gentils mangeraient ensemble, ces derniers auraient la délicatesse de ne pas scandaliser les croyants juifs en imposant à la communauté leurs propres croyances quant à la nourriture et les boissons non kasher (voir Romains 14).

Sur ce sujet, la similarité entre la pensée de Jacques et celle de Paul est remarquable. Néanmoins, à la différence de Paul, Jacques croyait que les Juifs devenus chrétiens devaient continuer à observer la Loi de Moïse. Si le point de vue de Jacques avait prévalu pour les judéo-chrétiens de la Diaspora, autant en ce qui concerne leur pratique que la perception qu'ils avaient des Gentils et des relations qu'ils souhaitaient entretenir avec ces derniers, un plus grand nombre de Juifs auraient peut-être intégré le mouvement de Jésus. Les choses se sont passées de façon telle que le point de vue de Paul a prévalu — sa conception de la Loi de Moïse et le libre arbitre accordé au pratiquant quant à l'observance de cette loi — et l'Église est devenue progressivement une entreprise de la gentilité.

Peut-être qu'à la fin Jacques lui-même ne voulait plus que les judéo-chrétiens de la Diaspora concentrent toute leur attention sur ces rituels qui les dissociaient des autres communautés comme la circoncision, le sabbat, le respect de la Loi et des règles alimentaires. Il avait peut-être entrevu autre chose au cœur de la piété judéo-chrétienne. Qu'est-ce que cela pouvait être ? Dans le prochain chapitre, nous essaierons de répondre à cette question en examinant la lettre de Jacques adressée aux judéo-chrétiens de la Diaspora.

1. Voir la discussion dans le livre de Ben Witherington, *The Acts of the Apostles*, Grand Rapids, MI, Eerdmans, 1998, 539-44.

2. Voir le chapitre intitulé « James and the Gentiles (Acts 15.13-21) » dans le livre de Richard J. Bauckham : *History, Literature, and Society in the Book of Acts*, éd. Ben Witherington, Cambridge, Cambridge University Press, 1996, p. 154-184.

3. Rien ne nous porte à croire que Luc connaissait l'hébreu ou l'araméen. Dans ses deux livres, son Évangile et les Actes, il omet systématiquement les mots et les phrases en araméen, des mots ou expressions que l'on retrouve dans l'Évangile de Marc, lequel est plus ancien.

4. Voir Bauckham, « James and the Gentiles », p. 160-161.

5. La preuve que telle est l'exigence de Jacques ici réside dans le terme *idolothuton*, un terme technique signifiant « viande sacrifiée et consommée en présence d'une idole ». Ce n'est pas un terme utilisé pour parler de la viande que l'on retrouve dans une boucherie tenue par un Gentil. J'ai examiné les 112 occurrences de ce mot, lesquelles n'apparaissent que dans les textes chrétiens et dans deux textes influencés par le christianisme. Ce terme est toujours utilisé en relation avec le culte rendu à une idole et il réfère littéralement à la souillure ou aux offrandes inspirées par les idoles. Voir en Actes 15.20 où il est expliqué clairement que Jacques parle d'aliments souillés par les idoles ; certains Juifs croyaient en effet que c'est ce qui se passait dans les temples lorsqu'un repas avait lieu en présence des statues des idoles. Remarquez que, dans la première épître aux Corinthiens (10.20-21), Paul dit que manger en présence des idoles équivaut à dîner avec les démons. En d'autres mots, certains Juifs croyaient que les dieux païens n'étaient pas des dieux mais qu'ils étaient néanmoins de véritables êtres spirituels, à savoir des démons, lesquels pouvaient affecter de façon négative un croyant et sa nourriture s'il communiait en leur présence. En outre, le terme *porneia* provient du mot *porne* (duquel est issu le mot *pornographie*) dont la racine signifie « prostitution » et, dans ce cas-ci, prostitution dans le temple.

6. Voir le livre de Ben Witherington, *Conflict and Community in Corinth*, Grand Rapids, MI, Eerdmans, 1995, p. 186-232.

7. Paul a peut-être vu la collecte dans une perspective eschatologique, comme une façon d'accomplir les prophéties concernant les Gentils qui devaient se rendre à Jérusalem et faire des offrandes.

10

JACQUES LE SAGE

Les Évangiles ne mentionnent le nom de Jacques qu'en passant. Jacques n'a, semble-t-il, occupé le devant de la scène et n'est devenu le leader de l'Église mère de Jérusalem et de la communauté judéo-chrétienne qu'après sa rencontre avec Jésus ressuscité, rencontre qui a changé radicalement sa vie. Paul ne mentionne le nom de Jacques que dans sa première correspondance et seulement lorsqu'il a une raison de le faire. Luc, dans ses écrits sur les premières années du christianisme, nous donne évidemment des renseignements plus détaillés sur Jacques car celui-ci était alors une figure extrêmement importante du mouvement, mais il n'est cité que dans les Actes 15 et 21 et uniquement sous une forme succincte. Pour connaître la pensée de Jacques de manière exhaustive, le mieux est d'examiner minutieusement le document du Nouveau Testament qui porte son nom.

Nous avons déjà vu que Jacques savait utiliser de façon créative la Bible hébraïque, tout en se servant de la traduction grecque plutôt que du texte hébreu lorsque cette interprétation lui convenait davantage. Cela nous porte à croire que Jacques était probablement bilingue. À l'instar de Jésus, sa langue maternelle était l'araméen mais, lorsqu'il écrivait aux Juifs ou aux judéo-chrétiens de la Diaspora, il devait utiliser le grec. Il faisait peut-être alors appel aux services d'un scribe (tout comme Paul), ou encore il était peut-être capable d'écrire lui-même en grec.

Ainsi donc, Jacques a-t-il écrit le livre du Nouveau Testament qui porte son nom ?

QUI EST L'AUTEUR DE L'ÉPÎTRE DE JACQUES ?

Les exégètes ne s'entendent pas sur la question de savoir si Jacques a écrit l'épître qui porte son nom. Cependant, un grand nombre d'entre eux pensent qu'il en est l'auteur ou, à tout le moins, que cette lettre reflète bien ses idées, même si un éditeur a éventuellement réorganisé par la suite et peaufiné la matière à la source de ce texte[1]. Jacques s'exprime dans un grec *Koine* de bonne qualité (le grec couramment parlé à l'époque du Nouveau Testament) ; il fait un usage exhaustif de la rhétorique, ce qui a éveillé les soupçons des exégètes, qui se sont interrogés sur la capacité d'un fils de charpentier à employer un langage aussi recherché.

Cet argument est cependant discutable. Paul aussi a utilisé la rhétorique de façon très subtile dans ses lettres ; il a probablement étudié cet art — l'art de la persuasion — dans une école de Jérusalem. Que Jacques ait fait ou non un tel apprentissage, il n'en demeure pas moins qu'il existait à Jérusalem de nombreux scribes ayant eu accès à un tel enseignement. Le scribe est l'équivalent d'un secrétaire moderne et, à l'exemple de ce dernier, selon le degré de confiance qu'on lui accordait, il disposait d'une certaine marge de liberté dans la composition des lettres qui lui étaient dictées. Jacques peut avoir engagé un tel scribe pour composer la lettre adressée aux Juifs ou aux judéo-chrétiens de la Diaspora qui parlaient grec.

Plusieurs indices nous portent à croire que, finalement, cette lettre reflétait les opinions de Jacques. Premièrement, il y a l'humble façon employée par l'auteur pour s'identifier — il est,

dit-il, un « serviteur de Dieu et du Seigneur Jésus-Christ » (1.1).
Dans la mesure où cette lettre se fait l'écho des enseignements
de Jésus, il est normal que l'écrivain s'identifie comme un
serviteur du maître enseignant, Jésus (nous explorerons cet
aspect un peu plus loin). En outre, un écrivain chrétien d'une
période plus tardive aurait probablement mentionné que Jacques
était le frère de Jésus ou lui aurait donné le titre de Jacques le
Juste de Jérusalem. Cette façon de s'identifier en Jacques 1.1 est
simple et paraît authentique. On tient pour acquis que les
destinataires de la lettre sauront de quel Jacques il s'agit. Il n'y
a qu'un seul Jacques auquel le Nouveau Testament fait référence
sans ajouter un qualificatif plus explicite et c'est Jacques, le
frère de Jésus.

Remarquez, par exemple, le respect témoigné à Jacques et la
reconnaissance de son autorité en Jude verset 1 : « Jude,
serviteur de Jésus-Christ, frère de Jacques ». Comme Richard
Bauckham l'a expliqué en long et en large, il y a de fortes
chances pour que la courte lettre de Jude ait été écrite par un
autre frère de Jésus[2]. Le fait que les deux frères s'identifient eux-
mêmes comme des serviteurs de Jésus est en soi significatif.
Remarquez aussi que Jude s'identifie également en relation avec
Jacques, même si ce dernier ne lui rend pas la réciproque dans
sa lettre[3]. Cela suggère que le Jacques en question n'était pas
tenu d'asseoir son autorité ou de s'identifier plus précisément
pour son auditoire.

Nous pouvons considérer en toute confiance que, dans son
épître, de Jacques exprime véritablement sa pensée, même s'il
s'est fait aider par un scribe ou si un autre judéo-chrétien a
apporté certaines modifications au texte par la suite.

LES DESTINATAIRES DE LA LETTRE

La lettre de Jacques est adressée aux « douze tribus de la
Diaspora ». Le terme *Diaspora* signifie littéralement « dispersion » et il fait référence aux Juifs vivant en dehors de la Terre
sainte. Cette appellation est habituellement utilisée pour faire

référence aux Juifs vivant à l'extérieur d'Israël, mais elle ne fait pas référence à l'Église. Par contre, il ne faut pas oublier que les premiers disciples juifs de Jésus, dont Jacques, ne se percevaient pas comme les fondateurs d'une nouvelle religion. L'étude du contenu de la lettre de Jacques fait apparaître clairement que celle-ci était adressée aux judéo-chrétiens résidant à l'extérieur de la Terre sainte, mais l'auteur n'utilise pas de termes chrétiens particuliers pour identifier l'auditoire, tels que « dans le Christ », ou le terme *Christianoi* (« adeptes de » ou « appartenant au Christ ») duquel est tiré le terme *chrétien*.

À nouveau Bauckham peut nous éclairer : « Les premiers judéo-chrétiens ne se percevaient pas comme formant une secte distincte des autres communautés juives, mais comme le noyau du renouveau messianique au sein du peuple d'Israël, lequel était déjà en cours et allait se propager à tout Israël […] Les propos de Jacques adressés en pratique à ces Juifs qui avaient déjà reconnu le Messie en la personne de Jésus s'adressent aussi en principe à Israël en entier[4]. »

Cette façon de s'adresser à un auditoire nous apprend autre chose. Le message a été écrit en Israël et non pas dans une autre région où vivaient des Juifs de la Diaspora. Et il n'y a pas de lieu plus approprié en Israël que Jérusalem, de communauté plus susceptible de distribuer cette circulaire (c'est-à-dire une lettre recopiée et transmise à d'autres personnes) que la communauté des premiers judéo-chrétiens.

Cette épître a probablement été écrite une dizaine d'années avant la mort de Jacques (autour de l'an 52), après le concile de Jérusalem, et, puisque cette question est abordée dans la lettre, après que les gens de la Diaspora eurent réalisé l'impact de l'évangile de Paul. Si tout ceci est exact, il est permis de conclure que la lettre de Jacques et la lettre aux Gentils adressée à la suite du concile et citée en Actes 15 sont intimement liées. Après avoir écrit aux pagano-chrétiens de la Diaspora, Jacques a écrit aux judéo-chrétiens de la Diaspora afin de leur expliquer, à eux aussi, la conduite à tenir.

Cette lettre avait pour objectif de dissiper la confusion créée par certaines interprétations du message de Paul et d'aider les destinataires à consolider leur engagement dans la tradition juive, quelles que soient les diverses façons envisageables de concevoir la vie et la pratique religieuse. La circulaire de Jacques nous ouvre une remarquable fenêtre sur l'esprit de ce dernier et sa façon de percevoir ses compagnons judéo-chrétiens.

JACQUES ET LA TRADITION DE JÉSUS

La lettre de Jacques possède plusieurs caractéristiques dont l'utilisation de plusieurs mots (soixante, pour être précis) qu'on ne retrouve nulle part ailleurs dans le Nouveau Testament. Manifestement, Jacques avait un style et un vocabulaire bien à lui. Néanmoins, il a été profondément influencé par les enseignements de Jésus et par d'autres formes d'expression de la sagesse contenues dans la littérature juive primitive.

Les réflexions que nous trouvons en Jacques sont le reflet du riche héritage de la sagesse juive accumulé au fil des ans et transmis par la littérature avec ses proverbes, aphorismes, énigmes, paraboles et autres conseils de sagesse sur des sujets liés à la vie quotidienne, par exemple que faire de son argent, comment prier, considérer la maladie, tenir sa langue. On trouve ce genre de conseils spirituels dans les Proverbes, l'Ecclésiaste, la Sagesse de Salomon, Sirac et ailleurs. Mais chose plus importante encore, Jacques est redevable à Jésus et à ses leçons de sagesse exprimées dans le Sermon sur la montagne (Matthieu 5-7) avec une version plus courte en Luc 6). Une comparaison attentive entre certaines parties du sermon de Jésus, particulièrement sous la forme qu'on trouve en Matthieu (et qui a un caractère juif plus accentué), et la lettre de Jacques nous fait voir tout ce que ce dernier doit à son frère et ce qu'il retient de ses enseignements[5] :

Sur la manière d'affronter l'adversité dans la joie :

Jacques 1.2 : « Tenez pour une joie suprême, mes frères, d'être en butte à toutes sortes d'épreuves. »

Matthieu 5.11-12 : « Heureux êtes-vous quand on vous insultera, qu'on vous persécutera et qu'on dira faussement contre vous toutes sortes d'infamies à cause de moi. Soyez dans la joie et l'allégresse, car votre récompense sera grande dans les cieux ; c'est bien ainsi qu'on a persécuté les prophètes, vos devanciers. »

Luc 6.22-23 : « Heureux êtes-vous, quand les hommes vous haïront, quand ils vous frapperont d'exclusion et qu'ils insulteront et proscriront votre nom comme infâme, à cause du Fils de l'Homme. »

Jacques 1.4 : « Mais que la constance s'accompagne d'une œuvre parfaite, afin que vous soyez parfaits, irréprochables, ne laissant rien à désirer. »

Matthieu 5.48 : « Vous donc, vous serez parfaits comme votre Père céleste est parfait. »

Sur la disposition du Père à donner :

Jacques 1.5 : « Si l'un de vous manque de sagesse, qu'il la demande à Dieu — il donne à tous généreusement, sans récriminer — et elle lui sera donnée. »

Matthieu 7.7 : « Demandez et l'on vous donnera ; cherchez et vous trouverez ; frappez et l'on vous ouvrira. »

Jacques 1.17 : « Tout don excellent, toute donation parfaite vient d'en haut et descend du Père des lumières, chez qui n'existe aucun changement, ni l'ombre d'une variation. »

Matthieu 7.11 : « Si donc vous, qui êtes mauvais, vous savez donner de bonnes choses à vos enfants, combien plus votre Père qui est dans les cieux en donnera-t-il de bonnes à ceux qui l'en prient ! »

Sur l'importance de vivre en accord avec sa foi :

Jacques 1.22 : « Mettez la Parole en pratique. Ne soyez pas seulement des auditeurs qui s'abusent eux-mêmes ! »

Matthieu 7.24 : « Ainsi quiconque écoute ces paroles que je viens de dire et les met en pratique peut se comparer à un homme avisé qui a bâti sa maison sur le roc. »

Luc 6.46-47 : « Pourquoi m'appelez-vous 'Seigneur, Seigneur' et ne faites-vous pas ce que je dis ? Quiconque vient à moi, écoute mes paroles et les met en pratique, je vais vous montrer à qui il est comparable. »

Jacques 1.23 : « Qui écoute la Parole sans la mettre en pratique ressemble à un homme qui observe sa physionomie dans un miroir. »

Matthieu 7.26 : Et quiconque entend ces paroles que je viens de dire et ne les met pas en pratique peut se comparer à un homme insensé qui a bâti sa maison sur le sable. »

Luc 6.49 : Mais celui au contraire qui a écouté et n'a pas mis en pratique est comparable à un homme qui aurait bâti sa maison à même le sol, sans fondations. Le torrent s'est rué sur elle, et aussitôt elle s'est écroulée ; et le désastre survenu à cette maison a été grand ! »

Sur le préjugé favorable de Dieu envers le pauvre :

Jacques 2.5 : « Écoutez, mes frères bien-aimés : Dieu n'a-t-il pas choisi les pauvres selon le monde comme riches dans la foi et héritiers du Royaume qu'il a promis à ceux qui l'aiment ?

Matthieu 5.3-5 : « Heureux les pauvres en esprit, car le Royaume des Cieux est à eux [...] Heureux les doux car ils posséderont la terre. »

Luc 6.20 : « Heureux, vous les pauvres, car le Royaume de Dieu est à vous. »

Sur l'observance des commandements :

Jacques 2.10 : « Aurait-on observé la Loi tout entière, si l'on commet un écart sur un seul point, c'est du tout qu'on devient justiciable. »

Matthieu 5.18-19 : « Car je vous le dis, en vérité : avant que ne passent le ciel et la terre, pas un i, pas un point sur le i ne passera de la Loi, que tout ne soit réalisé. Celui donc qui violera l'un de ces moindres préceptes, et enseignera aux autres à faire de même, sera tenu pour le moindre dans le Royaume des Cieux ; au contraire, celui qui les exécutera et les enseignera, celui-là sera tenu pour grand dans le Royaume des Cieux. »

Jacques 2.11 : « Car celui qui a dit : ' Tu ne commettras pas d'adultère ', a dit aussi : ' Tu ne commettras pas de meurtre. ' Si donc tu évites l'adultère, mais que tu commettes un meurtre, te voilà devenu transgresseur de la Loi. »

Matthieu 5.21-22 : « Vous avez entendu qu'il a été dit aux ancêtres : ' Tu ne tueras point ' ; et ' si quelqu'un tue, il en répondra au tribunal '. Eh bien ! moi je vous dis : Quiconque se fâche contre son frère en répondra au tribunal ; mais s'il dit à son frère : « Crétin ! », il en répondra au Sanhédrin ; et s'il lui dit : « Renégat ! », il en répondra dans la géhenne de feu. »

Sur l'importance du pardon :

Jacques 2.13 : « Car le jugement est sans miséricorde pour qui n'a pas fait miséricorde ; mais la miséricorde se rit du jugement. »

Matthieu 5.7 : « Heureux les miséricordieux, car ils obtiendront miséricorde. »

Luc 6.36 : Montrez-vous compatissants, comme votre Père est compatissant. »

Sur le témoignage de la foi par les gestes :

Jacques 3.12 : « Un figuier, mes frères, peut-il donner des olives, ou une vigne des figues ? L'eau de mer ne peut pas non plus donner de l'eau douce. »

Matthieu 7.16-18 : « C'est à leurs fruits que vous les reconnaîtrez. Cueille-t-on des raisins sur des épines ? Ou des figues sur des chardons ? Ainsi tout arbre bon produit de bons fruits, tandis que l'arbre gâté produit de mauvais fruits. Un bon arbre ne peut porter de mauvais fruits, ni un arbre gâté porter de bons fruits. »

Luc 6.43-44 : « Il n'y a pas de bon arbre qui produise un fruit gâté, ni inversement d'arbre gâté qui produise un bon fruit. Chaque arbre en effet se reconnaît à son propre fruit ; on ne cueille pas de figues sur des épines, on ne vendange pas non plus de raisins sur des ronces. »

L'éloge des pacifistes :

Jacques 3.18 : « Un fruit de justice est semé dans la paix pour ceux qui produisent la paix. »

Matthieu 5.9 : « Heureux les artisans de paix, car ils seront appelés fils de Dieu. »

Sur l'importance de s'adresser à Dieu :

Jacques 4.2-3 : « Vous convoitez et ne possédez pas ? Alors vous tuez. Vous êtes jaloux et ne pouvez obtenir ? Alors vous bataillez et vous faites la guerre. Vous ne possédez pas parce que vous ne demandez pas. Vous demandez et ne recevez pas parce que vous demandez mal, afin de dépenser pour vos passions. »

Matthieu 7.8 : « Car quiconque demande reçoit ; qui cherche trouve ; et à qui frappe on ouvrira. »

Mise en garde contre l'attachement aux biens de ce monde :

Jacques 4.4 : « Adultères, ne savez-vous pas que l'amitié pour le monde est inimitié contre Dieu ? Qui veut donc être ami du monde se rend ennemi de Dieu. »

Matthieu 6.24 : « Nul ne peut servir deux maîtres : ou il haïra l'un et aimera l'autre, ou il s'attachera à l'un et méprisera l'autre. Vous ne pouvez servir Dieu et l'Argent. »

Luc 16.13 : « Nul serviteur ne peut servir deux maîtres : ou il haïra l'un et aimera l'autre, ou il s'attachera à l'un et méprisera l'autre. Vous ne pouvez servir Dieu et l'Argent. »

Sur la relation entre la pureté et l'intimité avec Dieu :

Jacques 4.8 : « Approchez-vous de Dieu et il s'approchera de vous. Purifiez vos mains, pécheurs ; sanctifiez vos cœurs, gens à l'âme partagée. »

Matthieu 5.8 : « Heureux les cœurs purs, car ils verront Dieu. »

Sur la bénédiction du deuil :

Jacques 4.9 : « Voyez votre misère, prenez le deuil, pleurez. Que votre rire se change en deuil et votre joie en tristesse. »

Matthieu 5.4 : « Heureux les affligés, car ils seront consolés. »

Luc 6.25 : « Malheureux êtes-vous, qui êtes repus maintenant ! car vous aurez faim. Malheureux, vous qui riez maintenant ! car vous connaîtrez le deuil et les larmes. »

Mise en garde contre les jugements portés sur les autres :

Jacques 4.11 : « Ne médisez pas les uns des autres, frères. Celui qui médit d'un frère ou qui juge son frère médit de la Loi et juge la Loi. Or si tu juges la Loi, tu n'es pas l'observateur de la Loi mais son juge. »

Matthieu 7.1-2 : « Ne jugez pas, afin de n'être pas jugés ; car, du jugement dont vous jugez on vous jugera, et de la mesure dont vous mesurez on mesurera pour vous. »

Luc 6.37-38 : « Ne jugez pas, et vous ne serez pas jugés ; ne condamnez pas, et vous ne serez pas condamnés ; remettez, et il vous sera remis. Donnez, et l'on vous donnera ; c'est une bonne mesure, tassée, secouée, débordante, qu'on versera dans votre sein ; car de la mesure dont vous mesurez on mesurera pour vous en retour. »

Mise en garde contre le piège de la richesse :

Jacques 5.2-3 : « Votre richesse est pourrie, vos vêtements sont rongés par les vers. Votre or et votre argent sont rouillés, et leur rouille témoignera contre vous : elle dévorera vos chairs ; c'est un feu que vous avez thésaurisé dans les derniers jours ! »

Matthieu 6.19-21 : « Ne vous amassez point de trésors sur la terre, où la mite et le ver consument, où les voleurs percent et cambriolent. Mais amassez-vous des trésors dans le ciel : là, point de mite ni de ver qui consument, point de voleurs qui perforent et cambriolent. Car où est ton trésor, là sera aussi ton cœur. »

Luc 12.33 : « Prenez vos biens, et donnez-les en aumône. Faites-vous des bourses qui ne s'usent pas, un trésor inépuisable dans les cieux, où ni voleur n'approche ni mite ne détruit. »

Mise en garde contre les jurons :

Jacques 5.12 : « Mais avant tout, mes frères, ne jurez ni par le ciel ni par la terre, n'usez d'aucun autre serment. Que votre oui soit oui, que votre non soit non, afin que vous ne tombiez pas sous le jugement. »

Matthieu 5.34-37 : « Eh bien ! moi je vous dis de ne pas jurer du tout : ni par le Ciel, car c'est le trône de Dieu ; ni par la Terre, car c'est l'escabeau de ses pieds ; ni par Jérusalem, car c'est la Ville du grand Roi. Ne jure pas non plus par ta tête, car tu ne peux en rendre un seul cheveu blanc ou noir. Que votre langage soit : « Oui ? Oui », « Non ? Non » : ce qu'on dit de plus vient du Mauvais[6]. »

Ces parallèles entre les enseignements de Jésus et de Jacques montrent clairement que Jacques connaissait un bon nombre de citations de Jésus sous une forme ou une autre. Ces parallèles détruisent la théorie avancée par certaines personnes voulant que le livre de Jacques soit une sorte de traité non messianique, non judéo-chrétien, tout juste légèrement christianisé[7]. Au contraire, Jacques dans son épître est profondément redevable à son frère Jésus.

Ce qui est le plus frappant dans l'utilisation que Jacques fait de la tradition de Jésus, c'est qu'il la cite rarement et qu'il ne l'attribue pas non plus à Jésus. Au lieu de cela, il intègre à ses propres convictions différentes idées, phrases ou divers thèmes de l'enseignement de Jésus. Parfois les parallèles sont évidents, tout à fait frappants, par exemple dans les aphorismes sur la perfection (Jacques 1.4 et Matthieu 5.48) et sur la nécessité de garder la paix (Jacques 3.18 et Matthieu 5.9) —, lesquels constituent les deux seules références aux pacifistes dans le Nouveau Testament. En se basant sur les parallèles entre le texte de Jacques et les citations de Jésus que l'on trouve en Matthieu, Patrick J. Hartin en est arrivé à une conclusion plutôt convaincante : il y a de plus grandes probabilités que la forme hébraïque des aphorismes de Jésus retrouvés en Matthieu soit plus près de la forme originale dans laquelle Jésus les a exprimés que la forme plus hellénisée (ou même paganisée) des aphorismes telle qu'on la retrouve en Luc[8].

LA SAGESSE DE JACQUES

Dans la tradition juive, la littérature de la sagesse vise à transmettre une sagesse pratique servant dans la vie de tous les jours. Or, Jacques offre certains conseils distinctifs qui, encore une fois, font écho aux enseignements de son frère. En outre, les brèves paroles de sagesse en Jacques 1.23-24 (mise en garde contre le fait d'écouter la Parole sans la mettre en pratique), 2.2-4 (avertissement de ne pas faire de distinction en se basant sur le statut social des personnes) et 2.15-17 (mise en garde contre les bonnes pensées sans les bonnes actions) sont le reflet de la dette de Jacques envers la tradition de Jésus, car cette forme d'expression de la sagesse n'était pas caractéristique de la littérature de la sagesse juive avant Jésus.

Au début, Jacques affirme clairement que nous devons rechercher « la sagesse d'en haut » pour supporter les épreuves de la vie et résister aux tentations. « Si l'un de vous manque de sagesse, qu'il la demande à Dieu — il donne à tous généreusement, sans récriminer — et elle lui sera donnée » (1.5). L'auditeur[9] n'est pas exhorté à étudier les enseignements de Jésus ou la Loi. On l'enjoint de prier pour obtenir la sagesse « d'en haut » (Jacques 3.13-18). Jacques utilise la même théologie que Jésus en ce qui a trait à l'importance d'une révélation nouvelle pour guider le peuple de Dieu dans ces temps difficiles. Cette approche ressemble beaucoup à celle que l'on retrouve dans la Sagesse de Salomon (7.7-8), un texte de la période intertestamentaire : « C'est pourquoi j'ai prié, et l'intelligence m'a été donnée, j'ai invoqué, et l'esprit de Sagesse m'est venu. » (La période intertestamentaire est l'époque entre l'écriture du dernier ouvrage de la Bible hébraïque — aux environs du deuxième siècle avant notre ère — et l'écriture du Nouveau Testament[10].) Contrairement à certains sages d'une période beaucoup plus ancienne de l'histoire d'Israël, tels que ceux qui ont contribué au livre des Proverbes, Jacques n'exhorte pas son auditoire à observer la vie ou à étudier la nature afin de développer la sagesse. Il affirme plutôt que la sagesse peut être obtenue directement de Dieu ou enseignée de maître à élève.

Une autre caractéristique de la sagesse de Jacques tient au fait qu'elle est destinée aux marginaux ou aux minorités opprimées. Par exemple, les propos de Jacques au sujet de la richesse et des riches — en Jacques 2.6 : « Mais vous, vous méprisez le pauvre ! N'est-ce pas les riches qui vous oppriment ? N'est-ce pas eux qui vous traînent devant les tribunaux ? » et en 5.1-5 v. 3 : « Votre or et votre argent sont rouillés » — ressemblent beaucoup à ce que Jésus dit en Matthieu 6.19 : « Ne vous amassez point de trésors sur la terre. » Ici encore Jacques est solidaire de Jésus — et il se dresse contre la sagesse juive traditionnelle affirmant que la richesse est une bénédiction de Dieu. Du point de vue de Jacques et de Jésus — les frères de la ville marginale de Nazareth —, la richesse était une tentation dangereuse et un piège dans lequel tombaient souvent les gens.

Dans sa lettre, Jacques n'exprime pas son opinion sur tous les sujets qu'il considérait importants pour les chrétiens. Il enseigne particulièrement une sorte d'éthique communautaire et c'est pourquoi, dans ses commentaires, il met l'emphase sur la façon dont les membres de la communauté doivent se comporter les uns envers les autres. Par exemple, remarquez sur quoi il insiste en 4.11 (« Ne médisez pas *les uns des autres* ») et en 5.9 (« Ne vous plaignez *pas les uns des autres*, frères. ») Il dit des choses comme « Ne soyez pas nombreux, mes frères, à devenir docteurs » (3.1). Il ne dit pas « Allez donc, de toutes les nations faites des disciples » (Matthieu 28.19). Et pourtant, on voit clairement dans l'épître aux Galates (2.8-9) que Jacques était tout à fait pour le partage de la Bonne Nouvelle autant avec les Juifs qu'avec les Gentils, car Paul dit que Jacques « tendit la main en signe de communion » (à lui et à Barnabé) et qu'il était d'accord pour qu'ils évangélisent les Gentils.

Quelles étaient les principales préoccupations éthiques de Jacques ? En voici quelques-unes :

1. Les chrétiens doivent prendre soin des veuves et des orphelins de la communauté (1.27). En fait, ceci est décrit comme la religion « pure et sans tache ».

2. Les chrétiens ne doivent pas se laisser corrompre par le monde. « Ne savez-vous pas que l'amitié pour le monde est inimitié contre Dieu ? » (4.4).

3. Les chrétiens doivent « accomplir la Loi royale selon l'Écriture : « Tu aimeras ton prochain comme toi-même » (Jacques 2.8-13). Cela signifie observer les dix commandements, entre autres choses[11].

4. Les chrétiens doivent tenir leur langue (« La langue, au contraire, personne ne peut la dompter : c'est un fléau sans repos. Elle est pleine d'un venin mortel » ; voir 3.1-12) et réfréner leurs passions (« d'où viennent les guerres, d'où viennent les batailles parmi vous ? N'est-ce pas précisément de vos passions, qui combattent dans vos membres ? » ; voir 4.1-10).

5. Les chrétiens doivent persévérer dans la foi à travers leurs épreuves et leurs souffrances (1.2-15 ; 5.10-11). « Nous proclamons bienheureux ceux qui ont de la constance » (5.11).

6. Les chrétiens doivent confesser leurs péchés les uns aux autres à l'intérieur de la communauté (5.16).

7. Les chrétiens doivent prier pour les malades et ceux qui souffrent. « Quelqu'un parmi vous souffre-t-il ? Qu'il prie. Quelqu'un est-il joyeux ? Qu'il entonne un

cantique. Quelqu'un parmi vous est-il malade ? Qu'il appelle les presbytres de l'Église à prier pour lui après l'avoir oint d'huile au nom du Seigneur. La prière de la foi sauvera le patient et le Seigneur le relèvera. S'il a commis des péchés, ils lui seront remis. Confessez donc vos péchés les uns aux autres et priez les uns pour les autres, afin que vous soyez guéris. La supplication fervente du juste a beaucoup de puissance » (5.13-17).

8. Les chrétiens doivent ramener le membre de la communauté qui s'est égaré. « Si quelqu'un parmi vous s'égare loin de la vérité et qu'un autre l'y ramène, qu'il le sache : celui qui ramène un pécheur de son égarement sauvera son âme de la mort et couvrira une multitude de péchés » (5.19-20).

On trouve constamment des passages qui font écho à la littérature de la sagesse juive, particulièrement celle de la période intertestamentaire comme la Sagesse de Salomon et Sirac. Comparez, par exemple, les aphorismes sur la partialité en Jacques 1.27-2.9 et en Sirac 35.15-16 : « Car le Seigneur est un juge qui ne fait pas acception de personnes. Il ne considère pas les personnes pour faire tort au pauvre, il écoute l'appel de l'opprimé. Il ne néglige pas la supplication de l'orphelin, ni de la veuve qui épanche ses plaintes. » Ou encore, l'accent mis sur la nécessité de mesurer ses paroles avec soin, tant en Sirac 23.7-15 et 27.4-5 qu'en Jacques 3.12, particulièrement en ce qui a trait aux jurons et aux injures.

Or, ces similitudes peuvent nous amener à trop extrapoler. Trop souvent, le livre de Jacques est considéré comme rien de plus qu'un réarrangement de la sagesse juive traditionnelle. Cependant, le professeur Bauckham a bien précisé que la sagesse de Jacques comportait un autre aspect[12]. Premièrement, Jacques place l'éthique dans un contexte eschatologique à la manière de Jésus. Il met l'accent sur le salut final et le jugement de Dieu lorsque Son jour sera venu. Jacques considère l'éthique dans une perspective eschatologique tout en gardant un œil sur l'horizon, attendant l'arrivée du Juge qui est aussi le Rédempteur. Les passages en Jacques 5.3 et 7 parlent des « derniers jours » et de « l'avènement du Seigneur ». C'est cet avènement qui justifie tout l'enseignement moral de Jacques ou qui lui donne de la gravité.

Par exemple, dans cette épître, Jacques exploite le thème de la complétude ou de la perfection, un thème qu'il emprunte au Sermon sur la montagne prononcé par son frère Jésus. Il aborde à l'intérieur de ce thème la question de la loyauté indéfectible envers Dieu, l'observance de la Loi divine, les agissements en accord avec les convictions et les paroles, de même que la nécessité d'agir de façon à développer l'unité dans la communauté et à instaurer la paix (voir 3.14-4.1). Le contraire, c'est de dire une chose et d'en faire une autre ou de tenir un double langage (1.8 ; 4.8). Jacques suit les traces de Jésus en proclamant que Dieu exige davantage avec la nouvelle alliance qu'avec l'ancienne parce que les hommes ont reçu davantage de grâce et de révélation.

Tout comme Paul et les autres chrétiens, Jacques parle de la communauté, non pas dans un esprit hiérarchique en donnant par exemple les noms de « fils » ou « filles » à ses auditeurs, mais plutôt en considérant ces derniers comme des frères et des sœurs dans la spiritualité. L'honneur et la honte sont déterminés par le langage et la conduite et non par des considérations sociales telles que le sexe, la richesse, le pouvoir, et ainsi de suite. Jacques ne veut pas que son auditoire s'intègre parfaitement à un monde en déclin. Il veut plutôt que les disciples bâtissent une contre-culture communautaire qui reflète ses propres valeurs. Cela concorde parfaitement avec le décret envoyé aux Gentils (Actes 15) qui leur demande de ne pas accepter les valeurs religieuses dominantes de leur monde en assistant à des fêtes dans les temples païens. De la même manière, dans sa lettre adressée aux judéo-chrétiens de la Diaspora, Jacques exige de ses auditeurs qu'ils mettent en pratique la nouvelle sagesse transmise, celle qui provient d'en haut et à travers Jésus, et non pas qu'ils retournent simplement à une ancienne source de sagesse comme les Proverbes.

Jacques était effectivement un sage, mais il ne se contentait pas de reprendre l'essence des Proverbes ou de la Sagesse de Salomon ou encore de suivre l'enseignement de Jésus ben Sira (tel que rapporté en Sirac ou Ecclésiastique). Il avait trop bien assimilé les principes radicaux de sagesse de son propre frère, particulièrement en ce qui a trait à l'expression de la vérité, l'impartialité, le développement d'un climat de paix, l'abandon des représailles, la perfection et la générosité.

La lettre de Jacques est destinée à empêcher que la communauté chrétienne perde le sens de son identité. Jacques y parvient en instaurant des barrières soigneusement contrôlées en matière de langage, de conduite et de relations interpersonnelles. Il faut se souvenir qu'en Galates 2, quand des hommes envoyés par Jacques ont reproché aux judéo-chrétiens de manger avec les pagano-chrétiens, on craignait avant tout que ceci ne constitue un mauvais exemple pour les autres Juifs. Cette préoccupation de la situation d'ensemble explique également la conduite de Jacques en Actes 21, où des efforts sont faits pour amener Paul à se présenter dans le Temple comme un Juif qui observe la Loi ; on voulait ainsi empêcher que la mission de Paul chez les Gentils ne compromette l'évangélisation des Juifs. Il est prioritaire pour Jacques de s'assurer que le travail de l'Église ne soit pas entravé — il en va de même pour Paul.

Nous revenons encore une fois à l'étude des positions de Jacques et de Paul. Deux sujets traités dans l'épître de Jacques méritent notre attention : ce que l'auteur éponyme dit de la Loi et ce qu'il dit de la foi et des œuvres.

JACQUES ET PAUL REVISITÉS

Depuis Luther et plus particulièrement depuis la réforme protestante, les exégètes de la Bible ont longuement discuté des

tensions entre Paul et Jacques sur deux questions : l'objectif et
le rôle de la Loi de Moïse à l'époque de la formation de l'Église,
et la relation exacte entre la « foi » et les « œuvres » en rapport
avec le salut. De nombreux exégètes et leaders de l'Église en
arrivent aujourd'hui à la conclusion qu'il n'existe pas entre ces
deux grands leaders autant de différences que plusieurs
personnes avaient été portées à le croire.

À quoi Jacques fait-il référence dans ses commentaires sur la
Loi royale ou parfaite (1.25 ; 2.8) ? Il ne fait pas simplement
allusion à la Loi de Moïse — bien que cette Loi soit certainement incluse. Jacques s'inspire de la tradition de Jésus ben
Sira et d'autres sages juifs qui ont vécu précédemment (à l'instar
de ceux qui ont produit les documents de Qumran découverts
parmi les manuscrits de la mer Morte), des sages qui ont puisé
autant dans la Loi qu'à d'autres sources de la sagesse juive pour
développer leur enseignement. Ces gens croyaient que la sagesse
venait de Dieu et que la Loi de Moïse ne constituait pas l'unique
dépositaire de cette sagesse[13].

On ne trouve pas de témoignages dans le Nouveau
Testament indiquant que Jacques se soit rangé du côté des
pharisiens judéo-chrétiens radicaux, lesquels exigeaient que les
Gentils soient circoncis et observent les lois alimentaires et
sabbatiques. Jacques a formulé certaines exigences que devaient
respecter les Gentils ; manifestement, il croyait aussi que les
judéo-chrétiens devaient continuer à observer la Loi. La lettre de
Jacques traite en partie de cette question. Cependant, remarquez
que nulle part dans cette épître on ne parle des lois alimentaires,
de l'observance stricte du sabbat, de la circoncision ou de tout
autre aspect contribuant généralement à établir une nette
distinction entre les fidèles — des questions que Paul devait
aborder lorsqu'il devait faire face aux critiques de ceux qu'il
appelait les « Judaïsants[14] ».

La théorie sur l'opposition entre Jacques et Paul (laquelle a
été encouragée par le réformateur allemand Martin Luther
lorsqu'il a qualifié l'épître de Jacques de « véritable épître de

paille ») est erronée. Bien que des différences existent entre les deux écrivains, on ne réalise généralement pas la grande importance du rôle tenu par Jacques en tant que médiateur entre les Judaïsants et Paul. Ce dernier n'était pas opposé à l'idée voulant que la foi dépourvue de bonnes actions soit stérile[15]. De fait, il était prêt à parler de la *Loi* du Christ (voir Galates 6 et 1 Corinthiens 9). Paul n'était pas plus opposé à la Loi que Jacques n'était légaliste.

Ce que Jacques dit dans sa lettre au sujet de la soumission à la Parole de Dieu et la charité n'aurait pas suscité d'objections de la part de Paul. Pour Jacques, la loi royale ou parfaite de Dieu comprend :

1. les préceptes mosaïques tels que les dix commandements ;
2. les enseignements de Jésus sur la sagesse ;
3. d'autres textes issus de la sagesse traditionnelle juive ou peut-être même non juive.

Cela diffère à peine de l'approche de Paul vis-à-vis la Loi du Christ. Le passage en Galates 6.1-2 (« Portez les fardeaux les uns des autres et accomplissez ainsi la Loi du Christ ») montre que les enseignements de Jésus faisaient partie intégrante de la Loi du Christ. Dans l'éthique paulinienne (voir Romains 12.9-15.6 ; 1 Corinthiens 9.19-23), on trouve également différents enseignements tirés de la Loi de Moïse et inspirés par d'autres sources du judaïsme primitif. La différence entre les opinions de Jacques et celles de Paul sur ces sujets apparaît en 1 Corinthiens 9.20-23 avec cette affirmation de Paul :

Je me suis fait juif avec les Juifs, afin de gagner les Juifs ; sujet de la Loi avec les sujets de la Loi — moi, qui ne suis pas sujet de la Loi — afin de gagner les sujets de la Loi. Je me suis fait un sans-loi avec les sans-loi — moi qui ne suis pas sans une loi de Dieu, étant sous la loi du

Christ — afin de gagner les sans-loi. Je me suis fait faible avec les faibles, afin de gagner les faibles. Je me suis fait tout à tous, afin d'en sauver à tout prix quelques-uns. Et tout cela, je le fais à cause de l'Évangile, afin d'en avoir ma part.

Paul croyait que, même pour un Juif tel que lui, l'observance de la Loi de Moïse représentait un bon choix mais non une obligation. Jacques n'était pas d'accord.

L'importance accordée à certains aspects plutôt qu'à d'autres est au cœur de l'affaire. Jacques insistait sur le fait que le mouvement de Jésus se situait en continuité avec l'approche biblique prônée par le judaïsme à l'égard de la Loi. Pour lui, c'était l'observance de la Loi mosaïque et la reconstitution du Temple de Dieu opérée par le Christ qui avaient engendré le peuple de Dieu et permis aux Gentils d'en faire partie.

Paul, d'un autre côté, voulait mettre l'accent sur la nouvelle perspective eschatologique. La mort du Christ et sa résurrection avaient été le point de départ d'une nouvelle ère pour le monde. Déjà une nouvelle création émergeait, une nouvelle allian-ce — une nouvelle façon de former le peuple de Dieu. Du point de vue de Paul, l'alliance de Moïse, bien que glorieuse, était clairement devenue un anachronisme (voir Galates 3.19-4.31). Le Christ lui-même (ainsi que la foi en Jésus-Christ) devait permettre de délimiter les frontières de la communauté de Jésus — à la différence de la Loi de Moïse et des obligations de l'alliance.

L'inquiétude de Jacques au sujet de l'enseignement de Paul, telle qu'exprimée dans les Actes 21.21, s'est avérée prophé-tique : « Or à ton sujet ils ont entendu dire que, dans ton enseignement, tu pousses les Juifs qui vivent au milieu des païens à la défection vis-à-vis de Moïse, leur disant de ne plus circoncire leurs enfants et de ne plus suivre les coutumes. » Si la conception de Paul quant au mouvement de Jésus prévalait, seule une infime minorité de Juifs accepterait de s'impliquer dans ce mouvement, et « l'Église » deviendrait probablement un mouvement à prédominance païenne.

C'était la préoccupation de Jacques et c'est pourquoi il a cherché à préserver une forme de judéo-christianisme se situant davantage en continuité avec le judaïsme primitif que l'approche paulinienne, ce qui nous amène à la célèbre discussion sur la foi et les œuvres en Jacques 2.14-26 :

> À quoi cela sert-il, mes frères, que quelqu'un dise « J'ai la foi » s'il n'a pas les œuvres ? La foi peut-elle le sauver ? Si un frère ou une sœur sont nus, s'ils manquent de leur nourriture quotidienne, et que l'un d'entre vous leur dise « Allez en paix, chauffez-vous, rassasiez-vous », sans leur donner ce qui est nécessaire à leur corps, à quoi cela sert-il ? Ainsi en est-il de la foi : si elle n'a pas les œuvres, elle est tout à fait morte. Au contraire, on dira : « Toi, tu as la foi et, moi, j'ai les œuvres. » Montre-moi ta foi sans les œuvres ; moi, c'est par les œuvres que je te montrerai ma foi. Toi, tu crois qu'il y a un seul Dieu ? Tu fais bien. Les démons le croient aussi, et ils tremblent. Veux-tu savoir, homme insensé, que la foi sans les œuvres est stérile ? « Abraham, notre père, ne fut-il pas justifié par les œuvres quand il offrit Isaac, son fils, sur l'autel ? Tu le vois : la foi coopérait à ses œuvres et par les œuvres sa foi fut rendue parfaite. Ainsi fut accompli cette parole de l'Écriture : « Abraham crut à Dieu, cela lui fut compté comme justice et il fut appelé ami de Dieu. » Vous le voyez : c'est par les œuvres que l'homme est justifié et non par la foi seule. De même, Rahab, la prostituée, n'est-ce pas par les œuvres qu'elle fut justifiée quand elle reçut les messagers et les fit partir par un autre chemin ? Comme le corps sans l'âme est mort, de même la foi sans les œuvres est-elle morte.

Jacques se préoccupe également de corriger une méprise quant à l'expression de l'Évangile de Paul. (Voir, par exemple, l'épître aux Romains 3.28 : « Car nous estimons que l'homme est justifié par la foi sans la pratique de la Loi. ») Paul a été mal compris lorsqu'il a dit qu'une personne était « justifiée » ou sauvée ou qu'elle pouvait être rachetée devant Dieu uniquement par la foi et que les actions justes ou l'obéissance aux commandements de Dieu n'étaient pas indispensables au salut, si la personne possédait la foi.

Il y a de fait plusieurs méprises à corriger. Premièrement, il faut noter que Jacques s'adresse à ceux qui sont déjà judéo-chrétiens (voir la référence aux frères et sœurs chrétiens en v. 15). Jacques n'explique pas comment devenir un disciple de Jésus ; il parle du comportement de ceux qui croient déjà en Lui. Il dit en 2.22 que « par les œuvres sa foi fut rendue parfaite ». Il ne dit pas qu'une personne doit absolument poser des gestes pour que Dieu l'accepte. Deuxièmement, en Jacques 2.24, celui-ci parle de la justification finale ou de la dernière bénédiction de Dieu au jugement dernier. Il ne fait pas référence à la façon d'obtenir les faveurs de Dieu dans cette vie.

Et pourtant, en même temps, il est manifeste que Jacques fait davantage appel à la tradition juive en utilisant l'histoire d'Abraham pour inculquer l'idée que les bonnes actions sont inspirées par la foi — de bonnes actions du genre de celle d'Abraham qui a sacrifié Isaac pour obéir à Dieu ; ainsi, Jacques utilise l'histoire d'Abraham d'une façon bien différente de Paul en Galates 3.6-9 et en Romains 4.1-15[16]. Paul utilise l'histoire d'Abraham pour montrer comment une personne obtient la bénédiction de Dieu : Dieu reconnaît comme une vertu la foi d'une personne.

Affirmer que tout le judaïsme primitif repose sur une base légaliste relève de la caricature. Plusieurs personnes simplifient à l'extrême l'enseignement juif à l'époque de Jésus, comme s'il ne s'agissait que de « vertu par les œuvres », en oubliant de mettre l'emphase sur la grâce et d'accorder la priorité à la miséricorde de Dieu. La caricature voulant que, en Jacques 2, Jacques incarne cette approche de « vertu par les œuvres » est également fausse. Pour un croyant, les bonnes œuvres sont simplement une façon d'exprimer simplement et naturellement la foi salvatrice. On reconnaît un arbre à ses fruits. Cela n'aurait posé de problème ni à Jésus ni à Paul.

Nous trouvons donc dans les lettres de Paul et dans celle de Jacques deux façons très différentes d'utiliser l'histoire d'Abraham. Jacques utilise ce récit pour corriger une méprise au sujet de l'Évangile de Paul, lequel suggère que la soumission à la « loi royale » de Dieu n'est pas obligatoire du moment qu'une personne a été sauvée par la foi. Paul utilise le même récit tiré de la Genèse (12) — dans lequel Dieu demande à Abraham de quitter sa maison et d'aller au pays de Canaan — pour corriger l'idée véhiculée par les Judaïsants à l'effet que, pour obtenir la bénédiction de Dieu, les Gentils soient obligés de se faire circoncire et d'observer la Loi de Moïse. Ils essaient de dissiper différents malentendus concernant les implications que pouvait avoir l'important récit d'Abraham en Genèse 12.

C'est une erreur historique d'opposer Jacques à Paul de façon radicale, comme si le message de Paul, tel qu'il l'a proclamé face aux Gentils, avait été corrigé par Jacques. Jacques pose la question « Que nous enseigne donc l'histoire d'Abraham sur la façon de vivre des croyants (dans ce cas-ci les judéo-chrétiens) ? » Et il y répond. Paul pose et répond à une question différente : « Que nous enseigne donc l'histoire d'Abraham sur le moyen d'être sauvé pour les croyants (surtout les croyants de la gentilité) ? » Chaque écrivain insiste sur un aspect différent.

Voici ce que dit Richard J. Bauckham sur le sujet :

Qu'il existe des différences très importantes entre Jacques et Paul ne fait pas de doute. Mais celles-ci ne doivent pas être exagérées aux dépens des similarités notables. [...] Dans une conversation canonique [...] entre Jacques et Paul, il y aurait davantage de signes de tête affirmatifs et de sourires complices que de froncements de sourcils et d'exclamations de surprise[17].

Il est tout à fait vrai que l'épître de Jacques ne reflète pas le message central paulinien sur le salut fondé sur la mort et la résurrection de Jésus. Cependant, la lettre de Jacques devrait aussi être comparée aux sections à caractère éthique dans les lettres de Paul, telles que consignées par exemple en Romains 12-15, et non pas aux sections de nature plus théologique. Jacques, après tout, s'adresse à ceux qui sont déjà chrétiens.

Jacques n'accepte pas ce genre de foi consistant en un simple assentiment intellectuel qui ne change rien au comportement ; Paul n'accepte pas que les œuvres ne soient que des tentatives pour obtenir la bénédiction de Dieu au moyen du seul effort humain en l'absence de la foi.

La découverte de l'ossuaire de Jacques nous offre une occasion de réexaminer une bonne partie des opinions passées sur Jacques ; il nous invite aussi à corriger non seulement l'image caricaturale de Jacques mais aussi celle de Paul. Les différences entre eux ne devraient être ni minimisées, ni exagérées non plus. Ce témoignage historique récent nous donne l'occasion de corriger de fausses impressions sur une forme de christianisme primitif développée par Jacques et l'Église de Jérusalem, même si celle-ci allait éventuellement disparaître en grande partie.

CONCLUSIONS

La lettre de Jacques a non seulement été négligée ; elle a aussi été mal comprise. Elle n'a pas seulement été oubliée ; elle a dû aussi supporter l'hypothèse voulant qu'elle contienne une rhétorique antipaulinienne — comme si Paul avait été opposé aux bonnes actions ou à l'obéissance à la Parole de Dieu. Or, une telle chose est injuste autant pour Jacques que pour Paul. L'héritage de Luther doit être mis de côté dès lors qu'il s'agit d'évaluer ces deux figures du christianisme primitif. Avec la découverte de l'ossuaire de Jacques, nous avons une occasion nouvelle de réévaluer la contribution de Jacques au mouvement de Jésus.

Dans la lettre de Jacques, on trouve cette préoccupation d'appliquer fidèlement dans sa vie les enseignements essentiels de la foi. Que Jacques ait écrit lui-même cette lettre ou qu'il l'ait dictée à un scribe n'a pas d'importance. Ce qui est important, ce sont les grandes lignes de la lettre, lesquelles appellent les judéo-chrétiens de la Diaspora à croire et à agir en accord avec la sagesse de Jésus, une sagesse révélée qui est venue et qui continue de venir d'en haut. Sous bien des égards, cette sagesse fait écho à la sagesse juive primitive, mais elle est filtrée par la sagesse de Jésus le maître, avec ses accents distinctifs et ses propres idées.

Jacques ne se contente pas de transmettre une tradition ou même l'enseignement de son frère Jésus. Il remodèle et reformule ces enseignements de façon à répondre aux besoins de ceux à qui il s'adresse, tout en demeurant fidèle aux valeurs sous-jacentes à ces enseignements. Jacques fait preuve de créativité non seulement dans sa façon de composer avec les déclarations de Jésus, mais aussi dans la façon dont il corrige les méprises sur l'enseignement de Paul. Nous avons noté qu'il pouvait se servir de façon créative du récit d'Abraham et des textes utilisés par Paul — par exemple, la Genèse (12 et 15) — pour traiter d'aspects très différents et convaincre son auditoire. (Comparez Jacques 2 à Romains 4 et Galates 3.) Jacques ne se contente pas de transmettre la tradition. Il la remodèle et il s'en sert.

Contrairement à Jésus, Jacques a exercé longuement son ministère en Terre sainte et particulièrement à Jérusalem. Il a eu tout le loisir d'orienter la croissance d'une communauté centrée sur Jésus. L'influence qu'il a exercée et l'héritage qu'il a laissé apparaissent clairement dans les comptes rendus de son martyre et de sa mort ; ces récits montrent que même les Juifs non chrétiens avaient un grand respect pour l'intégrité spirituelle et morale de Jacques, même s'ils ne partageaient pas sa croyance en Jésus comme Messie et Seigneur. Dans le prochain chapitre, nous analyserons ces comptes rendus sur la mort de Jacques et l'héritage qu'il a laissé.

1. Voir les commentaires de Luke Timothy Johnson dans *The Letter of James*, New York, Doubleday, 1995, et Ralph P. Martin, *James*, Waco, TX, Word, 1988.

2. Voir Richard J. Bauckham, *Jude, 2 Peter*, Waco, TX, Word, 1983.

3. Il est intéressant de noter la ressemblance formelle entre cette adresse de la lettre de Jude et l'inscription de l'ossuaire de Jacques ; Jude s'identifie en relation avec deux parents, et le dernier membre de la phrase est « frère de Jacques », exactement comme la dernière partie de l'inscription de l'ossuaire est « frère de Jésus ». L'autre ressemblance est que, autant dans l'adresse de la lettre de Jude que sur l'ossuaire, l'identification réfère à des personnes avec lesquelles l'écrivain s'inscrit dans un rapport de subordination.

4. Richard J. Bauckham, *James,* Londres, Routledge, 1999, p. 16.

5. La forme du Sermon sur la montagne qu'on trouve en Matthieu a un caractère plus juif manifestement. Par exemple, Matthieu parle du royaume des cieux alors que Luc parle du royaume de Dieu ; on trouve également dans Matthieu l'expression « Bénis soient les pauvres en esprit » alors que Luc dit simplement « Bénis soient les pauvres. »

6. Voir mes commentaires sur cette liste dans *Jesus the Sage*, Minneapolis, Fortress Press, 1994, p. 240-242.

7. Voir Johnson, *Letter of James*, p. 146-156, pour les diverses théories sur le caractère chrétien de l'épître de Jacques.

8. Patrick J. Hartin, *James and the « Q » Sayings of Jesus*, Sheffield, Angleterre, JSOT Press, 1991, p. 188-189.

9. Comme pour d'autres documents du Nouveau Testament, les destinataires sont principalement des auditeurs et non pas des lecteurs ; c'est pourquoi le texte est écrit en prévision d'une communication orale. Par exemple, l'auteur utilise le jeu de mots (1.1-2 ; 1.13 ; 3.17), l'allitération (3.5) et d'autres procédés poétiques de façon à augmenter l'impact des mots sur l'auditoire.

10. La Sagesse de Salomon, comme la Sagesse de Jésus ben Sira (appelé aussi l'Ecclésiastique), est un texte juif intertestamentaire qui vise surtout à donner des préceptes de sagesse. Les premiers documents du Nouveau Testament sont probablement les lettres de Paul, la première ayant été composée vers l'an 49 de notre ère. Il est plus difficile de dire à quel moment le dernier livre de l'Ancien Testament a été écrit, mais c'était probablement

avant la période des Maccabées, laquelle précède le deuxième siècle avant Jésus-Christ.

11. L'accent mis ici sur les dix commandements plutôt que sur les lois alimentaires concorde très bien avec l'interprétation que j'ai suggérée au chapitre précédent quant aux sources du décret de Jérusalem.

12. Dans cette section, je suis l'approche efficace de Richard J. Bauckham, « James and Jesus », dans *The Brother of Jesus*, Louisville, Westminster/John Knox Press, 2001, p. 126-129.

13. Voir Bauckham, *James*, p. 32.

14. Les Judaïsants étaient des judéo-chrétiens qui essayaient d'obtenir que les Gentils convertis au christianisme soient circoncis et qu'ils obéissent à la Loi de Moïse dans son intégralité.

15. En parlant de « l'épître de paille » de Jacques, Luther veut signifier que ce texte manquait de substance ; selon lui, on n'y retrouve pas le message évangélique au sujet de Jésus.

16. Voir les commentaires dans *Grace in Galatia* de Ben Witherington, Grand Rapids, MI, Eerdmans, 1998, p. 216-240.

17. Bauckham, *James*, p. 140.

11

La mort de Jacques

Au cours des années 60, les habitants de la Judée ont vécu dans un climat particulièrement instable et violent alors que de mauvais procurateurs se succédaient à la tête du gouvernement. Les dirigeants romains de l'empire considéraient la Judée comme une province de peu d'importance et difficile à gérer. Pour les chefs militaires et les politiciens — généralement d'ambitieux patriciens romains qui souhaitaient monter dans la hiérarchie —, une affectation au poste de procurateur dans cette région était loin d'être intéressante.

Durant les années 50 et 60, Rome avait pris l'habitude d'envoyer ses procurateurs les moins doués pour administrer ce territoire. Félix, qui a occupé ce poste en Judée de 52 à 58 (ou 59), a servi sous les ordres de Claude puis de Néron. Il devait composer avec le fait qu'au nord de sa région, en Terre sainte, l'empereur Néron accordait de plus en plus de terres à Hérode Agrippa II. Félix aurait épousé en l'an 54 une princesse juive appelée Druscilla pour tenter, à ce qu'on dit, d'apaiser ses sujets. Cependant, ce mariage ne lui a pas vraiment été d'un grand secours, dans la mesure où les Juifs respectueux de la Loi et qui attachaient aux coutumes maritales une grande importance ont considéré cette alliance comme un affront.

Félix était quelque peu paranoïaque — probablement pour de bonnes raisons ; le compte rendu de son règne effectué par Josèphe, l'historien juif du premier siècle, évoque les récits effrayants du régime de la terreur durant la Révolution française. Félix faisait régulièrement exécuter des zélotes (*Ant.* 20.161) et semble s'être fait un devoir personnel de débarrasser la région de tous les fauteurs de troubles messianiques juifs tels que le révolutionnaire Éléazar (20.121). Ceci a eu pour seul effet de faire monter le niveau de violence chez les Juifs et d'entraîner l'émergence d'un groupe appelé les sicaires (*sicarii*), des hommes armés de poignards. Ces zélotes juifs circulaient un peu partout et exécutaient ceux qui collaboraient avec les Romains — le grand prêtre Jonathan, par exemple (20.163).

Ce fut aussi sous le règne de Félix qu'un libérateur messianique surnommé « l'Égyptien » a rassemblé un groupe de disciples juifs et promis que les murs de Jérusalem s'écrouleraient le jour où il lancerait son cri depuis le mont des Oliviers (20.169-72). Félix dépêcha des troupes pour combattre ce groupe mais l'Égyptien parvint à s'enfuir ; cet événement expliquerait pourquoi Félix aurait d'abord pensé que Paul, quand il a été fait prisonnier dans l'enceinte du temple de Jérusalem, était nul autre que l'Égyptien (Actes 21.37-38).

À une époque aussi troublée politiquement, on comprend mieux pourquoi les leaders du Temple juif s'efforçaient de sauvegarder le Temple et de conserver leur rôle à l'intérieur de celui-ci. À partir du moment où des prophètes messianiques et des révolutionnaires juifs ont commencé à exécuter des membres du clergé du Temple, les prêtres se sont certainement opposés à tous les mouvements messianiques quels qu'ils soient, entre autres à celui de Jésus, de crainte que ces mouvements n'éveillent les soupçons de Rome et qu'une telle situation ne finisse par leur faire perdre leur pouvoir politique. Ils ont sûrement surveillé de près Jacques et ses disciples judéo-chrétiens à Jérusalem, les percevant comme des fauteurs de troubles potentiels susceptibles de mettre en péril la fragile entente qu'ils avaient établie avec le procurateur.

Au cours des années 52 à 68, on a dû exercer une pression terrible sur l'Église de Jérusalem afin que celle-ci exige de ses fidèles qu'ils se présentent comme de véritables Juifs et témoignent de leur loyauté envers le Temple et sa hiérarchie. Cela pourrait en partie expliquer la requête de Jacques présentée en Actes 21.21, dans laquelle le leader demande à Paul de se présenter publiquement comme un homme respectueux de la Loi. Il faut dire que le jour où Paul a apporté sa collecte à Jérusalem en compagnie des Gentils, en l'an 58, il aurait difficilement pu choisir pire moment ou époque plus xénophobe pour effectuer sa visite. Les Juifs, les judéo-chrétiens et particulièrement les judéo-chrétiens pharisiens étaient extrêmement préoccupés par l'influence non juive qui s'exerçait à l'intérieur du mouvement de Jésus. C'est dans un tel climat qu'allaient non seulement se dérouler l'arrestation et la détention de Paul entre 58 et 60 mais aussi se jouer le destin de Jacques en l'an 62.

Le procurateur Festus, qui a succédé à Félix, est arrivé en l'an 60, au moment où la Judée était sur le point de sombrer dans le chaos total. Les bandits et les zélotes harcelaient la région et le torchon brûlait entre Hérode Agrippa II et la hiérarchie du Temple (*Ant.* 20.182-96). Festus était un homme habile et il a su empêcher qu'une guerre totale n'éclate, mais la Judée restait néanmoins une marmite bouillonnante sur le point de déborder.

Cependant, Festus pourrait ne pas avoir compris que le leadership était divisé chez les Juifs au moment où il s'est occupé de l'affaire de Paul (Actes 25.1-5). Quoi qu'il en soit, il n'a pas occupé longtemps le devant de la scène car il est mort durant son mandat. C'est ce qui a empêché que la transition se fasse naturellement entre ce procurateur et le suivant : Albinus. Il y a eu un interrègne — un intervalle entre le gouvernement d'un procurateur et son successeur — que le grand prêtre Anan a mis à profit pour frapper au cœur de la communauté judéo-chrétienne.

Josèphe a fourni un compte rendu remarquablement fidèle des événements survenus en l'an 62, un compte rendu critique à l'endroit de la hiérarchie du Temple juif.

JOSÈPHE ÉCRIT SUR LA MORT DE JACQUES

Comme le seul compte rendu ancien du martyre de Jacques à notre disposition provient de Josèphe — le Nouveau Testament demeurant silencieux sur le sujet —, je vais laisser la parole à l'historien.

> Anan le Jeune [lequel, comme nous l'avons déjà dit, avait la charge du grand pontificat] était d'un caractère fier et d'un courage remarquable ; il suivait, en effet, la doctrine des sadducéens, qui sont inflexibles dans leur manière de voir si on les compare aux autres Juifs. [Doté d'un tel caractère] Anan, croyant bénéficier d'une occasion favorable entre la mort de Festus et l'arrivée d'Albinus, réunit un Sanhédrin et y traduisit Jacques frère de Jésus appelé le Christ et certains autres, en les accusant d'avoir transgressé la Loi, et les fit lapider. Mais tous ceux des habitants de la ville qui étaient les plus modérés et observaient la Loi le plus strictement en furent irrités et ils envoyèrent demander secrètement au roi [Agrippa] d'enjoindre Anan de ne plus agir ainsi car, déjà auparavant, il s'était conduit injustement [parce qu'il avait réuni un Sanhédrin sans la permission d'Albinus]. Certains d'entre eux allèrent même à la rencontre d'Albinus qui venait d'Alexandrie et lui apprirent qu'Anan n'avait pas le droit de convoquer le Sanhédrin sans son autorisation. Albinus, persuadé par leurs paroles, écrivit avec colère à Anan en le menaçant de tirer vengeance de lui. Le roi Agrippa lui enleva pour

ce motif le grand pontificat qu'il avait exercé trois mois (Ant. 20.199-203).

La grande majorité des exégètes considèrent qu'il s'agit d'un compte rendu fidèle et qu'il n'y aurait pas eu d'ajouts ou de remaniements à ce texte à une époque ultérieure. Ce sont les copistes chrétiens qui, dans une large mesure, ont préservé les écrits de Josèphe après la période couverte par le Nouveau Testament et tout au long des siècles car les Juifs considéraient souvent Josèphe comme un personnage équivoque qui aurait collaboré avec Rome. À l'occasion de sa capture par Vespasien durant la Guerre juive, Josèphe a non seulement prophétisé (avec justesse) que ce dernier deviendrait bientôt empereur, mais il a aussi proclamé que c'était la volonté de Dieu que Rome gouverne la région ; il aurait aussi, semble-t-il, fourni des renseignements sur certains zélotes. Les copistes chrétiens ont parfois modifié ses textes — c'est un fait reconnu —, par exemple dans le passage qui parle de Jésus (*Ant.* 18.63-64). Mais dans le cas du passage cité ici, il n'y aurait pas eu, selon toute apparence, de modifications.

Il est vrai que Josèphe est un écrivain tendancieux mais il faut préciser qu'ici il se préoccupe moins du personnage de Jacques, dont il ne parle qu'en passant, que de la chronique au jour le jour des actions entreprises par les leaders juifs et romains. Or, c'est souvent ce genre de chose mentionné en passant — des propos qui risquent moins de refléter un parti pris — qui est le plus révélateur historiquement[1]. Voilà pourquoi nous devons examiner soigneusement ce compte rendu. Plus tard, nous nous pencherons sur des comptes rendus chrétiens de la mort de Jacques, lesquels reflètent des tendances hagiographiques et antisémitiques apparues ultérieurement[2] ; cependant, pour le passage de Josèphe, tel n'est pas le cas.

La première chose remarquable tient au fait que Josèphe dit de Jacques qu'il est le « frère de Jésus », exactement comme dans le Nouveau Testament et dans l'inscription de l'ossuaire.

Le terme utilisé ici est *adelphos*, et non pas le mot grec signifiant cousin ; ce témoignage ancien sur le lien de parenté entre Jacques et Jésus provenant d'une personne indépendante est important. Josèphe appelle Jésus le soi-disant Christ (*legoumenou*), mais ne dit pas de Jacques qu'il est le soi-disant frère de Jésus[3]. Donc, ce n'est pas uniquement les premiers écrivains chrétiens qui donnent à Jacques le titre de frère de Jésus. Celui qui fut l'un des premiers historiens juifs le fait également.

Deuxièmement, le passage met l'accent sur le fait que Jacques était un Juif qui observait scrupuleusement la Torah, la Loi. C'est ce qui a constitué l'objet de la plainte présentée à Albinus, et Josèphe était bien d'accord pour dire qu'une injustice avait été commise à l'endroit de Jacques. En outre, ce sont les Juifs qui observaient strictement la Loi qui se sont plaints de cette injustice. Ils considéraient sans doute Jacques comme un bon Juif fidèle, même s'ils ne partageaient pas ses convictions quant à la vocation messianique de son frère. Le meurtre de Jacques a été perçu comme une grande injustice et c'est ce qui a mené à la déposition d'Anan.

Troisièmement, la lapidation était une forme de châtiment appliquée à ceux qui, en blasphémant, en répandant de faux enseignements, en créant de l'agitation ou en détournant les Juifs de la Loi, transgressaient cette même Loi ; tel était le châtiment que Jacques aurait subi, selon Josèphe[4]. Dans cette perspective juive sur une époque instable, une telle explication de la sentence est plus plausible que celle que l'on retrouve dans les récits chrétiens ultérieurs où il est dit que Jacques a été précipité du pinacle du Temple et assommé par la suite[5]. En bref, Jacques, tout comme son frère, a subi un simulacre de procès orchestré par un grand pontife critiqué non seulement par Josèphe mais aussi par d'autres Juifs de Jérusalem qui étaient de justes et fidèles observateurs de la Loi. Il n'y a rien dans ce compte rendu qui reflète des sentiments antisémitiques ou prochrétiens comme on en retrouvera plus tard et il mérite qu'on lui accorde sa juste valeur.

Manifestement, Jacques s'est mérité le respect non seulement des judéo-chrétiens qui l'appuyaient, mais aussi des autres
Juifs de Jérusalem et des plus stricts parmi ceux-ci. La chose
n'aurait certainement pas été possible si Jacques n'avait pas lui-
même été un Juif pieux et respectueux de la Loi.

Compte tenu de tout cela, il est donc tout à fait remarquable
que Jacques ait pu choisir la voie du milieu, entre les judéo-
chrétiens pharisiens et les partisans de Paul. Les événements
décrits révèlent aussi à quelles difficultés Jacques a dû se heurter
alors qu'il essayait de créer un modèle de communauté
chrétienne acceptable et ouverte autant aux Gentils non
circoncis qu'aux judéo-chrétiens, même ceux qui observaient la
Loi de façon stricte. Il n'était pas seulement Jacques le Juste,
celui qui observe fidèlement la Loi ; il était aussi Jacques le
Médiateur et sa perspective plus large quant à la véritable
essence de la Loi, de la foi et de la grâce en témoigne.

L'INHUMATION DE JACQUES

La découverte de l'ossuaire pourrait venir combler certains
vides dans l'histoire de Jacques. Comme nous le savons
maintenant grâce à cette découverte, Jacques semble avoir été
inhumé à Jérusalem — une inhumation tout à fait caractéristique
de la tradition juive pour la période comprise entre le
gouvernement d'Hérode le Grand et la chute du Temple, en l'an
70 de notre ère. Nous savons que l'ossuaire a été découvert dans
l'ancienne Cité de David ou dans la région avoisinante où l'on
retrouvait des tombeaux juifs. En d'autres mots, Jacques n'a
probablement pas été inhumé dans un cimetière réservé aux
chrétiens. Il a été inhumé avec ses compagnons juifs.

Deuxièmement, il est peu vraisemblable que son cadavre ait
été déposé sur une parcelle de terre appartenant à sa famille. Si
Jacques avait été inhumé dans un caveau familial où se
trouvaient déjà d'autres ossuaires, il est probable que, comme
dans le cas de l'ossuaire décoré du grand prêtre Caïphe
(découvert en 1990), l'inscription aurait été gravée à l'une des

extrémités de la caisse funéraire de façon à pouvoir distinguer celle-ci des autres ; tous les ossuaires devaient être disposés dans le sens de la longueur à l'intérieur de niches creusées à même les murs du caveau. Au lieu de cela, nous avons une inscription sur le côté de la caisse contenant les os, inscription qui n'a pas été gravée grossièrement, à la hâte, strictement à des fins d'identification, comme dans le cas de Caïphe et de plusieurs autres ossuaires. L'ossuaire de Jacques a ceci d'unique qu'il possède ce qu'on peut appeler une inscription honorifique, une inscription d'autant plus étrange d'ailleurs, comme nous l'avons vu dans la première partie de ce livre, qu'elle mentionne non seulement le nom de son père mais aussi celui de son frère[6].

En outre, la dépouille de Jacques n'a pas été ramenée à Nazareth afin d'y être inhumée. À l'époque de sa mort, ses compagnons judéo-chrétiens de Jérusalem formaient sa première famille et sa communauté d'appartenance ; aussi y a-t-il de fortes chances pour que ceux-ci se soient chargés de son inhumation. Et comme nous l'avons déjà vu, pour les Juifs de Jérusalem à cette époque, l'inhumation se déroulait en deux étapes : on déposait le cadavre dans un caveau et on le laissait se décomposer, puis on récupérait les os qu'on plaçait avec soin dans un ossuaire. Le squelette était démembré de façon à pouvoir entrer dans un contenant plus étroit et souvent plus petit[7].

Ainsi que nous l'avons appris au chapitre 5, à l'époque de Jésus, la croyance en la résurrection du corps était répandue au sein de la communauté juive, du moins parmi les pharisiens. Les premiers judéo-chrétiens ont suivi les traces des pharisiens en cette matière. N'oubliez pas que des gens ont déposé le corps de Jésus lui-même sur une dalle de pierre dans le but de l'inhumer à nouveau par la suite. Il y a eu un précédent dans la famille quant à cette façon de procéder pour Jacques. Et dans la mesure où l'on croyait que Jésus était déjà ressuscité, Jacques et les autres premiers chrétiens croyaient qu'ils ressusciteraient eux aussi. Remarquez comment Paul en 1 Corinthiens 15 dit de la résurrection de Jésus qu'il faut y voir le premier d'une série d'événements ou le début de la résurrection du peuple de Dieu. Les premiers judéo-chrétiens croyaient que leur sauveur était ressuscité d'entre les morts. Ils s'attendaient à connaître une semblable destinée.

Les judéo-chrétiens qui ont inhumé Jacques voulaient évidemment lui rendre hommage dans la mort, et ils avaient prévu apparemment que d'autres gens viendraient aussi l'honorer dans le caveau funéraire et qu'ils verraient l'inscription sur le côté de la caisse. La partie de l'inscription qui l'associe à son frère vise avant toute chose à lui rendre hommage. C'était aussi le meilleur moyen d'identifier clairement le défunt pour ceux qui visiteraient le tombeau. Ce Jacques était connu des Juifs et des judéo-chrétiens comme « le frère de Jésus », le Christ ou le Messie et, par conséquent, le Juif du premier siècle le plus célèbre et, aux yeux de certains, le personnage le plus éminent. La notoriété de Jacques était un reflet de la gloire de son frère et lui-même était tout à fait à l'aise avec l'idée d'être reconnu comme le serviteur de Jésus. Il n'était pas du genre à rechercher pour lui-même les titres honorifiques.

LES CONSÉQUENCES IMMÉDIATES DE SON DÉCÈS

Que s'est-il passé après le décès de Jacques ? Selon la tradition de l'Église, il a été remplacé à la tête de l'Église de Jérusalem par un autre parent de Jésus appelé Simon, fils de Clopas[8]. On a dit de Simon qu'il était un cousin du Seigneur ; tous considéraient qu'il devait être le prochain *episcopus*, littéralement le « patron » de la communauté — mot que l'on traduirait aujourd'hui par « évêque ». Ceci nous indique que le lien de parenté avec Jésus était encore important dans l'Église de Jérusalem[9].

Eusèbe, l'historien de l'Église du quatrième siècle, nous dit qu'au début de la Guerre juive, peu après la mort de Jacques, les judéo-chrétiens de Jérusalem ont appris par une prophétie qu'ils devaient fuir, ce qu'ils ont fait : ils se sont rendus à Pella, au nord de Jérusalem et de la Judée, à l'est du Jourdain et au sud de la Galilée (*Hist. Eccl.* 3.11.1). Au milieu des années 60 ou à tout le moins vers 67-68, les judéo-chrétiens ont fui alors que la situation se détériorait à Jérusalem — il y avait entre autres choses une pénurie de vivres et des luttes intestines parmi les Juifs.

Une des raisons pour lesquelles on peut croire cette version des faits tient à ce que Pella représente une destination bizarre pour un groupe de gens désireux de s'enfuir. Damase et Antioche, beaucoup plus au nord, auraient constitué de meilleurs choix puisque des liens avaient été établis depuis longtemps entre certaines communautés de ces villes et l'Église de Jérusalem, comme les récits des Actes le confirment.

Bien qu'il ne soit pas exact de dire que la communauté des premiers judéo-chrétiens a disparu à cause de la chute de Jérusalem et de son Temple, il est vrai que ce mouvement a perdu sa pierre d'assise — cette forme de christianisme était basée sur l'observance de la Loi et, notamment, la pratique du culte dans le temple. En peu de temps, la communauté judéo-chrétienne a perdu son principal leader, Jacques, et puis, avec la destruction du Temple par les Romains, son environnement social et son principal lieu d'expression de sa religion.

Mais, entre la révolte des Juifs contre Rome en l'an 70 et celle de Bar Kokheba au début du deuxième siècle, les judéo-chrétiens sont-ils revenus à Jérusalem[10] ? Il semble que certains d'entre eux l'aient fait, car Eusèbe nous dit que Simon n'a pas subi le martyre avant l'époque de l'empereur Trajan au début du deuxième siècle (*Hist. Eccl.* 3.32.1-6).

Jacques a réussi à donner une forme particulière au mouvement de Jésus à Jérusalem, un mouvement qui n'a cessé de se développer en ce lieu et qui a pu conserver son identité, et ce, malgré d'énormes difficultés et des événements dramatiques parmi lesquels on peut citer non pas une mais bien deux révoltes des Juifs (en incluant la révolte de Bar Kokheba). Nous avons déjà abordé la question de l'héritage de Jacques dans la littérature chrétienne primitive. Il est temps maintenant d'approfondir le sujet. Comme nous le verrons, la littérature chrétienne fournit plusieurs versions de l'histoire de Jacques qui ont été élaborées après l'écriture du Nouveau Testament et des textes de Josèphe ; certaines nous aident à mieux comprendre le personnage historique de Jacques et d'autres comptent au nombre des légendes.

CONCLUSIONS

La mort et l'inhumation de Jacques ne sont pas consignées dans le Nouveau Testament. Cela tient en partie au fait que le livre historique du Nouveau Testament, les Actes des apôtres, nous amène seulement jusqu'à l'année 60 et que Jacques est mort après cette date. Nous devons donc nous fier au compte rendu de Josèphe et, dans une moindre mesure, aux comptes rendus chrétiens élaborés plus tard. Compte tenu de l'instabilité et souvent de la violence qui régnaient à Jérusalem durant les années 60, Jacques a pu être martyrisé par les responsables sadducéens du Temple juif. Après tout, c'est cette même famille de prêtres qui semble avoir été impliquée d'une façon ou d'une autre dans la crucifixion de Jésus, le frère de Jacques.

Le compte rendu du décès de Jacques effectué par Josèphe est crédible, en particulier parce que l'historien utilise ce sujet simplement comme illustration de l'abus de pouvoir dont faisait preuve le grand prêtre renégat. Josèphe ne fait référence à Jacques qu'accessoirement et nous n'avons pas de raison de douter de ses paroles lorsqu'il affirme que le martyre de Jacques a été considéré comme un abus de pouvoir et une injustice par certains Juifs impartiaux qui ont protesté auprès du procurateur en route vers Jérusalem. Ce que Josèphe ne nous dit pas, c'est comment et où Jacques a été inhumé. Pour trouver des indices, il nous faut consulter les premiers comptes rendus chrétiens. Josèphe ne laisse pas entendre non plus que Jacques observait fidèlement la Loi et que d'autres Juifs tels que lui ont été outrés du fait qu'il ait été injustement exécuté.

Comme la lapidation était un châtiment réservé aux auteurs de crimes particuliers, il est probable que Jacques ait été accusé d'avoir blasphémé ou d'avoir détourné les gens du droit chemin par de faux enseignements. Dans une étude approfondie, Bauckham conclut : « Notre analyse du compte rendu de Josèphe sur la mort de Jacques nous laisse donc face à deux possibilités : il a été exécuté soit pour avoir blasphémé, soit pour avoir détourné les gens du droit chemin (d'avoir été un *maddiah*). Bien sûr, il est possible qu'on l'ait accusé de ces deux crimes. Ces explications ont l'avantage d'être cohérentes avec les politiques des autorités du Temple appliquées à Jésus et à l'Église de Jérusalem à une étape précédente[11]. » Cela laisse présumer que l'action du grand prêtre n'était pas pure méchanceté. Bien que Josèphe dépeigne le prêtre en question comme un personnage impétueux, c'est simplement sa manière habituelle de faire référence à de jeunes figures d'autorité dont il a une piètre opinion. Il est fort probable, puisque Josèphe nous dit qu'un Sanhédrin avait été convoqué, qu'un verdict de culpabilité ait été prononcé par cette autorité législative contre Jacques, tout comme un tel verdict a été prononcé contre son frère Jésus une trentaine d'années auparavant.

Nous en déduisons donc que ce coup porté à la communauté primitive des judéo-chrétiens n'a pas provoqué immédiatement un départ en masse. Il semble plutôt que les judéo-chrétiens soient restés suffisamment longtemps dans la ville de façon à permettre au corps du défunt de se dessécher et d'inhumer à nouveau ses os. Cela signifierait que la deuxième inhumation aurait eu lieu en l'an 63 ou 64[12]. Cela signifierait également que la désormais célèbre inscription aurait été gravée à la veille du véritable déclenchement de la révolte juive. Les judéo-chrétiens n'ont pas abandonné leur ville à ce moment. Il semble qu'ils aient soigneusement et tranquillement honoré leur leader décédé et poursuivi la tradition qu'il leur avait enseignée, à savoir pratiquer les coutumes juives et parler le langage que seuls les Sémites utilisaient dans la région : l'araméen. Le fait que Jude, un autre frère important de Jésus, Simon, le cousin de Jésus, et peut-être quelques autres membres de la famille de Jésus occupaient une place centrale dans la communauté judéo-chrétienne de Jérusalem, laquelle avait été pendant longtemps leur port d'attache, peut en partie expliquer leur loyauté envers Jérusalem, même dans des circonstances de plus en plus dangereuses.

Dans le prochain chapitre, nous examinerons attentivement les traditions chrétiennes primitives concernant la mort et l'inhumation de Jacques.

1. L'importance de la chose a été soulignée par Steve Mason, un expert dans l'interprétation des textes de Josèphe, qui a prononcé une conférence éclairante à l'occasion d'un panel sur l'ossuaire qui a eu lieu lors de l'assemblée de la Society for Biblical Literature (SBL) le 23 novembre 2002, à Toronto, Ontario.

2. Le terme *hagiographie* désigne un écrit qui met l'accent sur la sainteté de quelqu'un quand il ne va pas jusqu'à le transformer en saint en faisant briller un peu trop son auréole. De tels écrits ont donc tendance à étoffer les récits historiques pour améliorer le portrait de sainteté. L'*antisémitisme* est un fort préjugé contre tout ce qui est juif.

3. Louis Feldman a fait remarquer, lors de l'assemblée de la SBL à Toronto en novembre 2002, que l'expression *soi-disant* ne devrait pas forcément susciter la polémique. Elle peut signifier simplement « celui qu'on appelait ou qui était connu comme » le Christ.

4. Consultez l'important essai de Richard J. Bauckham, « For What Offence Was James Put to Death ? » dans *James the Just and Christian Origins*, édité par Bruce Chilton et Craig A. Evans, Leiden, Brill, 1999, p. 199-231.

5. Néanmoins, il peut y avoir à la source du récit chrétien un souvenir historique car, comme l'a montré Bauckham, dans la procédure habituelle de lapidation chez les Juifs, on amenait d'abord la personne à un endroit élevé

et on la poussait en bas avant de la lapider (voir Luc 4.29, où il est dit qu'on a essayé de faire la même chose à Jésus). Voir Bauckham, « For What Offence », 202-4.

6. Les inscriptions gréco-romaines sur les sarcophages étaient parfois assez détaillées, contrairement à celles des ossuaires juifs, et elles comportaient souvent des mentions honorifiques. Une des caractéristiques que l'on retrouve régulièrement dans de telles inscriptions consiste en la description exhaustive des accomplissements de la personne au cours de sa vie — par exemple dans l'inscription mentionnée dans les *New Documents Illustrating Early Christianity*, vol. 2, éd. G. H. R. Horsley (North Ryde, New South Wales, Ancient History Documentary Research Centre, Macquarie University, 1982), 84, inscription dans laquelle on retrouve la phrase suivante : « et j'ai beaucoup voyagé sur les mers et servi plusieurs magistrats […] » La seule mention honorifique de l'inscription de Jacques est la mention de son célèbre frère, dont la gloire rejaillit sur Jacques.

7. Dans le cas de Jacques, l'ossuaire est tout juste assez pour contenir l'os le plus long ainsi que les os plus petits.

8. Eusèbe cite Hégésippe dans *Hist. Eccl.* 4.22.4.

9. Ainsi que le suggère Laura Ice, mon étudiante au niveau doctoral, cela pourrait s'expliquer par la tradition juive qui permettait de transmettre les charges liées à la prêtrise aux autres membres de la famille et à leur descendance. Par exemple, les membres de la famille de Caïphe ont rempli la fonction de grand prêtre durant la plus grande partie du premier siècle, jusqu'à la destruction du Temple en l'an 70. Cette hypothèse devient tout à fait plausible si nous tenons compte du fait que Jacques était considéré comme l'un des piliers du nouveau Temple eschatologique que Dieu était en train de construire au milieu de son peuple messianique.

10. La supposée deuxième révolte des Juifs (en réalité la troisième si on compte les guerres des Macchabées) s'est produite au début du deuxième siècle et elle était dirigée par Simon bar Kockba. Elle s'avéra tout aussi fatale que la révolte des années 60. Par la suite, les Romains ont imposé de sévères restrictions aux Juifs, particulièrement en ce qui concerne les visites à Jérusalem.

11. Bauckham, « For What Offence », p. 228.

12. Dans la région des collines de Judée, laquelle possède un climat plus modéré, il faut parfois une période de temps assez longue, parfois même plus d'un an, avant qu'une dépouille déposée dans un caveau ne se décompose pour ne laisser que les ossements.

12

LA LÉGENDE
DE JACQUES

Les premiers écrits chrétiens regorgent de récits légendaires en rapport avec Jacques. De tels récits confirment l'importance de ce personnage — qui est, nous dit-on, l'un des principaux fondateurs du christianisme et, certainement, l'un des frères de Jésus ayant joué un rôle de premier plan dans une période déterminante pour cette religion. Une légende est, par définition, une histoire ou un récit qui possède certaines bases historiques mais auquel des éléments non historiques ont été ajoutés au fil du temps. La littérature chrétienne primitive dans laquelle il est fait mention de Jacques forme un corpus remarquablement élaboré ; ce dernier provient de certains mouvements chrétiens marginaux (tels que le gnosticisme) et de groupes appartenant au courant dominant.

Différents motifs sont à la source de ces écrits variés : 1) parmi les premiers chrétiens, plusieurs adeptes avaient intérêt à se réclamer de Jacques de façon à promouvoir leur propre cause ; 2) certains voulaient combler les espaces vides dans le récit de Jacques afin qu'il corresponde davantage à la version canonique ; 3) d'autres tentaient de faire briller l'auréole d'un personnage dont la vertu avait été reconnue par le grand nombre et qui avait suscité l'admiration autant des Juifs que des judéo-chrétiens et des adeptes d'autres confessions. Bien que, en examinant plusieurs aspects de la vie de Jacques, nous ayons abordé précédemment certaines de ces traditions, nous les examinerons à nouveau à ce moment-ci parce qu'elles se sont développées à une période plus tardive et qu'elles sont douteuses, historiquement parlant. Elles reflètent la vénération dont Jacques a fait l'objet avec le temps.

JACQUES DANS LA BIBLIOTHÈQUE DE NAG HAMMADI

La bibliothèque de Nag Hammadi est composée de papyrus découverts dans les régions désertiques de l'Égypte en 1945[1]. Les textes réunis dans cette collection ont généralement un caractère gnostique. Les adeptes de la gnose étaient convaincus qu'il fallait avoir accès à la révélation d'un enseignement secret ou ésotérique pour comprendre la vie ; en général, ils croyaient aussi que cette connaissance intérieure ne pouvait être acquise qu'auprès de prophètes ou de sages ayant développé un lien tout particulier avec le divin. Le gnosticisme semble nourrir un penchant pour l'ascétisme et le dualisme — la matière est considérée comme mauvaise et l'esprit comme bon ; cette doctrine fut supprimée par la suite de la tradition chrétienne.

Le mouvement gnostique, si nous pouvons l'appeler ainsi, trouverait son origine dans la tradition chrétienne copte développée en Égypte et dont les adeptes se situaient dans la mouvance de la première communauté judéo-chrétienne. L'intérêt de cette collection de documents tient au fait que dans beaucoup d'entre eux on mentionne le nom de Jacques et que, d'une façon ou d'une autre, leurs auteurs essaient de mettre cette figure de l'histoire au service de leurs propres causes. Parmi ces écrits on trouve l'Évangile de Thomas, l'Épître apocryphe de Jacques ainsi que la première et la deuxième Apocalypses de Jacques.

Nous savons que ces textes ne peuvent dater d'avant les années 290-346, car ils auraient vraisemblablement été rédigés à l'instigation du père Pachomius, lequel a fondé onze monastères en Égypte. Mais il ne faudrait pas croire que tous ces documents ont été créés à cette époque, particulièrement l'Évangile de Thomas qui, dans sa forme originale, date probablement du début du deuxième siècle. Ces documents ont semble-t-il été cachés ou enterrés après la publication de la lettre pastorale d'Athanase en l'an 367, laquelle a qualifié d'hérétiques ce type d'écrits gnostiques[2]. Ils contiennent néanmoins des éléments intéressants qui influencent notre appréciation et notre compréhension de Jacques.

Parmi ces documents, la place d'honneur doit être donnée à l'Évangile de Thomas. Celui-ci vénère Didymos Judas Thomas, c'est-à-dire Jude, le frère de Jésus, dont on dit qu'il était le jumeau de Jésus (d'où son nom *Didymos* ou *Thomas*, qui signifie « jumeau » en grec et en araméen respectivement[3]). Dans cet Évangile, nous trouvons un passage étonnant au sujet de Jacques, le logion 12 (un logion est un aphorisme) où l'on raconte ceci : « Les disciples dirent à Jésus : « Nous savons que tu nous quitteras. Qui donc sera notre chef ? » Jésus leur dit : « Où que vous soyez, vous irez vers Jacques le Juste, pour qui le ciel et la terre ont été faits. » »

Nous trouvons ici la première référence à Jacques qualifié de « juste » ou de « vertueux ». Remarquez aussi la précision : les disciples doivent « aller vers Jacques » — car Jacques n'était pas un professeur itinérant. Son lieu de résidence était Jérusalem et, si quelqu'un voulait le rencontrer, il devait aller l'y trouver (comme on le voit en Galates 1-2 où il est dit que Paul est monté à Jérusalem pour rendre visite à Jacques).

John Painter, dont le livre *Just James* contient l'analyse la plus complète de la tradition se rapportant à Jacques, précise que l'expression citée précédemment « pour qui le ciel et la terre ont été faits » est typiquement juive. Plusieurs textes anciens font référence aux justes et à la façon dont Dieu a créé le monde pour eux. Par exemple, en 2 Baruch 14.19 nous pouvons lire « Le monde a été créé pour les justes » (voir aussi 4 Esdras 6.55 ; en 7.11 il est dit qu'il a été créé pour Israël).

Cela nous porte à croire que cet aphorisme a été créé assez tôt dans la communauté judéo-chrétienne et qu'il a été adapté et adopté autant par les groupes chrétiens dominants que par les groupes marginaux. Ce passage confirme simplement ce que nous savions déjà au sujet de Jacques : il était un leader et un juste. Cependant, on peut aussi y voir une tentative de combler un vide dans les récits du Nouveau Testament et une façon d'expliquer comment Jacques est devenu le leader de l'Église de Jérusalem. La tradition de Thomas suggère qu'il a été nommé directement par Jésus alors que la tradition clémentine (dont nous reparlerons plus loin) suggère qu'il a plutôt été désigné comme le fut le douzième apôtre en Actes 1.15-17.

L'Apocryphe de Jacques est aussi un texte gnostique sous forme de missive, un texte qui est considéré par les adeptes comme un livre révélant certains secrets et dont Jacques serait l'auteur. Tout comme dans l'Évangile de Thomas, on y trouve plusieurs paroles de Jésus dont certaines se trouvent également dans les Évangiles synoptiques et dans le discours des adieux de l'Évangile de Jean. Il a été écrit bien après ces Évangiles canoniques et l'auteur a puisé dans ces derniers. Certains exégètes ont émis l'hypothèse suivante : puisque Jacques n'est pas identifié spécifiquement comme le frère de Jésus ou « le Juste », un autre Jacques, peut-être le fils de Zébédée, pourrait en être l'auteur. C'est peu probable toutefois car, dans tous les autres documents de Nag Hammadi, il n'est jamais question que de Jacques le Juste[4].

Ce livre tente d'affermir la réputation de Jacques à titre de leader chrétien important en affirmant que celui-ci, tout comme Pierre, a reçu une révélation privilégiée et exclusive, à la différence des Douze. Il est aussi intéressant de noter que, dans le passage 1.9-10 de ce document, « Jacques » dit avoir composé son Apocryphe en hébreu. Il est probable qu'un souvenir transmis soit à la source de l'affirmation à savoir que Jacques connaissait l'Ancien Testament et qu'il pouvait même le lire en hébreu[5].

Dans l'Épître apocryphe, l'auteur essaie également de faire de Jacques un personnage plus important que Pierre en lui attribuant l'aphorisme sur l'idée de renoncer à toutes ses activités pour suivre Jésus, une parole que les Évangiles synoptiques ou parallèles — ceux de Marc, Matthieu et Luc — attribuent à Pierre (comparez Marc 10.38 et l'Apocryphe 4.25-28). On voit se dessiner ici une tendance que j'appelle « compensation ». Ce document a été écrit à une époque où la légende autour de Pierre et d'autres figures emblématiques du christianisme primitif a pris de plus en plus d'importance dans certains milieux ; quelques personnes, semble-t-il, craignaient que Jacques ne soit éclipsé. Dans le but de faire contrepoids à cette tendance, dans l'Évangile copte de Thomas et dans l'Apocryphe, on met l'accent sur l'importance de Jacques, son leadership ou sa proximité avec Jésus ou Dieu.

On peut trouver le même genre de compensation dans le premier et le second livres de l'Apocalypse de Jacques. Le premier est important parce qu'il mentionne Addai comme successeur de Jacques, un personnage dont Eusèbe dit claire-ment qu'il a fondé le christianisme en Syrie (*Hist. Eccl.* 1.13). Cela nous rappelle que ces documents dans lesquels Jacques est mentionné, dont l'Évangile de Thomas et le premier livre de l'Apocalypse, ont été rédigés en Syrie, semble-t-il, par des membres de la communauté judéo-chrétienne de ce pays. On note aussi avec intérêt que l'araméen, la langue de Jésus et de ses frères, a évolué avec le temps pour devenir le syriaque ; certaines personnes croient que les versions syriaques anciennes des Évangiles préservent davantage le caractère araméen ; par conséquent, les paroles de Jésus retrouvées dans ces Évangiles seraient plus près de la forme originale que les versions grec-ques. Les documents de Jacques ont été apportés en Égypte où ils ont été traduits en copte (la langue égyptienne de l'époque qui est encore parlée aujourd'hui par les chrétiens coptes égyptiens) ; ils ont depuis été remaniés et enrichis selon les intérêts des gnostiques. Par exemple, dans la première Apocalypse de Jacques, les conversations de Jésus ressuscité avec des disciples n'ont pas lieu sur le mont des Oliviers mais sur le mont Gaugela en Syrie.

Il y a plusieurs éléments intéressants dans la première Apocalypse. Premièrement, Jacques est à nouveau appelé le Juste dans ce document (31.30 ; 32.1-3 ; 43.19-23). Deuxièmement, et fait étonnant, on y fait mention de son départ de Jérusalem et de sa fuite à Pella (25.15). Troisièmement, Jacques est clairement présenté comme le frère de Jésus (24.13-16[6]). Et enfin, on y affirme l'autorité de Jacques sur les Douze et sur l'Église primitive (42.20-25). À la lumière de ces propos, il semble évident que ce document a été rédigé dans une communauté judéo-chrétienne de Syrie, même s'il a été transformé ultérieurement en Égypte en une sorte de pamphlet gnostique. Il fournit une preuve supplémentaire que les judéochrétiens continuaient d'affirmer l'importance de Jacques comme étant un des premiers leaders chrétiens face à la popularité grandissante de concurrents tels que Pierre. Il y a très peu de choses dans le second livre de l'Apocalypse qui sont d'un intérêt direct pour notre étude, si ce n'est que ce document attribue à Jacques d'autres révélations secrètes.

Painter conclut à juste titre que ces documents visent à faire de Jacques le véritable successeur de Jésus et le chef de l'Église primitive. Une des raisons expliquant l'autorité de Jacques est le fait qu'il ait vu Jésus ressuscité — c'est sur cette base qu'on a pu affirmer que ce dernier lui avait fait des révélations — et qu'il était le frère de Jésus.

JACQUES SELON LES SOURCES CHRÉTIENNES

Le plus populaire des livres apocryphes se rapportant à Jacques, celui qui a exercé la plus forte influence, est sans doute le Protévangile de Jacques. Il est dit que Jacques en est l'auteur (25.1), encore qu'on puisse le déduire en lisant le passage suivant : « Maintenant moi, Jacques, qui a écrit cette histoire à Jérusalem, lorsqu'une clameur s'est élevée à la mort d'Hérode, je me suis retiré dans le désert jusqu'à ce que cesse le tumulte à Jérusalem. » Ce document aurait été écrit au cours du deuxième siècle[7] et Origène, le Père de l'Église d'Alexandrie, l'aurait utilisé ; Clément d'Alexandrie l'a peut-être lu également.

Comme Jérôme, le Père de l'Église du cinquième siècle, n'était pas d'accord avec la position avancée dans ce livre à savoir que les frères de Jésus étaient les enfants de Joseph nés d'un mariage précédent (au lieu d'être des cousins), le livre est tombé en désuétude dans la partie occidentale de l'Église mais il est demeuré populaire en Orient[8]. On peut avoir une idée de sa popularité par le fait qu'il a été traduit en syriaque, en amharique, en géorgien, en saïdique, en arménien, en slave ancien et aussi en latin — autant de langues parlées dans des régions où diverses branches de l'Église orthodoxe se sont développées par la suite.

Proto-Evangelium signifie littéralement le proto-Évangile ou pré-Évangile et il est parfois appelé l'Évangile de la nativité ou de l'enfance. L'auteur a certainement puisé dans les récits de la naissance de Jésus tel que retrouvés en Matthieu et en Luc, bien qu'il oriente ce récit de façon à accorder plus d'importance à Jacques. Par exemple, en 17.2, Jacques est dit conduire l'âne sur lequel est assise Marie enceinte en compagnie de Joseph qui chemine derrière elle (voir la peinture de Giotto illustrant cette scène dans l'inséré couleur). Ce récit de la nativité ou de l'enfance se distingue de ceux que l'on trouve dans les versions canoniques par l'accent qu'on y met sur la virginité de Marie plutôt que sur la naissance de Jésus[9]. Nous avons vu dans un

chapitre précédent que la présence des frères et sœurs de Jésus
posait problème à certaines personnes quant à la question de la
pureté de Marie. Sous-jacente à cette préoccupation transparaît
un certain ascétisme qui considère en quelque sorte les relations
sexuelles comme impures.

Le livre se propose avant toute chose de raconter la naissance miraculeuse de Marie ; contrairement aux traditions
catholiques qui se sont développées plus tard, l'auteur prend
modèle sur la naissance de personnages de l'Ancien Testament
comme Samuel pour décrire la naissance de Marie. À l'instar de
Samuel, Marie est consacrée à Dieu alors qu'elle est enfant (7.1)
et elle sert dans le Temple. Sa présence à cet endroit devient un
sérieux problème dès qu'elle atteint la puberté à cause de l'impureté rituelle associée aux menstruations dans la tradition juive.

Au lieu de présenter un récit de fiançailles normales, comme
en Matthieu 1, le Protévangile de Jacques affirme que Joseph a
été choisi pour libérer Marie de l'emprise de la hiérarchie du
Temple, en faisant de lui une sorte de gardien de sa virginité
(9.1). Elle a conçu en demeurant vierge, et le récit affirme un peu
plus loin que les sages-femmes l'ont examinée après la
naissance de Jésus. Elles ont découvert que la virginité de Marie
était intacte (voir 18.1-20.1) Dans ce document, nous constatons
que deux modifications ont été apportées au récit biblique de
Marie : on y affirme clairement qu'elle a eu une naissance
miraculeuse et qu'elle est demeurée vierge toute sa vie.

Cependant, afin de rendre l'histoire plausible — à savoir que
Joseph avait été marié précédemment et qu'il avait déjà des
enfants, dont Jacques —, il fallait postuler que Joseph était
beaucoup plus âgé que Marie, une chose que ni Matthieu ni Luc
ne laissent entendre à aucun moment. Ce document a joué un
rôle très important dans la genèse des traditions orthodoxes
relatives à la Sainte Famille — non seulement en ce qui
concerne Marie, mais aussi Joseph et les frères de Jésus.

Ce livre, attribué à Jacques, soutient que lui-même et les
autres rejetons de Joseph ne sont pas du tout, techniquement

parlant, des frères ou sœurs de Jésus. Jésus est né de la Vierge Marie sans l'intervention de Joseph. Jacques et les autres sont les enfants de Joseph sans l'intervention ou l'aide de Marie. Dans cette tradition, il n'existe pas de liens de consanguinité entre Jacques et Jésus. Pour cette raison, l'inscription de l'ossuaire comporte des implications dans le cas de la tradition orthodoxe également, non parce qu'elle affirme que Jacques est le fils de Joseph, mais parce qu'elle affirme aussi qu'il est le frère de Jésus.

La tradition juive autorisait l'adoption et il suffisait que Joseph reconnaisse Jésus comme son fils pour qu'on puisse dire de ce dernier qu'il était « le fils (à ce qu'on croyait) de Joseph » (Luc 3.23) ou même le fils du charpentier (Matthieu 13.55) sans que cela ne comporte d'autre signification que celle-ci : il était un fils adoptif et on pouvait même glisser son nom dans la généalogie de Joseph (voir Matthieu 1). En revanche, si les frères de Jésus avaient plutôt été ses cousins, on les aurait simplement appelés des cousins, et les auteurs auraient utilisé les termes araméens et grecs appropriés.

Painter est assez catégorique lorsqu'il évalue les témoignages historiques :

> Selon certaines traditions, Marie n'aurait pas mis au monde d'autres enfants après la naissance de Jésus mais, sur le plan historique, la chose n'est pas crédible. Ces traditions servent surtout à préserver la doctrine de la virginité de Marie. Une fois cette idée acceptée, il devenait nécessaire de trouver une autre explication à la présence de ceux dont on disait qu'ils étaient les frères et sœurs de Jésus[10].

Bien que la question de savoir si Marie a eu d'autres enfants après Jésus mérite sans doute d'être débattue un peu plus longtemps que les propos de Painter ne l'autorisent, il faut admettre qu'on trouve très tôt dans le Nouveau Testament des témoignages solides indiquant que Marie a eu d'autres enfants dont Jacques.

Se baser sur le Protévangile de Jacques afin de comprendre les relations familiales de Jésus et relire ensuite les textes plus anciens des Évangiles canoniques en adoptant la perspective qu'il nous propose constitue une démarche douteuse. Le risque d'anachronisme qu'entraîne cette façon de procéder est considérable.

Un autre important document pour notre discussion a pour nom l'Évangile des Hébreux, à ne pas confondre avec le document du Nouveau Testament appelé l'Épître aux Hébreux. Nous ne possédons pas réellement de manuscrits contenant ce document. Il n'apparaît qu'à travers de brèves citations dans les écrits de différents Pères de l'Église.

Il n'existe réellement qu'un seul fragment en lien avec Jacques. Il s'agit du fragment numéro 7 cité par Jérôme (*De vir inl.* 2). Après la résurrection, on y lit que Jésus immédiatement :

> Se rendit auprès de Jacques et lui apparut. Car Jacques avait juré de ne plus prendre de pain depuis cette heure où il avait bu à la coupe de Seigneur, jusqu'à ce qu'il le voie ressuscité d'entre ceux qui dorment. Et peu après le Seigneur dit : « Apportez la table et le pain ! » Et on ajoute aussitôt : Il prit le pain, le bénit, le rompit, et en donna à Jacques le Juste, lui disant : « Mon frère, mange ton pain, puisque le Fils de l'Homme est ressuscité d'entre les dormants. »

Plusieurs exégètes croient que cet Évangile date du deuxième siècle. Si c'est exact, il révèle une tradition différente de ce qu'on trouve dans le Protévangile de Jacques. Ici, comme dans la deuxième Apocalypse de Jacques (50.13), seul autre endroit où on trouve une telle mention, Jésus appelle Jacques « mon frère ». Dans ce passage, Jacques est aussi appelé le Juste, comme c'est le cas dans d'autres textes chrétiens anciens. Ce passage est exceptionnel dans la mesure où il suggère que Jacques était présent à la Cène, avant l'arrestation de Jésus, et, à l'exemple de ce dernier, il aurait fait un vœu ascétique (Luc 22.18) — vœu lié à son désir de voir son frère ressuscité.

L'expression « ressuscité d'entre ceux qui dorment » est intéressante. Il s'agit d'un euphémisme employé dans la tradition juive pour parler de la mort ; il était utilisé par les Juifs qui croyaient qu'à tout le moins les justes ressusciteraient et qu'ils seraient pleins de vigueur. On veut signifier de la sorte que, pour ceux qui ressuscitent, la mort, tout comme le sommeil, ne possède pas un caractère permanent.

Notez l'utilisation du titre Fils de l'Homme pour désigner Jésus, un titre qui suggère également que ce passage est d'origine judéo-chrétienne. Hégésippe, l'historien chrétien du deuxième siècle, nous dit que Jacques avait l'habitude de donner ce titre à Jésus (Eusèbe, *Hist. Eccl.* 2.23). « Fils de l'Homme » était une expression typiquement juive utilisée régulièrement par Jésus lui-même et qui signifie « un être humain ». Or, elle nous renvoie aussi au livre de Daniel, où elle désigne un fidèle représentant du peuple de Dieu, et à la littérature intertestamentaire, dans laquelle elle fait référence à une figure messianique de la tradition apocalyptique[11]. Ce passage, qui suggère aussi que Jésus est apparu d'abord à Jacques, se termine lorsque Jacques interrompt son jeûne à la suite de l'intervention de Jésus qui lui donne du pain.

Manifestement, ce passage a pour but de promouvoir la primauté de Jacques dans l'Église primitive. Encore une fois, cette communauté veut empêcher que l'héritage de Jacques ne sombre dans l'oubli et, par ce moyen, soutenir sans doute la pérennité d'une certaine communauté juive chrétienne au second siècle de notre ère. Jacques est décrit à nouveau comme un Juif juste et pieux dont le lien avec Jésus (incluant le Jésus ressuscité) explique sa position de leader et son importance dans l'Église primitive[12]. Le fait que différents moyens soient utilisés pour témoigner de l'importance de Jacques nous indique que des traditions rivales centrées sur Pierre, et peut-être sur Paul, portaient ombrage à celles de Jacques et que plusieurs judéo-chrétiens cherchaient à remédier au problème grâce à ce type de récits.

Il existe deux traditions intéressantes et possiblement liées au sujet d'un tumulte dans le Temple auquel Jacques aurait été mêlé. La première se trouve dans un écrit d'Hégésippe (cité par Eusèbe, *Hist. Eccl.* 2.23.4-18), et cette tradition mérite d'être citée de façon détaillée. L'auteur a probablement été influencé par un récit de Josèphe sur la mort de Jacques.

La direction de l'Église fut transmise aux apôtres ainsi qu'au frère du Seigneur, Jacques, lequel, depuis l'époque du Seigneur jusqu'à nous, est appelé le Juste, car il y avait plusieurs Jacques. Cet homme fut sanctifié dès le sein de sa mère ; il ne but ni vin ni boisson enivrante ; il ne mangea pas de viande ; il ne se rasa pas ; il ne s'oignit pas d'huile et ne prit pas de bains. À lui seul il était permis d'entrer dans le sanctuaire, car il ne portait pas de vêtements de laine, mais de lin. Il entrait seul dans le Temple et il s'y tenait à genoux, demandant pardon pour le peuple, si bien que ses genoux s'étaient endurcis comme ceux d'un chameau, car il était toujours à genoux, adorant Dieu et demandant pardon pour le peuple. À cause de son inestimable justice on l'appelait le Juste et Oblias [ce qui, en grec, signifie rempart du peuple et vertu], et ainsi les prophéties à son sujet ont été accomplies.

Des représentants des sept sectes que j'ai déjà décrites lui ont demandé la signification des mots « la porte de Jésus » et il a répondu que Jésus était le Sauveur. Certains d'entre eux en vinrent à croire que Jésus était le Christ : les membres des sectes mentionnées plus haut ne croyaient pas généralement qu'un homme pouvait ressusciter ou que quelqu'un était venu pour donner à chaque homme ce qu'il méritait selon ses actions ; mais ceux qui en sont venus à croire l'ont fait à cause de Jacques. Donc, comme beaucoup de gens et même des membres de la classe dirigeante croyaient en lui, cela a déclenché un véritable tumulte parmi les Juifs, les scribes et les pharisiens, qui craignaient que tout le peuple accepte Jésus comme le Christ. Ils allèrent ensemble rencontrer Jacques et lui dirent : « Nous t'en prions, retiens le peuple, car il se trompe en croyant que Jésus est le Christ. Nous te prions de clarifier la situation concernant Jésus pour tous ceux qui viennent pour le jour de la Pâque. Tous, nous acceptons ce que tu dis. Nous, ainsi que tout le peuple, pouvons témoigner que tu es un homme juste et que tu ne juges pas les gens sur leur apparence[13]. Alors, persuade la foule de ne pas s'égarer au sujet de Jésus. Car tout le peuple et nous tous, nous avons confiance en toi. Tiens-toi donc sur le pinacle du Temple, afin que de là-haut tu sois vu de tous et que tes paroles soient entendues par tout le peuple. Car à cause de la Pâque toutes les tribus et même les Gentils se sont rassemblés. »

Alors les scribes et les pharisiens placèrent Jacques sur le pinacle du Temple et lui crièrent : « Juste, de qui nous sommes tous obligés d'accepter les paroles, le peuple se trompe au sujet de Jésus qui a été crucifié ; alors dis-nous ce que signifie «la porte de Jésus ». » Et il répondit aussi fort qu'il pouvait : « Pourquoi m'interrogez-vous sur le Fils de l'Homme ? Je vous le dis, il est assis au ciel à la droite de la grande puissance et il viendra sur les nuées du ciel. » Beaucoup furent convaincus et glorifièrent le témoignage de Jacques en criant : « Hosannah au fils de David ! » Alors, les scribes et pharisiens se dirent les uns aux autres : « Nous avons fait une grande erreur en procurant un tel témoignage au sujet de Jésus. Nous ferions mieux de monter et de le jeter en bas, afin qu'ils aient peur et ne croient pas en lui. » Et ils crièrent : « Oh ! Oh ! Même le Juste a été égaré. » Et ils accomplirent la prophétie d'Isaïe : « ' Enlevons le Juste parce qu'il ne sert pas notre cause '. Ainsi, ils mangeront les produits de leurs œuvres. »

Ils montèrent donc et jetèrent en bas le Juste. Et ils se disaient les uns aux autres : « Lapidons Jacques le Juste », et ils commencèrent à le lapider, car, malgré sa chute, il était encore vivant. Mais s'étant retourné, Jacques se mit à genoux et prononça ces mots : « Je t'en prie, Seigneur Dieu le Père, pardonne-leur, car ils ne savent pas ce qu'ils font. » Tandis qu'ils lui jetaient des pierres, un des fils de Réchab, fils de Réchabim, de la famille sacerdotale à laquelle Jérémie le prophète a rendu témoignage, cria : « Arrêtez, que faites-vous ? Le juste prie pour vous. » Et l'un d'entre eux, un foulon, prit le bâton avec lequel il foulait les étoffes et frappa le Juste à la tête ; et c'est ainsi qu'il vécut le martyre. Et on l'inhuma sur les lieux mêmes, près du Temple, et sa pierre inscrite est encore là près du Temple. Il a vraiment témoigné devant les Juifs et les Gentils que Jésus est le Christ.

Il est intéressant de comparer ce passage à celui des Ascensions de Jacques, un autre document de l'Église primitive dont nous ne possédons que des fragments[14]. Ce document raconte l'histoire de Jacques qui gravit les marches du Temple pour participer à un débat au sujet de la vocation messianique de Jésus. Le débat a été initié par Pierre et par un autre membre de l'Église primitive appelé Clément (un chef de l'Église de Rome). Au milieu de la discussion, un autre personnage appelé « un ennemi » fait son entrée en scène et provoque un tumulte, surtout parce qu'il a été désapprouvé par Jacques. Il s'agit de nul autre que Saül de Tarse avant sa conversion. Il est dit qu'il a jeté Jacques en bas de la plus haute marche de l'escalier du Temple et que tous ont cru que l'homme était mort. Dans ce passage qui aborde clairement la question de rivalité, Jacques est présenté comme supérieur non seulement à Saül de Tarse mais aussi à Pierre et à Clément, car c'est lui qui apporte une solution au débat.

Ce passage du texte d'Hégésippe, plus ancien et plus long, est aussi plus substantiel et montre comment la légende de Jacques a pu se développer bien au-delà de ce qu'affirment les traditions précédentes du Nouveau Testament ou de certains textes non bibliques. Il met en relief plusieurs points. Remarquez la fin du passage où il est mentionné que Jacques a été inhumé au sud du mont du Temple près de l'endroit où il a été précipité et ensuite lapidé : « Et on l'inhuma sur les lieux mêmes, près du Temple, et sa pierre *inscrite* est encore là près du Temple. » Cette tradition est probablement fondée sur des faits réels, car elle affirme que l'inscription était encore visible à l'époque où ce passage a été rédigé. Si tel était le cas à l'époque d'Hégésippe, l'emplacement où Jacques a été inhumé a très bien pu devenir un lieu de pèlerinage. Cet emplacement devait être situé dans la région de la vallée de Silwan, un ancien site funéraire, où l'ossuaire, semble-t-il, a été trouvé.

Le mot grec traduit plus haut par « pierre » est *stele*, lequel n'est pas un terme technique servant à désigner une pierre tombale. Il signifie simplement une pierre inscrite et il pourrait faire référence à une inscription sur une caisse funéraire. Le mot *stele* ne se retrouve pas dans la version grecque du Nouveau Testament ou dans la Septante ni dans aucun écrit biblique. Peut-il faire référence à l'ossuaire ? La réponse est oui. Aussi loin qu'à l'époque d'Hérodote et, par conséquent bien avant l'écriture du Nouveau Testament et des siècles avant Hégésippe ou Eusèbe, ce terme était utilisé pour parler d'un sarcophage creusé dans le roc et portant une inscription (*Histories* 3.24). Par la suite, il a été utilisé couramment en association avec les pierres tombales et, comme nous le savons maintenant, parfois avec des caisses funéraires.

Eusèbe ou celui chez qui il a puisé son information pourrait avoir choisi ce terme — au lieu de tout autre mot employé dans le Nouveau Testament pour décrire la pierre servant à fermer un tombeau — dans le but de faire comprendre qu'il parlait d'un ossuaire inscrit. Si tel était le cas, cela nous confirmerait que Jacques a été inhumé dans ce type de caisse et que, quelques siècles après son décès, l'emplacement est devenu un lieu de pèlerinage. Comme nous l'avons dit précédemment, l'inscription sur l'ossuaire de Jacques était destinée à être lue et à lui rendre hommage.

Remarquez que cette tradition qui nous vient d'Hégésippe indique que Jacques était couramment appelé le Juste. La façon dont la piété de Jacques est décrite en détail dans ce passage est bien plus qu'un simple portrait d'un membre de la première communauté juive ; on voit clairement que l'auteur s'efforce de dépeindre Jacques en moine modèle ou en Père du désert. Dans son exhortation à la miséricorde, il est aussi dépeint comme semblable à son frère Jésus et à Étienne, le premier martyr chrétien, qui ont tous les deux prié Dieu de pardonner à ceux qui les assassinaient (voir Actes 7.54-60).

Il y a peut-être aussi dans ce passage des connotations antisémitiques ou antijuives. Il ne suffisait pas de pousser Jacques en bas du pinacle du Temple. Il fallait aussi lui donner la bastonnade jusqu'à ce que mort s'ensuive. Cela va bien au-delà de la lapidation ordinaire mentionnée dans le récit de la mort de Jacques telle que rapportée par Josèphe.

Remarquez également que Jacques dit de Jésus qu'il est le Fils de l'Homme ; comme il s'agit, semble-t-il, d'une autre tradition judéo-chrétienne, ce passage viendrait appuyer l'hypothèse voulant que ce titre ait été utilisé par les premiers disciples juifs de Jésus, possiblement pendant une bonne partie du deuxième et du troisième siècles.

Nous avons déjà examiné certaines traditions trouvées dans les écrits d'Eusèbe, mais il nous faut maintenant analyser directement sa chronique de façon à voir ce qu'elle nous apprend au sujet de Jacques.

JACQUES DANS L'HISTOIRE D'EUSÈBE

On s'entend généralement pour dire que, mis à part Luc, l'auteur des Actes des apôtres (un livre canonique), c'est Eusèbe, le « père de l'histoire de l'Église », qui constitue notre source la plus fiable en ce qui a trait à cette histoire. Eusèbe a suivi les traces d'historiens hellénistiques sérieux tels que Luc, lesquels ont soigneusement comparé et même cité d'autres auteurs (voir Luc 1.1-4[15]). En outre, Eusèbe identifie souvent ses sources, ce qui nous permet parfois de vérifier s'il les cite correctement. Compte tenu de tout ceci et bien que, tout comme Josèphe, Eusèbe ait certains intérêts personnels à promouvoir (et ils ne sont pas difficiles à identifier), on peut le considérer comme un historien consciencieux.

Eusèbe a vécu entre 260 et 339 de notre ère et il a écrit sa célèbre *Histoire de l'Église* (*Historia Ecclesiastica*) entre 300 et 325 alors qu'il vivait à Césarée[16]. Heureusement pour lui, cette ville était depuis déjà longtemps un centre d'apprentissage chrétien. Il pouvait fouiller dans la bibliothèque de Pamphile — un professeur qui a joué un rôle important dans la première communauté chrétienne ; il y avait certainement dans cette bibliothèque de nombreux documents chrétiens anciens dans lesquels Eusèbe a puisé abondamment.

La toute première allusion à Jacques chez Eusèbe se trouve dans l'*Historia Ecclesiastica* 1.12.4-5) ; l'historien mentionne les noms des personnes à qui Jésus est apparu après sa résurrection et il cite, après avoir effectué de légères modifications, le passage en 1 Corinthiens 15. Lorsqu'il parle de Jacques, il l'appelle « l'un des présumés frères de Jésus ». Eusèbe était donc tout à fait conscient de l'existence d'une controverse au sujet de la nature exacte du lien de parenté entre Jacques et Jésus, en relation avec le problème de la virginité perpétuelle de Marie. Contrairement à d'autres traditions dont nous avons déjà parlé, Eusèbe ne dit pas qu'il existait une rivalité entre Jacques et Pierre ou entre Jacques et Paul. Ce point est important. Il mentionne que Jésus est apparu d'une façon différente à chacun des trois. Son approche des textes plus anciens en rapport avec Jacques est moins sectaire que celle de certains auteurs judéo-chrétiens.

En mentionnant une deuxième fois le nom de Jacques, Eusèbe, fidèle en cela à Hégésippe, nous dit que le frère de Jésus a été nommé évêque de Jérusalem après la mort d'Étienne (*Hist Eccl.* 2.1.2). Il peut s'agir d'une simple déduction personnelle de l'historien basée en grande partie sur le compte rendu des Actes, puisque Jacques n'apparaît pas vraiment comme un leader de l'Église de Jérusalem avant Actes 12, donc après le compte rendu du décès d'Étienne, en Actes 7. Eusèbe utilise un texte de Clément d'Alexandrie (2.13), dans lequel l'auteur dit que c'est après l'ascension de Jésus que Jacques est devenu un des leaders à Jérusalem. Dans le même passage on trouve ceci :

> Puis il y avait Jacques, qui était appelé le frère du Seigneur ; car lui aussi était appelé le fils de Joseph, et Joseph était le père du Christ, bien qu'en fait la Vierge était sa fiancée, et avant qu'ils ne soient ensemble. [Il continue en citant Matthieu 1] Ce Jacques, que les anciens appelaient le Juste ou le Vertueux à cause de sa remarquable vertu, fut le premier à être installé sur le trône épiscopal de l'Église de Jérusalem, comme les comptes rendus nous l'apprennent.

Puis Eusèbe cite directement Clément, égyptien et Père de l'Église de la fin du premier siècle : ce dernier affirme que les disciples Pierre, Jacques et Jean ne se disputèrent pas la première place mais choisirent plutôt Jacques le Juste comme premier évêque de Jérusalem. Clément fait aussi référence à Jacques et aux autres personnages à qui avait été révélée « une connaissance supérieure », laquelle fut ensuite transmise aux autres leaders tels que les apôtres et les Soixante-Dix.

Ce passage nous fournit plusieurs éléments d'information extrêmement importants :

1. Eusèbe cite un passage d'un texte aujourd'hui disparu et dont l'auteur était Clément. Selon cet écrivain, Jacques était le fils de Joseph tout comme Jésus, mais Eusèbe nuance cette remarque de deux façons. Il dit que Jacques était « présumé être » le fils de Joseph et, au sujet de Jésus, il continue en suivant la tradition exprimée en Matthieu 1.25 qui indique que Jésus était né d'une vierge. Il note également que Jacques était appelé le frère du Seigneur.

2. Jacques est appelé le Juste ou le Vertueux en raison de sa grande vertu. On n'explique pas si cette vertu est liée à sa stricte observance de la Loi ou à son martyre ou aux deux[17]. Remarquez qu'on nous dit que Jacques était appelé le Juste depuis fort longtemps.

3. Contrairement à ses sources, Eusèbe donne à la fonction épiscopale de Jacques le nom de « trône » autant dans ce passage qu'en 7.19.1. Il est difficile de dire où il a trouvé cette idée ; il connaissait peut-être la tradition du « siège de Moïse » issue de la synagogue, un concept qu'il aurait jumelé à celui des « places d'honneur » exprimé en Jacques 2.3. Mais comme Jésus est appelé Seigneur et Christ dans ce passage, il est beaucoup plus probable que cette notion de « trône » fasse référence à Jacques et aux autres leaders de Jérusalem qui faisaient partie de la « famille royale du Roi Jésus ». Cela expliquerait pourquoi ils seraient devenus des chefs à Jérusalem.

4. Eusèbe dit que Clément d'Alexandrie mentionne la tra-
    dition voulant que Jacques ait été précipité en bas du
    pinacle du Temple et puis battu à mort avec le bâton d'un
    foulon.

5. On fait référence dans ce texte à deux Jacques bien
    connus — le fils de Zébédée et le fils de Joseph. Il n'y a
    aucune confusion possible entre les deux et il n'existe
    pas non plus de référence à un autre Jacques biblique.

6. À en juger par le passage du Talmud babylonien San.
    81b, lequel dit que les prêtres qui profanaient le Temple
    d'une façon ou d'une autre devaient être emmenés à
    l'extérieur et frappés avec un gourdin, il est plausible que
    la tradition selon laquelle Jacques a été battu se soit
    développée parce qu'il était un personnage sacerdotal et
    qu'il accomplissait son ministère d'une façon ou d'une
    autre dans le Temple[18].

Dans les versets 2.23.1-3 de *l'Historia Ecclesiastica*, Eusèbe
résume à sa façon l'épisode de la mort de Jacques. Dans ce
passage, l'historien dit que Jacques a été élu par les apôtres au
lieu d'être nommé pour occuper le trône de Jérusalem
(comparez avec le passage en 3.5.2-3). Il est intéressant de
constater qu'Eusèbe souligne le fait que les Juifs respectaient
Jacques en raison « du très haut niveau philosophique et
religieux qu'il avait atteint au cours de sa vie ». Cette façon de
décrire la vertu de Jacques relève davantage de la tradition
gréco-romaine que de la tradition sémitique et elle nous donne à
penser que l'auditoire d'Eusèbe était composé en grande partie
de Gentils.

Eusèbe connaît bien les comptes rendus de Josèphe,
d'Hégésippe et de Clément sur la mort de Jacques. Eusèbe croit
qu'Hégésippe ayant vécu au deuxième siècle — soit immédiatement après l'époque apostolique —, il nous donne le

compte rendu le plus fidèle de la mort de Jacques (2.23.3). Or, en réalité, le récit de Josèphe est probablement plus ancien et l'auteur fait preuve de plus de circonspection ; c'est pourquoi ce compte rendu devrait être considéré comme étant celui qui reflète le mieux la réalité historique. Bien que, selon les anciens standards, Eusèbe soit un historien consciencieux, il ne fait pas toujours preuve de jugement critique par rapport à ses sources, du moins pas autant que nous le souhaiterions.

Le dernier passage d'Eusèbe que nous étudierons (2.23.19) mérite d'être cité en entier : « Il s'agit d'un compte rendu détaillé présenté par Hégésippe, en accord avec Clément. Ainsi il semble que Jacques était effectivement un homme remarquable, renommé pour sa vertu ; c'est pourquoi les gens avisés, même parmi les Juifs, ont pensé que son martyre avait été la cause du siège de Jérusalem qui a eu lieu aussitôt après, et que ceci s'est produit à cause de ce crime qu'ils avaient commis contre lui. »

Non seulement ici mais aussi dans les versets 2.23.1-3 de *l'Historia Ecclesiastica*, Eusèbe établit un lien de cause à effet entre le martyre de Jacques et la chute de Jérusalem. Plus particulièrement, il voit la chute de Jérusalem comme une expression du jugement de Dieu contre la capitale juive en raison de l'injustice commise à l'endroit de Jacques. Bien sûr, cette notion, absente du Nouveau Testament et des écrits de Josèphe[19], reflète des tendances antisémitiques qui se sont développées ultérieurement, comme l'indique l'expression « même parmi les Juifs ».

À l'époque d'Eusèbe, les Juifs formaient manifestement une communauté distincte, ce qui n'était certainement pas le cas à l'époque de Jacques. Jacques n'aurait pas apprécié non plus l'attitude d'Eusèbe envers les Juifs. Dans un passage subséquent (*Historia Ecclesiastica* 3.7.7-9), Eusèbe suggère que la présence à Jérusalem d'un homme juste tel que Jacques ainsi que d'autres personnes telles que les judéo-chrétiens a empêché que le jugement de Dieu ne tombe sur la ville pendant qu'ils y étaient.

À plus d'un endroit, Eusèbe parle de la succession à la tête de l'Église de Jérusalem après le martyre de Jacques. Le premier de ces passages doit être cité :

> Après le martyre de Jacques et la destruction de Jérusalem qui se produisit aussitôt après, on dit clairement que les apôtres et les disciples du Seigneur qui étaient encore en vie s'assemblèrent, venant de partout, et se réunirent avec ceux qui étaient, selon la chair, les parents du Seigneur — un grand nombre d'entre eux, en effet, étaient alors encore en vie et ils se concertèrent pour décider qui il fallait juger digne de la succession de Jacques ; à l'unanimité ils décidèrent que Siméon, fils de Clopas, qui est mentionné dans le livre de l'Évangile, était digne d'occuper le trône de l'Église de Jérusalem : il était, dit-on, cousin du Seigneur. Hégésippe raconte en effet que Clopas était le frère de Joseph (Hist. Eccl. 4.5.1-4 ; voir aussi 4.22.4).

Apparemment, les judéo-chrétiens éprouvaient un impérieux besoin de maintenir le leadership à Jérusalem et au sein de la famille de Jésus[20]. Eusèbe sait qu'il existe à son époque une polémique sur la nature de la relation liant Jacques à Jésus et à Marie, et c'est pourquoi il est prudent lorsqu'il parle des membres de la famille. Ici, il affirme assez clairement que Simon était un cousin de Jésus et le fils de Clopas (et de sa femme Marie). Rien en l'occurrence ne nous porte à croire qu'Eusèbe considérait Jacques comme étant aussi un cousin de Jésus. Nous reviendrons sur cette controverse au sein de l'Église primitive au cours du prochain chapitre.

Dans son précieux résumé du témoignage d'Eusèbe sur Jacques, le professeur Painter conclut :

> Jacques est identifié comme le frère de Jésus. Bien qu'Eusèbe répète constamment qu'il s'agit d'une rela-

tion de parenté « présumée » ou que Jacques est le « soi-disant » frère de Jésus, il fait de cette relation une des principales raisons expliquant le leadership de Jacques. Cette restriction est liée à l'acceptation par Eusèbe de la doctrine de la conception virginale de Jésus[21]. Comme membre de la famille élargie de Jésus, Jacques a exercé un leadership dans l'Église primitive, et les autres membres de la famille ont continué à exercer ce leadership au moins jusqu'au règne de Trajan. Cette appartenance à la famille constituait une des principales raisons leur permettant d'occuper un poste élevé. Plus on perçoit l'importance de la relation familiale dans l'Église primitive, moins les explications selon lesquelles il n'y avait qu'une relation lointaine ou même aucune relation « naturelle » entre Jésus et Jacques nous paraissent convaincantes. L'acceptation de la conception virginale de Jésus implique que Jacques et Jésus, même en ayant la même mère, n'auraient pas pu avoir le même père. Cette situation aurait fait d'eux des frères même s'ils n'étaient que des demi-frères. Eusèbe lui-même semble avoir accepté l'existence de liens de parenté rapprochés, mais il se sentait tenu de faire certaines restrictions car diverses personnes se réclamaient de Jacques pour défendre une tradition opposée à la « tradition apostolique[22] ».

Dans cette dernière phrase, Painter fait référence à la tradition gnostique que nous avons abordée précédemment dans ce chapitre.

Nous avons maintenant passé en revue les principales données du christianisme primitif au sujet de Jacques, à une exception près. Nous avons gardé pour le prochain chapitre l'étude de la controverse dans l'Église primitive au sujet des frères de Jésus : étaient-ils vraiment des frères ou n'étaient-ils pas plutôt des parents éloignés ?

CONCLUSIONS

S'il est possible de mesurer l'influence exercée par une personne en se basant sur l'intérêt et les discussions qu'elle a suscités après son décès, on peut avancer que Jacques a été une figure proéminente dans l'Église primitive. Nous avons vu que plusieurs traditions et différents textes au sujet de Jacques circulaient dans l'Église primitive. De fait, il a été un personnage d'une telle importance que même un historien juif comme Josèphe a jugé important de mentionner sa mort, chose qu'il n'a jamais faite pour aucun autre apôtre (incluant les Douze) ni aucun des autres chefs de l'Église par la suite. À en juger par les écrits de Josèphe, à l'exception de Jésus lui-même, Jacques était la personne la plus importante associée au mouvement de Jésus.

Nous avons remarqué qu'une tendance se dessinait déjà dans le Protévangile de Jacques : on tentait d'expliquer la nature exacte du lien de parenté entre Jacques et Joseph, entre Marie et Jésus. Au deuxième siècle, se développe d'abord une théorie voulant que Jacques ait été le fils de Joseph, né d'un mariage précédent. Manifestement, l'émergence d'un courant ascétique au sein de l'Église influençait sérieusement la façon dont les écrivains chrétiens percevaient la Sainte Famille, y compris leur conception du personnage de Jacques. Plus cette tradition se développait et plus on donnait au portrait de Jacques une allure ascétique ; celui-ci était même dépeint parfois comme un personnage sacerdotal qui officiait régulièrement dans le Temple.

Mais, chose plus importante encore, les récits de la mort et de l'inhumation de Jacques indiquent que ce dernier a été tué en bas du mont du Temple et inhumé tout près de là, ce qui concorde avec l'endroit où, semble-t-il, l'ossuaire de Jacques a été trouvé. Un passage d'Eusèbe citant Hégésippe s'avère encore plus intrigant : il pourrait très bien faire référence à l'ossuaire inscrit de Jacques encore visible à Jérusalem au cours du quatrième siècle. Le terme *stele* peut effectivement faire référence à un ossuaire en pierre portant une inscription.

Josèphe note que Jacques a été exécuté par lapidation après une réunion du Sanhédrin, en suggérant ainsi que sa mort n'a pas été causée uniquement par malveillance mais qu'il pouvait s'agir aussi d'une punition pour un crime : soit pour avoir blasphémé, soit pour avoir détourné le peuple de Dieu du droit chemin ou les deux. Il est peu probable que Jacques ait été accusé d'avoir pratiqué la sorcellerie ou la magie (alors que ce fut le cas pour Jésus) ; nous ne possédons aucun compte rendu sur des miracles ou des exorcismes pratiqués par Jacques, alors que Jésus, dit-on, en a réalisé. Josèphe considère que l'exécution de Jacques a constitué une erreur judiciaire, mais son récit indique néanmoins que Jacques était reconnu comme un homme dispensant un enseignement controversé — sans aucun doute au sujet de Jésus qu'il appelle le Seigneur Jésus-Christ dans le verset 1.1 de l'Épître de Jacques.

Ceux qu'on a appelés les frères de Jésus étaient-ils véritablement ses frères ? Dans le prochain chapitre, nous tenterons de répondre à cette question en étudiant le débat entre Jérôme, Épiphane ainsi que d'autres écrivains. Ce débat a fait rage pendant longtemps, au moins depuis le début du deuxième siècle, au moment où le Protévangile de Jacques a été écrit ; ceux qui étaient prudents, comme Eusèbe, ont tenté d'esquiver la question devant la montée du mouvement ascétique ou monastique à l'intérieur de l'Église. Dans le prochain chapitre, nous verrons l'influence que les exigences théologiques quant au célibat et à l'ascétisme ont exercée sur le débat impliquant Jacques et la Sainte Famille. Ce débat devait façonner autant l'Église occidentale qu'orientale pendant une bonne partie de l'ère moderne. Il a déclenché une polémique dont Jacques, le Juif pieux et le disciple de Jésus, aurait été bien étonné et choqué s'il en avait eu connaissance.

1. Je suis redevable à mon ami le professeur John Painter pour son étude critique exhaustive publiée sous le titre *Just James*, Columbia, University of South Carolina Press, 1997 ; j'ai fait référence à ce texte à plusieurs occasions dans ce chapitre.

2. Voir l'étude de Painter, *Just James*, p. 159-160.

3. Cette croyance particulière semble n'avoir existé que chez certains chrétiens gnostiques en Égypte et peut-être en Syrie.

4. Voir Painter, *Just James*, p. 164-165.

5. Ce qui ne signifie pas que Jacques parlait l'hébreu mais que, tout comme son frère Jésus, il pouvait lire et probablement écrire en cette langue, ainsi que nous pouvons le voir en Marc 6.

6. Il est possible que cette tradition soit rattachée à un souvenir : celui du transport des os de Jacques à Pella par les chrétiens en fuite avant la destruction de Jérusalem à la fin des années 60.

7. Nous possédons le Bodmer Papyrus V, qui contient le livre et est daté du troisième siècle.

8. Voir Painter, *Just James*, p. 198.

9. Comme le fait remarquer si justement Painter dans, *Just James*, p. 198.

10. Painter, *Just James*, p. 199.

11. Il est possible que l'expression « Fils de l'Homme » ait été utilisée régulièrement par Jacques et les premiers disciples juifs de Jésus pour désigner ce dernier après sa résurrection (à Pâques). Toutefois, nous ne trouvons aucun témoignage à ce sujet dans l'Épître de Jacques ; il faut dire que, dans ce texte, l'auteur fait à peine référence à Jésus. Cette façon de parler de Jésus était peut-être caractéristique de la christologie de la communauté judéo-chrétienne de l'époque car, à l'extérieur des Évangiles, nous ne la retrouvons qu'une seule fois dans les Actes et la Révélation, dans des citations de Daniel. Sur le développement de la christologie chez les premiers chrétiens, voir le livre de Ben Witherington, *The Many Faces of the Christ*, New York, Crossroad, 1998.

12. Remarquez aussi que la présence de Jacques à la Cène, présence qui fait de lui un disciple avant la résurrection, ne s'accorde pas avec la tradition canonique que l'on retrouve en Jean 7.3-5. Cette histoire au sujet de Jacques a sans doute pour but d'essayer de corriger diverses traditions plus anciennes, incluant l'ordre des témoins dans la liste présentée en 1 Cor. 15.

13. Cette affirmation est intéressante car elle correspond à ce que Jacques dit au sujet de la partialité dans sa lettre.

14. Il s'agit d'un autre document qui n'existe que dans d'autres sources et, dans le cas qui nous concerne, *Les Reconnaissances pseudo-clémentines*. Le passage en question est *Reconnaissances* 1.66-71.

15. Voici l'opinion de Painter exprimée dans *Just James*, p. 105 : « En général, quand nous pouvons retrouver dans des documents qui existent encore les citations utilisées par Eusèbe, nous réalisons qu'Eusèbe est un érudit digne de foi. »

16. Il a été évêque de Césarée à partir de l'an 313.

17. Painter, *Just James*, p. 112.

18. Painter, *Just James*, p. 116.

19. Dans la version du texte de Josèphe que nous possédons maintenant. Le plus ancien texte de Josèphe que nous possédions a été écrit au onzième siècle et il a probablement été quelque peu modifié par un écrivain chrétien. Cependant, Eusèbe a eu accès à des manuscrits de Josèphe beaucoup plus anciens, et il se peut qu'il relie la chute de Jérusalem non pas directement à la mort de Jacques, mais à une série d'injustices de même nature, parmi lesquelles pourrait figurer le martyre de Jacques. Manifestement, Josèphe avait une haute opinion de Jacques, comme nous l'avons vu au chapitre précédent.

20. Voir Bauckham, *Jude, 2 Peter*, Waco, TX, Word, 1983, p. 5-133, pour une étude exhaustive sur la famille de Jésus et la succession à la tête de l'Église de Jérusalem.

21. Non pas son acceptation de la tradition au sujet de la virginité perpétuelle de Marie.

22. Painter, *Just James*, p. 156.

13

FRÈRE, COUSIN OU PARENT ?

Dans la mesure où les plus grands experts en inscriptions et textes araméens du premier siècle s'entendent pour dire que l'ossuaire de Jacques est authentique, il semble bien que l'enseignement traditionnel de l'Église catholique concernant Marie, Joseph et la fratrie de Jésus soit erroné. Les témoignages — textuels et maintenant archéologiques — montrent que Jacques n'était pas un cousin mais le « fils de Joseph et le frère de Jésus ». Mais quel est le véritable enjeu de ce débat ? Comment l'Église catholique en est-elle venue à croire que Jésus ne pouvait avoir un frère ?

Nous avons déjà examiné les textes bibliques dans lesquels Jacques est appelé le frère de Jésus (voir au chapitre 7). Mais j'ai réservé pour ce chapitre-ci la discussion sur la controverse qui a éclaté dans l'Église à une époque ultérieure. On ne décèle aucune trace de cette controverse dans le Nouveau Testament ni dans les écrits de Josèphe ; je voulais donc éviter le danger qui consiste à relire les textes originaux à la lumière d'événements qui sont arrivés plus tard, ce qui aurait pu se produire si j'avais commencé mon étude à partir de cette controverse tardive.

DE RETOUR À LA BIBLE

Premièrement, nous examinerons un argument fréquemment employé dans l'Église ancienne (et encore aujourd'hui) visant à montrer que Jacques n'était pas un frère germain de Jésus. Les toutes premières références aux frères de Jésus se trouvent en Marc 6.3 et en Matthieu 13.55, où les habitants de Nazareth donnent la liste des membres de la fratrie de Jésus. On y nomme quatre de ses frères mais on ne mentionne pas précisément le nom de ses sœurs. (Le professeur Bauckham a probablement raison d'affirmer que le fait de nommer chacun des quatre frères indique qu'ils étaient tous bien connus au sein de l'Église primitive[1].)

Le problème se pose dans le cas des deux premiers frères mentionnés dans la liste, Jacques et Joset. Certains soutiennent que ces deux hommes sont les mêmes que le Jacques et le Joset mentionnés en Marc 15.40. La scène se passe au pied de la croix durant la crucifixion de Jésus : « Il y avait aussi des femmes qui regardaient à distance, dont Marie de Magdala et Marie mère de Jacques le Petit et de Joset. » Nous découvrons là une Marie qui est la mère de Jacques le Petit (ou le Jeune) et de Joset. Est-ce vraiment une façon d'identifier la mère de Jésus — en utilisant comme référence uniquement ses frères les moins connus ? Ou ne s'agit-il pas plutôt d'une autre Marie, et donc Jacques et Joset ne pourraient être les « frères » de Jésus ?

Première des choses, Marie la mère de Jacques le Jeune et de Joset n'était probablement pas la mère de Jésus. Comparons la liste des femmes présentes au pied de la croix et celles présentes au tombeau. Dans presque toutes les listes de ces femmes, Marie de Magdala est mentionnée la première ; puis cette autre Marie, la mère de Jacques et de Joset, est mentionnée en deuxième ou troisième lieu (voir Marc 15.40, 47 ; 16.1) Matthieu 27.56, 61 ; 28.1 ; Luc 24.10 ; Jean 19.25). Mais concentrons-nous sur le passage en Jean 19.25 : « Or près de la croix de Jésus se tenaient sa mère et la sœur de sa mère, Marie, la femme de Clopas, et Marie de Magdala. » Ceci suggère que cette autre Marie en Marc

15.40 était la femme de Clopas, et non pas la mère de Jésus. De plus, il est peu probable que Marie la mère de Jésus ait été identifiée simplement comme Marie la mère de Jacques le Petit, d'autant plus que Jésus était encore vivant.

Mais est-ce que cela signifie que Jacques et Joset n'étaient pas les frères de Jésus ? Rien ne nous porte à croire que les deux frères mentionnés en Marc 6.3 sont les mêmes que ceux mentionnés en 15.40. Dans la partie précédente des Évangiles de Marc et de Matthieu, on retrouve presque toujours les quatre frères en compagnie de la mère de Jésus. Pourquoi sont-ils constamment associés avec Marie la mère de Jésus durant le ministère de ce dernier, alors que nous les trouvons maintenant associés à cette autre Marie au pied de la croix ? Cette solution brouille le portrait plus qu'elle ne l'éclaire.

Jacques le Jeune (ou le Petit) pourrait-il être la même personne que Jacques le frère de Jésus ? Le rapprochement hypothétique de ces deux personnages ne résiste pas à un examen minutieux. Pour obtenir une explication plausible au qualificatif « le Petit » qu'applique Marc à Jacques, il faut distinguer ce dernier des autres Jacques introduits plus tôt dans le récit, comme Jacques le fils de Zébédée et Jacques le fils de Joseph et le frère de Jésus. À aucun autre endroit dans le Nouveau Testament, le Jacques qui fait l'objet de notre discussion n'est appelé « le Petit » ou « le Jeune ». Au lieu de cela, il est régulièrement appelé le frère du Seigneur.

L'explication la plus plausible est celle-ci : il y avait une autre Marie dont les enfants s'appelaient Jacques et Joset. Ce sont des noms tout à fait courants à cette époque et les femmes semblent avoir été de proches parentes ; elles avaient les mêmes ancêtres mâles et elles ont voulu honorer ces derniers en donnant leur nom à leurs fils ; par conséquent, il n'y a pas de raison valable d'identifier l'une ou l'autre de ces trois personnes à un membre de la famille de Jésus.

Supposons alors que Marie de Clopas soit une parente quelconque de Marie la mère de Jésus. Jean dit qu'elles sont des

« sœurs » (19.25). Il est plus probable qu'elles aient été des belles-sœurs, car on imagine mal que des parents aient donné à leurs filles le même nom. Il est plus vraisemblable que Clopas ait été le frère de Joseph. Comme Siméon — qui a succédé à Jacques à la tête de l'Église de Jérusalem — est aussi le fils de Clopas et par conséquent le neveu de Joseph, on comprend mieux pourquoi Eusèbe l'appelle le cousin de Jésus.

Certains exégètes ont cherché à identifier ce Clopas au Alphée mentionné dans la liste des Douze et père lui-même d'un autre Jacques (Marc 3.18 ; Matthieu 10.3 ; Luc 6.15 ; Actes 1.13). Ils souhaitaient ainsi montrer que Jacques le frère/cousin du Seigneur était en fait un des douze disciples de Jésus ! Or, sur le plan grammatical, rien ne vient fonder pareil argument. On imagine difficilement Marc ou Matthieu identifier la même personne en l'appelant parfois Jacques le fils d'Alphée, parfois Jacques le frère du Seigneur et parfois Jacques le fils de Marie de Clopas. Et pourquoi présenteraient-ils dans certains cas Jacques comme l'un des Douze et, en d'autres occasions, comme quelqu'un qui ne prête pas foi aux affirmations de Jésus avant sa crucifixion ? Cette explication est tout simplement dépourvue de sens. On a affaire ici à un type de raisonnement à ce point alambiqué qu'on peut difficilement dire qui sont les acteurs si on n'a pas le programme détaillé de la pièce[2].

Si on se base sur les témoignages bibliques, l'identification de Jacques le Petit avec Jacques le frère de Jésus ou Jacques le fils d'Alphée est hautement improbable. Mais certains a priori, dont l'un visait à sauvegarder la doctrine de la virginité perpétuelle de Marie, orientaient le débat sur pareilles questions au quatrième siècle.

L'ÉMERGENCE DE LA THÉORIE DES COUSINS

Ces points de vue archaïques subsistent encore aujourd'hui dans les trois principales branches du christianisme universel. Jérôme, le Père de l'Église du quatrième siècle, enseignait que Jacques et les autres frères étaient en fait des cousins de Jésus et les rejetons d'un autre couple, c'est-à-dire autre que celui formé par Marie et Joseph dans la Bible. C'est cette position qui a été adoptée le plus souvent par l'Église catholique romaine. Helvidius, un contemporain de Jérôme, affirmait que Jacques et les autres frères étaient en fait les enfants de Marie et de Joseph et, par conséquent, il niait l'idée de la virginité perpétuelle de Marie. C'est la façon de voir courante chez les protestants de nos jours. Épiphane soutient que ces frères étaient les fils de Joseph issus d'un mariage précédent. Telle est la position des orthodoxes aujourd'hui.

À tous les égards, Jérôme était une figure impressionnante. Né aux environs de l'an 347, il a étudié à Rome, à Antioche, en Syrie et ailleurs, et il a été l'un des leaders du mouvement qui préconisait la chasteté pour tous les chrétiens qui n'étaient pas mariés. Ses penchants ascétiques concordent donc avec son plaidoyer en faveur de la virginité perpétuelle de Marie. Cependant, il n'était pas du tout populaire car il abordait les problèmes avec une attitude très querelleuse et il était reconnu pour son esprit acerbe et polémiste. Bien des personnes à Rome n'avaient pas envie de soutenir que le célibat — non seulement celui des prêtres mais aussi celui des chrétiens ordinaires — constituait un mode de vie supérieur. Parmi ces gens, il y avait un laïc appelé Helvidius.

Voici en quels termes Helvidius explique son opposition à la doctrine de la virginité perpétuelle de Marie et soutient que les frères de Jésus sont bien issus de celle-ci. 1) Les versets 1.18, 25 de Matthieu nous indiquent que Joseph « a connu » Marie (c'est-à-dire qu'il a eu des relations sexuelles avec elle) après la naissance de Jésus parce qu'il est dit qu'il ne la « connaissait » pas avant. Le passage sur la grossesse de Marie « avant qu'ils n'eussent mené vie commune » renvoie à un moment antérieur à l'époque où ils ont eu des relations sexuelles et non pas simplement avant qu'ils habitent dans la même maison. 2) La référence à Jésus en tant que premier-né et fils de Marie (Luc 2.7) implique que celle-ci a eu d'autres enfants plus tard.

3) Plusieurs passages distincts mentionnent les frères et sœurs de Jésus. 4) Tertullien a adopté un point de vue identique, tout comme Victorinus, évêque de Pettau. 5) Il n'était pas déshonorant pour Marie d'être réellement la femme de Joseph dans la mesure où tous les patriarches avaient des épouses[3].

Dans sa réponse en 383, Jérôme n'a eu recours qu'à la raillerie et à l'invective (il a accusé Helvidius de connaître à peine le grec) au lieu de proposer une réponse pertinente. Il reconnaît l'appui de Tertullien à l'argumentation d'Helvidius[4] pour ensuite prétendre que le premier est devenu un hérétique. Jérôme se base sur les témoignages de certains Pères de l'Église qui ont été mal interprétés — des écrivains qui, comme Ignace d'Antioche, n'endossent pas la théorie de la virginité perpétuelle de Marie — ou sur la théorie voulant que les frères soient des cousins (voir *Ephes.* 19). Ignace met l'accent uniquement sur la conception virginale, un point qui fait consensus chez tous les intervenants engagés dans ce débat.

Jérôme propose de piètres arguments. Il avait raison de dire que le mot grec *adelphos*, qui se traduit par frère, peut avoir le sens de frère spirituel ou de compatriote, mais le contexte aurait alors dû l'indiquer puisque le terme signifie habituellement frère germain. Ce terme peut aussi à l'occasion faire référence à d'autres proches parents. Or, dans le cas de Jacques le frère de Jésus et celui des trois autres frères mentionnés avec lui dans les Évangiles, aucun autre mot faisant allusion à des parents n'est utilisé dans tout le Nouveau Testament. Ils ne sont jamais appelés des cousins et, comme je l'ai mentionné précédemment, il existe un mot grec qui convient parfaitement pour désigner un cousin (*anepsios*). La question qui se pose alors est celle-ci : où sont dans les Évangiles les témoignages à l'effet que ces frères étaient en fait des cousins alors qu'on ne les désigne pas ainsi ?

Jérôme soutient que Jacques le Petit, Jacques le frère du Seigneur et Jacques le fils d'Alphée sont en fait une seule et même personne. Il affirme également que Marie de Clopas était aussi Marie d'Alphée, en considérant Alphée et Clopas comme les deux variantes d'un seul et même nom. Il existe quelques variations dans l'argumentation de base de Jérôme mais elles ont une chose en commun : l'affirmation, dépourvue d'éléments solides à l'appui, à savoir que Jacques le Petit et Jacques le frère de Jésus sont une seule et même personne, une idée que nous avons examinée précédemment[5].

J.B. Lightfoot, exégète de la Bible du dix-neuvième siècle, a montré qu'avant l'époque de Jérôme il n'existait pas d'appui reconnu à la théorie du cousinage. Jérôme a été le premier éminent défenseur de ce point de vue[6]. Lightfoot a raison lorsqu'il affirme que l'identification de Jacques le Petit avec le fils d'Alphée est indispensable à la théorie de Jérôme, mais il est probable qu'aucun des deux ne soit le Jacques, frère de Jésus. Jérôme, comme on l'a compris plus tard, avait intérêt à soutenir non seulement la thèse de la virginité de Marie mais aussi celle du célibat de Joseph.

En fait, Jérôme a révisé ultérieurement quelques-unes de ses opinions et il s'est rapproché ainsi d'Épiphane. Par exemple, il a admis plus tard que Marie de Clopas n'était peut-être pas la même personne que Marie, la mère de Jacques le Petit, mais cela porte un coup fatal à son hypothèse première en faveur du cousinage. Comme le dit Painter, l'obsession de Jérôme de faire du célibat et de la virginité la forme suprême de la vie chrétienne, l'a aussi amené à argumenter de la façon que l'on sait au sujet de Marie, de Joseph, de Jésus et des autres enfants et à insister sur la virginité perpétuelle de Marie et le célibat de Joseph. Dans le cadre du judaïsme primitif, il ne fait pas de doute que la lecture de ces textes aurait suggéré à n'importe quel Juif une argumentation différente de celle qui a été préparée par Jérôme ou Épiphane[7].

Il est révélateur que John P. Meier, un des principaux exégètes catholiques du Nouveau Testament et un spécialiste de l'historicité de Jésus, ait réagi à l'annonce de la découverte de l'ossuaire de Jacques en disant que, si cet ossuaire s'avérait authentique, ce serait probablement le dernier clou enfoncé dans le cercueil de Jérôme et de sa théorie voulant que les frères de Jésus aient été des cousins.

L'ÉMERGENCE DE LA THÉORIE DU DEMI-FRÈRE

Il existe un point de vue beaucoup plus vraisemblable qui remonte à aussi loin que le deuxième siècle, et c'est celui d'Épiphane : les frères de Jésus seraient issus d'un mariage précédent de Joseph. On retrouve cette idée dans le Protévangile de Jacques (9.2 ; 17.1-2 ; 18.1), dans l'Évangile de Pierre (tel qu'on le trouve chez Origène, *In Matt.* 10.17), ainsi que dans l'Évangile de l'enfance de Thomas (16). Ce point de vue a été accepté par Clément d'Alexandrie, Hippolyte, Origène et, subséquemment, par d'autres Pères de l'Église. Il est intéressant de noter que les trois premières sources mentionnées auraient des liens avec (ou proviendraient de) l'Église qui s'est développée en Syrie ; dans ce pays, elles remonteraient au début du deuxième siècle. Nous savons que l'Église syrienne mettait l'accent sur certaines formes de piété ascétique qui cadraient mal avec la façon de penser des Juifs et des judéo-chrétiens de Jérusalem au premier siècle.

Le problème avec le point de vue d'Épiphane c'est, entre autres choses, qu'il échoue au test de la vraisemblance dès que l'auteur traite du judaïsme primitif. Les premiers Juifs ne s'attendaient certainement pas à ce que la mère du Messie soit perpétuellement vierge. Le fait est qu'en général ils n'avaient pas une conception ascétique de la sexualité humaine. En matière de sexualité, ils n'associaient généralement pas la vertu et l'abstinence. Le fardeau de la preuve incombe à ceux qui soutiennent le contraire dans le cas de Marie, particulièrement quand nous réalisons qu'elle était déjà fiancée avant qu'une intervention divine ne se produise dans sa vie.

Nous avons examiné plusieurs arguments opposés à la théorie d'Épiphane dans le chapitre 7. 1) On ne fait pas mention des frères de Jésus dans les récits de l'enfance ou en Luc 2.41-52. 2) Dans Matthieu 1.25, il n'est pas dit que Marie et Joseph n'ont pas eu de relations sexuelles après la naissance de Jésus. 3) L'absence de Joseph dans les récits portant sur le ministère de Jésus ne signifie pas que Joseph était plus âgé ou qu'il en était à son second mariage. 4) Le fait que les frères de Jésus sont souvent associés à Marie dans les quatre Évangiles donne à penser qu'elle était leur mère. 5) Plus important encore, rien dans les textes évangéliques ne nous incite à accepter l'interprétation d'Épiphane. Ce scénario, de provenance sans doute extérieure, a été plaqué sur les écrits bibliques.

De toute évidence, l'ossuaire soulève aujourd'hui un autre problème concernant la théorie d'Épiphane. Il semble indiquer que Jacques était le frère de Jésus. Or, si Jacques est le fils de Joseph sans être le fils de Marie et que Jésus est le fils de celle-ci, Jacques n'est pas le frère germain de Jésus. La découverte de l'ossuaire met en lumière l'idée que le point de vue de Jérôme autant que celui d'Épiphane sur le sujet semblent influencés par une doctrine. Il reste en fin de compte que le point de vue le plus en accord avec les témoignages, celui qui n'a pas besoin d'être défendu par des arguments extraordinaires, est le point de vue d'Helvidius.

Dans son document intitulé *Commentaires sur Matthieu*, lequel fut écrit un peu avant l'an 250, Origène, le Père de l'Église, étudie assez en profondeur la question des « frères » dans les versets 13.54-56 de Matthieu. En plus d'affirmer que les habitants de Nazareth n'étaient pas au courant de la conception virginale et donc qu'ils se trompaient en croyant que Joseph était le véritable père de Jésus, Origène mentionne le point de vue d'Épiphane et dit qu'il est défendu par ceux qui souhaitent « préserver l'honneur de la virginité de Marie jusqu'à la fin ». En d'autres mots, il admet que la théorie d'Épiphane ne se retrouve pas dans les textes canoniques et qu'elle est défendue pour des raisons théologiques et non pour des raisons historiques[8].

On trouve un passage dans un texte d'Épiphane intitulé *Panarion* (29.3.8-29.4.4) qui a été daté entre 366 et 402 et qui est susceptible de jeter un peu de lumière sur la question qui nous préoccupe. Le texte dit : « Jacques a été ordonné immédiatement comme premier évêque, lui qui est appelé le frère du Seigneur et son apôtre, le fils légitime de Joseph, et dont on dit qu'il avait cette place de frère du Seigneur parce qu'il avait été élevé avec lui. Car Jacques était le fils de Joseph et de sa [première] femme et non pas de Marie, comme nous l'avons dit à plusieurs endroits et traité de façon très claire. » Épiphane ajoute que Jacques avait été consacré au culte du naziréat et qu'il jouait un rôle sacerdotal l'autorisant à entrer dans le Saint des Saints une fois l'an comme l'exigeait sa fonction. Il continue en disant que Jacques, à l'instar de Jésus, était vierge et ne s'était jamais marié (30.2.6) — une déclaration qui ne semble pas tenir compte du verset 9.5 en 1 Corinthiens dans lequel Paul demande : « N'avons-nous pas le droit d'emmener avec nous une épouse croyante, comme les autres apôtres, et les frères du Seigneur, et Céphas ? » Cette déclaration est le reflet d'une certaine forme de piété ascétique chrétienne.

Un problème qu'Épiphane avoue n'être jamais parvenu à résoudre toutefois tient au fait que Jésus et Jacques ne pouvaient être des demi-frères car ils n'avaient pas un parent commun (Jacques fils de Joseph et Jésus fils de Marie). Pour tâcher d'y remédier, Épiphane propose ensuite l'explication suivante : comme Jacques a été élevé avec Jésus, il peut être appelé son frère.

Plus loin dans son traité, Épiphane adopte une attitude de censeur, dénonçant ceux qui proclament que Joseph et Marie ont eu des relations sexuelles après la naissance de Jésus (78.1.3). Sa sujétion au Protévangile de Jacques pour ce qui a trait à sa croyance et à sa compréhension de la virginité perpétuelle de Marie devient de plus en plus claire (78.7.1-78.8.2). Il soutient la théorie voulant que Joseph ait été uniquement le gardien d'une Marie beaucoup plus jeune ; de plus, Joseph, selon lui, aurait engendré Jacques et les autres frères alors qu'il était âgé de quarante ans mais il aurait épousé Marie adolescente au moment où il avait déjà plus de quatre-vingts ans ! En d'autres mots, il soutient que ce mariage n'avait jamais été fait dans le but d'être consommé.

Cependant, Épiphane a fait une erreur de calcul. Selon sa théorie, Jacques aurait eu soixante-dix ans au moment de la mort de Jésus en l'an 30 de notre ère et il aurait eu plus de cent ans à sa propre mort, en l'an 62[9]. Une telle proposition est complètement invraisemblable dans le contexte du judaïsme primitif.

Comme nous l'avons déjà noté, l'histoire est écrite par les vainqueurs. Par exemple, le traité d'Helvidius n'a survécu que sous la forme de citations dans les écrits de Jérôme. Ce dernier a exercé une influence prépondérante, notamment parce qu'il a traduit la Bible en latin. L'influence réelle de la théorie de Jérôme fut tout aussi immense selon Painter :

> Elle avait l'avantage de mettre en valeur la virginité de Marie et, par la même occasion, de préserver la virginité de Joseph. Jacques a ainsi été relégué au second plan avec les autres frères et les sœurs de Jésus. Jacques le frère de Jésus a cessé d'être le point de mire ou le centre d'intérêt dans toute tradition occidentale[10].

La découverte de l'ossuaire de Jacques devrait permettre de rouvrir le débat sur les liens unissant Jacques et Jésus, et de réaffirmer l'importance de ce personnage et du judéo-christianisme ; autant les Juifs que les chrétiens auront alors l'occasion de redécouvrir une part de leur héritage juif qui a été négligée. Un tel héritage exige que l'on voie en Jacques à la fois le fils de Joseph et le frère de Jésus de même que le bon Juif religieux ayant suivi l'exemple de son frère Jésus au point de subir le martyre. Ce Jacques mérite qu'on lui rende justice et qu'on le reconnaisse comme le premier chef de l'Église de Jérusalem, laquelle a donné naissance à toutes les autres Églises.

CONCLUSIONS

Les données bibliques que nous avons réexaminées dans ce chapitre peuvent être interprétées de plus d'une façon. Néanmoins, toutes les explications historiques possibles n'ont pas une égale vraisemblance. À la suite de ce que nous venons de voir, voici l'explication la plus naturelle des choses, celle qui prend en compte le contexte juif duquel ont émergé les récits évangéliques de même que la logique narrative de chaque compte rendu évangélique : Jésus avait plusieurs frères et sœurs — quatre frères et deux sœurs — et le plus âgé de ceux-ci était sans doute Jacques. C'étaient vraisemblablement les enfants de Marie et de Joseph, et ils seraient nés après Jésus.

Nous avons aussi réexaminé le débat entre Jérôme, Épiphane et Helvidius, et noté que la théorie de Jérôme est, des trois explications des données bibliques, celle qui semble la plus faible mais que la théorie d'Épiphane, devenue prépondérante dans la tradition orthodoxe, est aussi problématique. Il faut dire que l'inscription de l'ossuaire soulève des questions au sujet non seulement de la théorie de Jérôme mais aussi de celle d'Épiphane. Si Jacques est vraiment le frère ou à tout le moins le demi-frère de Jésus, ils doivent avoir au moins un parent en commun, ce qui n'est pas le cas selon le point de vue d'Épiphane. La perspective qui présente le moins de problèmes est celle du laïc Helvidius, laquelle semble désormais avoir reçu, grâce à l'inscription de l'ossuaire, une confirmation de plus.

Si quelqu'un veut soutenir que *frère* signifie simplement « parent » tout en admettant que *fils* signifie littéralement « fils » dans l'inscription de l'ossuaire, le fardeau de la preuve incombe aux auteurs de telles distinctions. L'inscription de l'ossuaire ne possède aucun contexte qui pourrait nous pousser à interpréter autrement que littéralement les mots *fils* et *frère*. Quant à la seule autre inscription sur ossuaire qui mentionne un fils et un frère, jamais personne n'a suggéré d'interpréter ces mots autrement que littéralement. L'ossuaire nous fournit une occasion de réaliser que Jacques le frère de Jésus a joué un rôle prédominant dans les origines du christianisme, tout comme d'autres membres de la famille de Jésus, dont sa mère qui tient aussi un rôle important et une place d'honneur après la crucifixion, et sans doute aussi comme sa tante, ses autres frères et ses cousins. Mais cet ossuaire nous apporte bien plus encore. Dans le dernier chapitre, nous évaluerons certaines implications de la découverte de ce remarquable artefact sur l'étude du judaïsme primitif et du christianisme ancien.

1. Bauckham, *Jude, 2 Peter*, Waco, TX, Word books, 1983, p. 9.

2. C'est une des failles majeures de l'analyse de ces questions présentée par Robert Eisenman dans son livre *James, the Brother of Jesus*, New York, Viking, 1996. Par une association midrashique de mots ou de noms, Eisenman essaie d'identifier un Jacques avec un autre et ainsi ne fait qu'embrouiller encore plus les choses.

3. Remarquez ici l'attitude défensive dans la présentation de cet argument. Comme me l'a rappelé Laura Ice, mon étudiante au doctorat, dans le milieu juif au sein duquel Marie a grandi, le fait d'épouser un homme aussi âgé ou ascétique au point de ne pas vouloir ou pouvoir consommer le mariage aurait même pu être un sujet de honte. Dans le milieu chrétien où Helvidius a évolué — un environnement dominé par la piété ascétique de figures monastiques telles que Jérôme —, il se devait d'adopter une position contraire : affirmer que le fait d'avoir consommé le mariage n'aurait *pas* constitué une disgrâce pour Joseph. On suppose que les deux points de vue sur les bienfaits des relations sexuelles humaines étaient très différents et qu'ils étaient issus de milieux très différents.

4. Voir *Adv. Marc.* 4.19 ; *De carne Christi* 7.

5. La critique de Bauckham, *Jude*, p. 20-25, et celle de John Painter, dans *Just James*, Columbia, University of South Carolina Press, 1997, p. 200-223, de plusieurs de ces variations exposées par J. McHugh et J. Blinzler semble concluante.

6. J.B. Lightfoot, *St. Paul's Epistle to the Galatians*, Londres, Macmillan, 1874, p. 254-260.

7. Painter, *Just James*, p. 218, 220.

8. Painter, *Just James*, p. 201. J'ai parlé abondamment des points de vue d'Épiphane et de Jérôme dans mes livres *Women in the Ministry of Jesus*, Cambridge, Cambridge University Press, 1984, et *Women in the Earliest Churches*, Cambridge, Cambridge University Press, 1988.

9. Voir Painter, *Just James*, p. 211.

10. Painter, *Just James*, p. 211.

14

FILS DE JOSEPH, FRÈRE DE JÉSUS

Quel impact aura l'ossuaire de Jacques sur la compréhension du judaïsme et du christianisme du premier siècle ? Certes, il est trop tôt pour connaître toutes les conséquences de cette remarquable découverte. Et pourtant déjà, certaines retombées paraissent évidentes, en supposant que l'authenticité de l'ossuaire et de son inscription tiennent la route, ainsi que nous le prévoyons. Pour l'instant, la découverte a passé tous les tests physiques et analytiques les plus rigoureux et les éléments de preuve en faveur de son authenticité et de sa signification ont permis de contrer facilement les rumeurs, les doutes et les critiques exprimées. Par conséquent, à l'instar d'autres découvertes — celles des manuscrits de la mer Morte et de l'Évangile de Thomas, entre autres —, elle deviendra sans doute un maillon extrêmement important de la chaîne qui nous relie au monde du judaïsme et du christianisme du premier siècle, un maillon avec lequel il faudra désormais composer. Les spécialistes revoient déjà leurs travaux à la lumière de cette découverte.

LE MOUVEMENT JUDÉO-CHRÉTIEN

Au cours de la troisième vague de recherches sur le Jésus historique, lesquelles ont été entreprises au début des années 1980 et se poursuivent encore aujourd'hui, certaines personnes ont tracé un portrait de Jésus qui ne correspond pas du tout à la culture juive : Jésus a été présenté comme un philosophe cynique ou un obscur paysan et non comme un professeur et un prédicateur juif célèbre et controversé[1]. Cette simple et étonnante inscription de l'ossuaire qui mentionne le nom du frère du défunt vient nous rappeler que ce frère, Jésus, était une personnalité à ce point importante que l'association de son nom à celui de Jacques permettait d'identifier immédiatement le Jacques en question. Dans un contexte social où les patronymes tels qu'on les connaît dans le monde moderne n'existaient pas encore, la chose est tout à fait remarquable.

Mais cette inscription nous rappelle aussi que ce Jacques était une personne si influente que sa communauté ou sa famille a pris la peine de pratiquer une deuxième inhumation et de graver une inscription honorifique en araméen sur une des parois de son ossuaire. Cette deuxième inhumation était loin d'être une pratique courante dans la culture juive de l'époque. Comme nous l'avons vu, seules certaines personnes — en particulier, les pharisiens qui croyaient en la résurrection des morts — prenaient la peine d'acheter un ossuaire, de faire inscrire un nom, de recueillir les ossements et d'inhumer à nouveau les restes du défunt. Les membres d'un groupe ou un simple individu ont dû se préoccuper beaucoup de Jacques. L'utilisation d'un ossuaire montre aussi que ces judéo-chrétiens observaient encore les coutumes funéraires juives propres à cette période.

La croyance en la résurrection occupait une place importante dans le judaïsme à l'époque de Jésus, même si les sadducéens qui formaient une des principales sectes rejetaient cette croyance. Si l'on se fie à Ezéchiel 37, où il est dit que les os sont les éléments de base de la reconstitution d'un être humain, les croyants ont apparemment jugé important de conserver en un même lieu les ossements de leurs défunts. Ce fut le cas pour Jacques, d'autant que les premiers chrétiens croyaient que Jésus était déjà ressuscité et qu'il reviendrait, peut-être même bientôt, pour ressusciter ses disciples. Par conséquent, bien que les ossuaires n'indiquent pas expressément que le défunt croyait en une résurrection éventuelle, ils signifient assurément que certaines personnes étaient profondément convaincues qu'il y avait une vie après la mort, et que le corps de Jacques ressusciterait.

De fait, il devait être particulièrement important dans le cas de Jacques de rassembler ses ossements puisque Jésus ressuscité lui était apparu personnellement (1 Corinthiens 15) — événement qui fut considéré comme l'élément déclencheur de son adhésion au mouvement ou la confirmation que Jacques était devenu un disciple de Jésus. En d'autres mots, comme Jésus était ressuscité d'entre les morts, les premiers judéo-chrétiens s'attendaient à ce que la chose se reproduise pour Jacques et les autres vertueux disciples de Jésus. Les justes allaient revenir à la vie et Jacques était un modèle de vertu[2]. Si les judéo-chrétiens qui ont inhumé Jacques possédaient la même ferveur eschatologique que certains premiers chrétiens, ils ont peut-être cru que le début de la révolte juive signalait l'imminence de la fin des temps. Si les choses se sont passées ainsi, les disciples ont probablement inhumé les fondateurs du mouvement de Jésus avec un soin tout particulier et visité leurs tombeaux avec une assiduité certaine[3].

L'inscription a été rédigée en araméen et non en grec, en latin ou en hébreu, ce qui nous rappelle que Jacques était issu d'une communauté juive primitive dans laquelle on parlait l'araméen, même s'il a pu aussi connaître l'hébreu et le grec. Cela confirme l'impression donnée par les Évangiles synoptiques, à savoir que Jésus parlait l'araméen. Pourquoi la chose revêt-elle une si grande importance ? Premièrement, le païen ou le romain moyen ne pouvait lire cette inscription. Cette dernière a été rédigée par et pour des Juifs.

Maurice Casey, qui a traduit du grec à l'araméen des passages de l'Évangile de Marc, a supposé que celui-ci avait initialement rédigé dans cette langue à tout le moins certaines parties de cet Évangile, à Jérusalem dans les années 40[4]. Certains critiques de cet important ouvrage se sont tout simplement moqués de l'essai de Casey, ce qui est malheureux. Il faut peut-être un objet tel que l'ossuaire de Jacques pour nous rappeler que les tout premiers judéo-chrétiens parlaient araméen et que les paraboles et les récits de Jésus ont d'abord été consignés en araméen, comme cette inscription le confirme.

Les tout premiers judéo-chrétiens de Jérusalem, bien que ne cherchant pas à exclure certaines personnes de leur secte, tentaient de recruter des Juifs plutôt que de suivre l'exemple de Paul et de recruter des païens (voir Actes 21.20). Ils n'avaient pas l'intention d'abandonner leurs coutumes juives ou la langue qu'eux-mêmes ainsi que leurs disciples juifs parlaient. Ils avaient été préparés à être juifs parmi les Juifs et non pas gentil parmi les Gentils, car cela aurait signifié l'abandon d'une partie de leur héritage juif ou, à tout le moins, sa mise à l'écart dans certaines circonstances. L'inscription était donc destinée à un public précis — formé de Juifs, plus particulièrement, de disciples juifs de Jésus.

Comme nous l'avons déjà mentionné, l'inscription constitue plus qu'une simple étiquette d'identification apposée à l'extrémité de la caisse. Il s'agit d'une inscription honorifique gravée avec élégance sur un des côtés de la boîte plutôt qu'à son extrémité, ce qui eût été plus conforme à l'usage si l'inscription avait été destinée à identifier simplement les ossements déposés dans l'ossuaire. La nature particulière de cette inscription donne à penser qu'elle était destinée à être vue assez fréquemment. De fait, il est possible que des visiteurs se soient présentés régulièrement pour voir cet ossuaire. On peut aussi tenter une déduction, à savoir que la communauté judéo-chrétienne, ou du moins une partie de ses membres, avait l'intention de rester à Jérusalem malgré les difficultés rencontrées dans les années 60 et en dépit du fait que son chef avait été martyrisé. En d'autres mots, cet ossuaire pouvait représenter une affirmation de foi et d'espoir pour ces judéo-chrétiens. Nous avons émis l'hypothèse que la deuxième inhumation de Jacques n'avait pas eu lieu avant l'an 63 ou 64, car il fallait que s'écoule un certain temps avant que la dépouille ne soit réduite à un squelette. Cette seconde inhumation pourrait avoir constitué une affirmation de foi au cœur de la tourmente. Les judéo-chrétiens voulaient rester à Jérusalem, la Ville sainte, malgré tous les problèmes qui s'annonçaient.

Ainsi que nous l'avons déjà dit dans ce livre, Jacques est une figure historique qui mérite qu'on lui accorde beaucoup plus d'importance, une importance semblable à celle que lui ont accordée les premiers judéo-chrétiens. Nous avons vu comment, non seulement au premier siècle mais aussi au cours des siècles suivants, des tensions et des rivalités se sont développées dans l'Église ancienne ; on y a présenté des plaidoyers en faveur de certains leaders chrétiens de façon à établir lequel des fondateurs était le personnage le plus important. Manifestement, certaines personnes ont lutté pour que Jacques ne perde pas la place prépondérante qu'il occupait, comme nous l'avons vu à l'examen de diverses sources non bibliques.

Il est clair que l'antisémitisme a contribué à l'éclipse de Jacques et de ce qu'il incarnait. L'importance de son héritage juif commençait à embarrasser une Église dans laquelle les païens étaient de plus en plus nombreux. Un regain d'intérêt pour les recherches sur Jacques et un examen approfondi des racines juives dans le mouvement des premiers chrétiens pourraient alimenter la discussion entre les Juifs et les chrétiens d'aujourd'hui et leur permettre de découvrir ce qu'ils ont encore en commun. Parmi ces éléments communs, il y a le Jésus historique et le Jacques historique.

Jacques observait la Loi juive et croyait que son frère était le Messie. Tout comme les autres membres de l'Église qu'il dirigeait, il n'avait pas l'impression que cela entrait en conflit avec ses croyances juives. Et, durant un certain temps à tout le moins, les Juifs qui, à l'époque de Jacques, observaient fidèlement la Loi, semblent l'avoir considéré comme l'un des leurs et sont intervenus pour réparer l'injustice commise par les auteurs de son exécution. Jacques était le représentant d'une identité religieuse que plusieurs considèrent impossible à conserver aujourd'hui (il existe encore aujourd'hui des Juifs « messianiques » qui revendiquent cette double identité, mais les chrétiens et les Juifs plus conformistes ont tendance à trouver cette double identité problématique et controversée). Ou bien on est juif ou bien on est chrétien. Jacques a dit oui aux deux, comme l'ont fait ses frères et les membres de sa famille ainsi que l'Église de Jérusalem, l'Église mère du christianisme primitif.

AU-DELÀ DE LA QUERELLE ENTRE JACQUES ET PAUL

Une plus grande attention accordée au Jacques du Nouveau Testament, le frère de Jésus, devrait aussi nous aider à aller au-delà du discours sur l'irréconciliable querelle entre les Hébreux et les hellénisants, entre les Juifs et les pagano-chrétiens du christianisme primitif, entre Jacques et Paul[5]. Aucun témoignage historique sérieux ne nous porte à croire qu'à l'origine Étienne, un Juif parlant le grec, représentait un certain groupe de chrétiens hellénisants en désaccord avec Jacques et la théologie hébraïque.

Jacques a certainement observé les préceptes juifs toute sa vie durant sans jamais dévier de sa route. Il croyait que les disciples juifs de Jésus devaient observer fidèlement la Loi, alors que Paul considérait cette observance des préceptes juifs comme un choix qui appartenait aux judéo-chrétiens. À l'inverse de Paul, Jacques ne croyait pas que le Christ était venu pour libérer les Juifs des exigences de la Loi. Mais, contrairement à certains pharisiens judéo-chrétiens de Jérusalem, Jacques ne croyait pas non plus que les Gentils devaient supporter tout le fardeau de la Loi. De fait, il était disposé à ce qu'on leur demande uniquement de se concentrer sur l'essence des dix commandements. Pour être admis dans la communauté chrétienne, les Gentils étaient soumis à deux conditions préalables : ne pas vénérer les idoles ni adopter de conduites immorales. Ils n'étaient pas obligés de respecter tous les préceptes de la Loi juive.

Comme Paul nous le dit en Galates 1, Jacques lui a donné la main, indiquant par ce geste qu'il l'acceptait dans la confrérie et approuvait sa mission chez les Gentils. Rien ne nous permet de conclure que les Juifs adeptes de la ligne dure partageaient les mêmes idées que Jacques sur tous les sujets, encore qu'il ne fasse pas de doute que ce dernier ait été fort préoccupé d'apprendre que des Juifs comme Pierre et Barnabé avaient cessé d'observer la Loi à Antioche. Mais c'est une tout autre histoire qui n'a rien à voir avec l'imposition aux pagano-chrétiens de restrictions rituelles concernant la nourriture, la circoncision et le sabbat, des restrictions imposées par la Loi de Moïse.

Dans la perspective d'une meilleure compréhension du christianisme originel, le regain d'intérêt pour Jacques devrait inciter les gens non seulement à réexaminer la variété des opinions dans l'Église primitive mais aussi, et de façon plus particulière, à reconsidérer les théories voulant que Jacques et Paul aient été fondamentalement en désaccord sur l'inclusion des Gentils dans la nouvelle communauté ou sur les critères de leur admission. Les témoignages fournis par les Actes, la lettre de Jacques et même l'Épître aux Galates ne viennent pas conforter une telle conclusion ; les controverses ayant éclaté plus tard au sein de l'Église ancienne entre les gnostiques et les anti-gnostiques — des groupes qui ont instrumentalisé les figures de Jacques, Pierre et Paul de façon à alimenter leurs rivalités — ne devraient pas influencer notre compréhension du Jacques historique et de l'univers des premiers chrétiens.

DES CONCORDANCES AVEC LES ACTES ET LES ÉCRITS DE JOSÈPHE

On a pu dater l'ossuaire de façon assez précise, non seulement parce qu'il s'agit d'un ossuaire juif et que de tels ossuaires ont été utilisés principalement durant le premier siècle avant la destruction du temple de Jérusalem en l'an 70, mais aussi à cause de sa composition et de son inscription rédigée dans la langue araméenne caractéristique de la fin de l'époque hérodienne. Nous avons vu comment ceci concorde avec le compte rendu de Josèphe sur l'exécution de Jacques en 62. Or, cela concorde également avec ce que les versets 21-26 des Actes des Apôtres nous enseignent — nous apprenons en effet que Paul a rencontré Jacques à Jérusalem vers l'an 58 environ et que, au moment où Paul et Luc ont quitté Jérusalem en 60, Jacques était encore vivant.

Le dernier événement consigné dans les Actes 28 remonte à l'an 62 et il a eu lieu à Rome où Paul était présent[6], ce qui explique pourquoi Luc n'a pas fait de compte rendu de la mort de Jacques — Jacques n'est pas mort avant le dernier événement consigné dans sa chronique. Le décès de Jacques s'est produit peu de temps après ou à la même époque où cette chronique se termine. Autrement dit, le témoignage à l'effet que Jacques était vivant lors de la dernière visite de Paul à Jérusalem (en 58-60) de même que le silence des Actes sur la mort de Jacques confortent l'idée selon laquelle Jacques serait mort après l'an 60 ou 61. Bref, l'ossuaire nous indique que les comptes rendus de Josèphe et ceux que l'on retrouve dans la Bible sont exacts. Il apporte une confirmation supplémentaire à ce que nous savions déjà grâce à ces sources textuelles.

AU-DELÀ DE PIERRE ET DE PAUL

L'importance de la famille de Jésus dans la succession des chefs à Jérusalem a aussi été sous-estimée. Non seulement Jacques mais aussi Siméon et les autres parents de Jésus ont été éclipsés

par l'accent mis sur Paul et Pierre et sur l'influence exercée par
ces deux leaders. Le temps est venu de rectifier les choses. Les
catholiques ont mis de l'avant l'héritage de Pierre, et les protestants celui de Paul, mais, avec Jacques et ses successeurs,
nous découvrons un christianisme originel qui adopte clairement
et ouvertement une forme juive.

De fait, Jacques a été le premier chef de l'Église de
Jérusalem et c'est lui qui a résolu la première crise majeure au
sein de cette Église. Le fait qu'il ait écrit deux lettres, l'une aux
Gentils et l'autre aux judéo-chrétiens de la Diaspora, confirme
son pouvoir, son autorité et son importance.

Une des tendances les plus remarquables et importantes des
dix dernières années est illustrée par le travail de différents
spécialistes juifs qui ont fait du Nouveau Testament et du
christianisme primitif leur premier centre d'intérêt. Des spécialistes tels que Amy-Jill Levine, Paula Fredriksen, Daniel
Boyarin, Mark Nanos, Alan Segal, Pamela Eisenbaum, et à un
degré moindre Shaye Cohen et d'autres personnes, animés par
un intérêt constant envers Jésus et ses premiers disciples juifs,
ont appliqué leurs connaissances du judaïsme primitif à l'étude
du Nouveau Testament. Ils ont suivi en cela la grande tradition
d'érudits juifs appartenant à la génération précédente tels que
Geza Vermes et David Flusser, qui ont été des pionniers dans
l'étude de la littérature et du contexte religieux au sein duquel
Jésus et le christianisme primitif ont évolué. L'ensemble de leurs
travaux nous amène à repenser plusieurs conclusions, prétendument bien étayées et basées sur des études effectuées dans le
Nouveau Testament, concernant l'époque où naît la secte
nazaréenne de Jérusalem. Il est peut-être possible aujourd'hui de
dépasser l'interprétation antisémitique de la controverse entre
Paul et Jacques et des tensions entre les Juifs et les pagano-
chrétiens en réévaluant et en repensant un peu les choses.
Jacques nous fournit peut-être une clé pour comprendre et
dévoiler les préjugés qui déforment la réalité.

L'étude du personnage de Jacques nous fournit l'occasion d'exposer au grand jour les stéréotypes entretenus par plusieurs chrétiens à l'endroit du judaïsme pharisaïque, lesquels n'ont retenu de ce mouvement que l'aspect légaliste sans apprécier sa beauté distinctive. Cette fausse perception n'est pas étonnante si l'on songe à la véhémence et à la fréquence des condamnations contre les « Juifs » que l'on retrouve dans les Évangiles et particulièrement celles à l'endroit des pharisiens. En fait, en ce qui concerne plusieurs aspects — par exemple, les croyances en la résurrection et en une vie meilleure après la mort —, Jésus et Jacques se rapprochaient davantage des pharisiens que des autres sectes juives de l'époque, par exemple les sadducéens. Ce n'est pas un hasard non plus si le converti au christianisme le plus célèbre, Saül de Tarse, a été un dirigeant pharisien.

Le mouvement pharisaïque a survécu à la chute du Temple et est devenu un mouvement centré sur la Torah en plus de mettre l'accent sur la tradition orale. De même, le mouvement de Jésus a survécu à la chute du Temple en l'an 70 pour devenir une tradition religieuse dans laquelle l'accent est mis sur le Verbe, tant dans sa forme orale qu'écrite. Ces deux formes de judaïsme primitif possèdent davantage d'éléments communs qu'on ne le croit généralement. Comme le judaïsme et le christianisme modernes se sont développés à partir de ces deux mouvements primitifs juifs, nous aurions intérêt à en apprendre davantage sur nos racines communes. L'ossuaire de Jacques nous invite à entreprendre cette tâche.

ET MARIE ?

Malgré toute la controverse que peut susciter un tel objet, il n'en demeure pas moins que l'ossuaire de Jacques nous oblige à nous interroger tout particulièrement sur la relation de Jacques avec Marie, la femme de Joseph. Dans les milieux protestants, Marie a trop souvent été négligée. Dans les milieux catholiques, les traditions qui se sont développées ultérieurement dans l'Église ont rendu difficile le retour aux réalités historiques originelles, lesquelles sont indispensables pour comprendre ce qu'est le christianisme authentique.

Dans la mesure où les témoignages historiques militent contre la doctrine de la virginité perpétuelle de Marie, on peut se demander quelle est l'importance de cette croyance. Personnellement, je pense que la doctrine de la virginité perpétuelle ne possède pas l'autorité ou l'infaillibilité que peut avoir une proclamation *ex cathedra* dans l'Église catholique, bien qu'elle ait l'autorité d'une déclaration *de fidei*, c'est-à-dire intrinsèque à la foi catholique. Peut-on reconsidérer cette question, comme on l'a fait pour plusieurs croyances et pratiques autrefois considérées comme sacro-saintes dans la tradition catholique ?

Quelle devrait être la relation entre les témoignages historiques et les dogmes dans les traditions catholiques et orthodoxes ? Si de nouveaux témoignages historiques remettent en question des traditions basées sur le Protévangile de Jacques et non sur les textes bibliques plus anciens, il faut se demander si à l'intérieur de ces traditions on doit sauvegarder à tout prix certaines croyances qui ne sont peut-être pas justes ou essentielles à la foi chrétienne. La découverte de l'ossuaire nous fournit une occasion unique de réexaminer la question.

EN RÉSUMÉ

L'ossuaire ne devrait pas être utilisé simplement pour rouvrir de vieux débats — ou même de vieilles blessures. Si tous les gens intéressés par la question font preuve de suffisamment d'ouverture d'esprit, cette découverte pourra mener à une sérieuse exploration de la signification du mot « juif » et du mot « chrétien » dans l'antiquité *et* aujourd'hui. En d'autres mots, particulièrement pour les chrétiens, mais aussi pour les Juifs, la question n'est pas tellement de savoir qui était Jacques. La question fondamentale est la suivante : « Si ce Juif pieux, frère et fidèle disciple de Jésus, était aussi le chef vénéré de la communauté chrétienne originelle, que signifie le fait d'être chrétien aujourd'hui ? »

Quelles implications aura la découverte de cet ossuaire pour les gens ordinaires, Juifs ou chrétiens ?

Premièrement, l'ossuaire nous rappelle la distance qui existe sur le plan culturel entre nous et ces premiers Juifs et ces premiers chrétiens. Ni les Juifs ni les chrétiens d'aujourd'hui ne parlent l'araméen ou pratiquent des rites funéraires à la manière des membres de la communauté de Jacques. La prise de conscience de cette distance culturelle nous amène à être prudents lorsque nous étudions un artéfact ancien et que nous formulons des hypothèses — ou lorsque nous tentons de comprendre la Bible. Le passé est à bien des égards une terre inconnue. De fait, les gens de l'époque biblique et des premiers siècles concevaient les choses et agissaient d'une façon très différente de nos contemporains.

Deuxièmement, bien que l'ossuaire de Jacques ne fournisse aucune information radicalement nouvelle aux croyants, il vient confirmer le fait que la Bible parle souvent de figures et d'événements historiques réels, malgré les doutes émis dans bien des milieux de nos jours quant à leur vérité historique. Cette confirmation sur le plan historique des comptes rendus évangéliques ne peut pas mieux tomber à une époque où règne le scepticisme et où on exige de « voir » les preuves avant de croire. De toute évidence, l'ossuaire nous fournit le plus ancien témoignage physique non seulement de l'existence de Jésus, Jacques et Joseph, mais aussi de la façon de vivre de ces premiers Juifs pieux très attachés à la Terre sainte, qui pratiquaient des rites funéraires juifs et qui parlaient la langue des Juifs de cette région, l'araméen.

Troisièmement, à une époque où on accorde beaucoup d'importance à l'aspect visuel et tactile, nous possédons un objet tangible et non un simple texte que nous pouvons voir et sur lequel nous pouvons réfléchir. L'observation de l'ossuaire peut être bouleversante. C'était étonnant de voir autant de gens défiler à l'intérieur du musée de Toronto, s'arrêter et réfléchir à la signification de l'ossuaire. Cette visite a permis à plusieurs d'entre eux de prendre conscience d'une façon tout à fait nouvelle de leurs racines et de leur foi. L'enthousiasme qu'a suscité cette découverte semble lié en grande partie au fait de pouvoir virtuellement entrer en contact avec Jésus par le biais de cette inscription mentionnant son nom (Yeshua). Pour moi, l'expérience a été semblable à celle que j'ai faite lorsque j'ai acheté pour la première fois deux pièces de monnaie juive du premier siècle, un denier de la veuve et un demi-sicle de Tyr. Je me suis alors surpris à penser : « Quelles mains ont tenu ces pièces de monnaie ? Jésus lui-même aurait-il pu les tenir dans sa main ? »

Les objets physiques nous permettent d'établir un lien tactile essentiel avec le passé et avec nos ancêtres, ce qui est particulièrement vrai lorsqu'il s'agit d'une caisse funéraire qui a contenu les restes d'une personne qui a vécu il y a très longtemps. Lorsque nous entrons en contact avec eux, ces objets nous émerveillent. Une aura de mystère enveloppe ces artéfacts anciens liés à des personnages importants — particulièrement ceux qui ont occupé une place importante dans le développement de notre propre foi.

Pour terminer, l'ossuaire nous amène encore une fois à prendre conscience de l'importance de Jésus. Se demander qui était ce Jacques inhumé dans cette boîte, c'est aussi se demander pourquoi il est appelé le frère de Jésus même sur son ossuaire. Pourquoi Jésus était-il encore aussi célèbre trois décennies après sa mort ? Pourquoi son nom est-il mentionné sur la caisse funéraire de son frère alors que tant d'années s'étaient écoulées ? C'est sûrement parce que l'importance sur le plan historique de Jésus n'avait pas diminué vers la fin du premier siècle. Elle avait plutôt augmenté. Jésus n'était pas considéré comme un autre célèbre professeur juif tout simplement, mais comme le Messie attendu depuis longtemps par les premiers judéo-chrétiens et, par conséquent, comme un être « plus qu'humain » dont il fallait suivre les enseignements et qu'il fallait vénérer afin de se réconcilier avec Dieu. L'un des plus anciens documents que nous possédions, soit la première Épître aux Corinthiens de Paul, nous en fournit une preuve très claire.

En 1 Corinthiens 16.22, Paul nous offre en conclusion de sa lettre une prière en araméen, « *Maranatha* », ce qui signifie « Viens, Seigneur. » En d'autres mots, Jésus est déjà appelé Seigneur par les judéo-chrétiens qui parlaient l'araméen et qui lui adressaient des prières. Les premiers Juifs ne priaient pas ceux qui étaient simplement des rabbins décédés et vénérés, des enseignants ou même des prophètes. Ils pouvaient prier pour qu'un rabbin ressuscite au dernier jour, mais ils ne le priaient pas *lui* et ils ne l'imploraient pas de venir les rejoindre.

Pourtant, c'est ce que Paul fait ici, et il répète probablement une prière entendue dans l'Église de Jérusalem où de telles prières étaient récitées en araméen. On ne doit pas sous-estimer l'importance de cette prière. Les Juifs n'avaient pas le droit de prier une autre personne que Dieu. Cette prière suggère fortement que Jésus était considéré comme un être divin par les premiers judéo-chrétiens parlant araméen. En d'autres mots, très tôt Jésus a été considéré comme un être divin par ses premiers disciples juifs — dont Jacques faisait partie. L'idée que Jésus n'aurait été considéré comme un être divin que beaucoup plus tard au cours du premier siècle et uniquement par les Gentils est tout à fait erronée.

Remarquez que Jacques commence sa lettre à ses compatriotes judéo-chrétiens de la Diaspora en mentionnant que Jésus est le Seigneur et le Christ ou le Messie (1.1) De fait, cette façon de considérer le Jésus historique et de parler de lui se retrouve à travers tout le Nouveau Testament et, à l'exception de Luc et des Actes, tout le Nouveau Testament a été écrit par des Juifs !

Nous devons comprendre pleinement la signification de cette foi indéfectible en la nature divine de Jésus. Ce ne sont pas les Gentils ou les croyants de la deuxième ou troisième génération qui, comme certains exégètes l'ont prétendu, ont considéré que le Jésus historique possédait une nature divine. Non, de fait, ce sont les apparitions de Jésus à un grand nombre de Juifs de l'Église primitive qui ont fait que Jésus a été reconnu comme le divin Seigneur, comme le montre la plus ancienne liste des témoins en 1 Corinthiens 15.5-8. Une de ces personnes était Jacques lui-même. Ce sont ceux qui ont connu Jésus avant sa mort qui l'ont reconnu les premiers et qui l'ont prié avec ferveur.

Le plus ancien témoignage de reconnaissance des disciples de Jésus semble avoir été « Jésus est le Seigneur [ressuscité] » (voir Romains 10.9 ; Philippiens 2.5-11), et l'une des plus anciennes prières araméennes des disciples de Jésus était « Viens, Seigneur. » Ces pratiques se sont développées dans la première communauté de disciples de Jésus, la communauté juive de Jérusalem.

Par conséquent, nous devons en conclure que Jacques s'est fait défenseur de cette perception et de cette « expérience » de Jésus puisqu'il était son frère et le véritable successeur de ce dernier à la tête du mouvement messianique de Jésus à Jérusalem et ailleurs. Nous voyons dans le compte rendu de Josèphe sur la mort de Jacques que ce dernier a payé le prix le plus élevé qui soit pour avoir cru que Jésus était le Seigneur. On nous dit que Jacques a été lapidé, probablement parce qu'il a été accusé de blasphème (ce qui signifiait donner à une autre personne que Yahweh le nom de « Seigneur » ou « Dieu »). Autrement dit, Jacques, comme les autres premiers disciples juifs de Jésus, voyait comme une prolongation logique de sa foi juive le fait de considérer Jésus comme un être divin et de le prier. Ces disciples continuaient de considérer Dieu comme le Père, mais ils disaient aussi de Jésus qu'il était le divin Seigneur (voir 1 Corinthiens 8.6).

Bien qu'il y ait probablement eu certains Juifs avant l'époque de Jésus qui attendaient le divin Messie et qui croyaient qu'il viendrait, il est clair qu'après la venue de Jésus leur nombre a augmenté. Il doit exister une explication historique valable à ce remarquable phénomène. La réponse se trouve certainement dans la vie, l'enseignement, le ministère et la mort de Jésus ainsi que dans les témoignages des ses premiers disciples sur ce qui s'est passé deux jours seulement après qu'il ait été déposé dans un tombeau — où on l'avait laissé dans le but de l'inhumer une deuxième fois, un an plus tard environ, dans un ossuaire. La réponse doit aussi se trouver en partie dans ce lien qui existe entre d'une part la vie, la pratique et la foi de Jacques, et d'autre part la vie de son frère Jésus. C'est pourquoi Paul est monté à Jérusalem pour parler à Jacques ainsi qu'à Pierre après sa bouleversante conversion sur le chemin de Damase (Galates 1.18-19).

Ainsi, au cœur du mystère de Jacques il y a aussi le mystère de son frère, Jésus. Les connaissances que nous pourrons acquérir en effectuant davantage de recherches sur le premier nous permettront peut-être de mieux comprendre le second. Peut-être qu'aujourd'hui, au début d'un nouveau siècle et d'un nouveau millénaire, l'ossuaire de Jacques nous permettra-t-il de saisir pleinement l'importance de ces premiers Juifs, Jacques et Jésus. Peut-être que, grâce à cet ossuaire qui nous incite à voir sous un angle nouveau la vie, la mort et l'inhumation de Jacques, nous pourrons redécouvrir les véritables origines et la nature de notre foi et de notre héritage. Autant les Juifs que les chrétiens tireront profit de cette recherche de leurs racines et de leur identité. Comme Shakespeare l'a écrit un jour, c'est « un accomplissement que nous devrions souhaiter ardemment ».

1. Pour un survol de différentes présentations de Jésus, voir le livre de Ben Witherington, *The Jesus Quest*, Downers Grove, IL, InterVarsity Press, 1995.

2. Une des formes de cette croyance en la résurrection du judaïsme primitif est celle qui affirme que seuls les justes ressusciteront, ceux qui auront fait le bien (voir Jean 5.28-29).

3. Remarquez qu'en Marc 16.1-8 les femmes vont rendre hommage à Jésus dans son tombeau, même si elles savent déjà qu'il a été inhumé conformément aux coutumes. (Nous savons que le tombeau était déjà fermé parce que les femmes se demandent comment faire pour retirer la pierre.)

4. Maurice Casey, *Aramaic Sources of Mark's Gospel*, Cambridge, Cambridge University Press, 1998.

5. L'importante étude de Craig C. Hill, *Hellenists and Hebrews*, Minneapolis, Fortress Press, 1992, démolit l'argumentation de F. C. Bauer, laquelle a exercé une grande influence au vingtième siècle.

6. Luc indique que Paul est demeuré en assignation à résidence à Rome pendant deux ans et qu'il est arrivé dans cette ville en 60.

REMERCIEMENTS

D'abord et avant tout, je veux remercier André Lemaire de la Sorbonne sans qui ce livre n'aurait jamais pu voir le jour. Je veux aussi remercier les nombreux spécialistes qui ont partagé avec moi leurs connaissances sur les ossuaires, les inscriptions et Jacques, entre autres P. Kyle McCarter Jr., de l'université Johns Hopkins, le père Joseph A. Fitzmyer de la Catholic University of America, Amos Kloner de l'université Bar-Ilan et, bien sûr, mon coauteur, Ben Witherington.

Pour leur aide alors que je tâtonnais dans l'univers des statistiques, je remercie particulièrement Joshua Frieman ainsi que Roman L. Weil, Albert Madansky, M. Laurentius Marais et Bernard Rosner.

Pour obtenir des renseignements sur les monnaies et les mesures anciennes, j'ai consulté une sommité dans le domaine : Ya'akov (Yankele) Meshorer. Affable, enthousiaste et toujours aussi compétent.

À la Biblical Archaeology Society, Molly Dewsnap Meinhardt a choisi les images, rédigé les légendes, supervisé la recherche et le travail éditorial, tout en assumant ses fonctions de directrice de la rédaction de la *Bible Review*. Amanda Kolson

Hurley, l'assistante de Molly, a fourni une contribution inestimable en peaufinant le texte, en effectuant des recherches et en se procurant des images. Steven Feldman, directeur de la rédaction de la *Biblical Archaeology Review*, a contribué à la publication du premier article sur l'ossuaire. Frank Sheehan a conçu les tableaux et les autres éléments graphiques ; Julia Bozzolo a dessiné la carte.

John Loudon chez Harper San Francisco a assumé avec courage la tâche d'éditer un éditeur ; Kris Ashley, sa compétente assistante, nous a tous aidés à demeurer dans la bonne voie.

Robert Barnett, notre agent, a négocié dans une atmosphère cordiale les clauses du contrat avec notre éditeur. Kathleen Ryan s'est occupée de plusieurs détails auxquels nous n'aurions pas pensé.

À tous, ma profonde gratitude.

Hershel Shanks
Washington, D.C.
Janvier 2003

À Laura Michaels Ice et Molly Dewsnap Meinhardt, sans qui le difficile travail qu'exigeaient la préparation de ce manuscrit et sa publication n'aurait jamais pu être accompli dans le bon ordre et terminé à temps. Mes remerciements vont tout particu-lièrement à deux éminents spécialistes que je suis honoré de compter parmi mes amis — Richard Bauckham et John Painter. Sans vos recherches approfondies sur Jacques, je n'aurais pas pu compléter ma partie de ce livre.

Ben Witherington
Lexington, Kentucky
Janvier 2003

AdA Inc.

Le Présent

Pour obtenir une copie
de notre catalogue,
veuillez nous contacter :

Par téléphone au (450) 929-0296
Par télécopieur au (450) 929-0220
ou via courriel à
info@ada-inc.com

LES ÉDITIONS

AdA

CATALOGUE 2004-2005

Portrait sur fond doré de Jacques, le frère de Jésus, tenant à la main un rouleau de parchemin. Datant de la fin du treizième siècle, ce portrait a été réalisé par un artiste italien appelé le maître de saint François et dont on ne sait à peu près rien. Considéré par Paul comme une « colonne de l'Église », Jacques a dirigé l'Église de Jérusalem après la mort de Jésus.

L'inscription araméenne « Jacques, fils de Joseph, frère de Jésus » est incisée sur le côté de cette caisse en calcaire appelée ossuaire. (Longueur : 50 centimètres, largeur : 25 centimètres, hauteur 30 centimètres.) Grosso modo, sur les 900 ossuaires répertoriés datant de cette période, 250 portent des inscriptions, la plupart servant simplement à identifier le défunt et son père. L'ajout du nom d'un frère est tout à fait inhabituel ; nous ne possédons qu'un seul autre exemple de la sorte.

Photos © Oded Golan, Dessin : Ada Yardeni

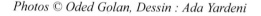

lire de droite à gauche

Jésus	de	frère	Joseph	fils de	Jacob (Jacques)
Yeshua	d	achui	Yosef	bar	Ya'akov
ישוע	ד	אחוי	יוסף	בר	יעקוב

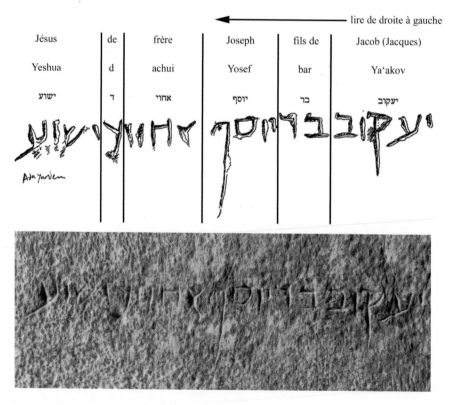

Sur cette photographie de Jérusalem prise depuis le sud de la ville, on peut apercevoir le dôme doré du Rocher situé sur le mont du Temple, une plate-forme entourée d'un mur qui supportait le Temple juif avant sa destruction par les Romains en l'an 70 de notre ère. Au pied du mont du Temple et juste au sud se trouve l'ancienne Cité de David (au centre), le site de la plus ancienne colonie de Jérusalem.

Garo Nalbandian, Jérusalem

L'élégant portail d'un caveau familial d'Akeldama, un cimetière situé tout juste au sud-ouest de la Cité de David, là où les vallées de Kidron et d'Hinnom se rencontrent. Bien que le Nouveau Testament identifie Akeldama comme le cimetière des pauvres où Judas s'est pendu après avoir trahi Jésus, les tombeaux découverts ici sont beaucoup trop grands pour avoir été destinés à de pauvres étrangers.

Garo Nalbandian, Jérusalem

Une rosace monumentale décore le plafond de l'une des splendides tombes d'Akeldama. Des niches arquées creusées dans le mur du tombeau contenaient à l'origine des corps et des ossuaires. Appelées *kokhim* en hébreu, les niches mesuraient en général 0,60 mètre de hauteur, 4,60 mètres de largeur, et 1,82 mètre de profondeur.

Garo Nalbandian, Jérusalem

Décoré de main de maître (de rosaces et de feuilles de palmier), cet ossuaire contenait les restes de six personnes, entre autres ceux d'un homme de soixante ans ; il s'agirait peut-être de Caïphe, le grand prêtre qui a présidé au procès de Jésus.

Photo : Garo Nalbandian/Collection Israel Antiquities Authority

L'inscription araméenne « Joseph, fils de Caïphe » est gravée grossièrement sur le côté et à l'arrière (invisible ici) de l'ossuaire. Bien que le Nouveau Testament identifie le prêtre simplement comme Caïphe, Josèphe, l'historien juif du premier siècle de notre ère, l'identifie comme « Joseph qui était appelé Caïphe le grand prêtre ».

Israel Antiquities Authority Dessin : Ronny Reich

← ──── lire de droite à gauche

Caïphe	fils de	Joseph
Qafa	bar	Yehosef

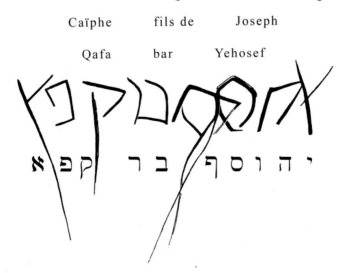

Marie tient tendrement Jésus dans ses bras alors que la famille fuit Bethléem parce que le roi Hérode avait menacé de tuer tous les bébés nés à cet endroit (Matthieu 2:16). Soucieux, Joseph regarde derrière lui tandis qu'un jeune garçon — il s'agit probablement de Jacques, le fils de Joseph d'un mariage précédent — conduit l'âne ; on peut admirer cette fresque de Giotto datant du début du quatorzième siècle et intitulée *La fuite en Égypte* à la chapelle Arena de Padoue, en Italie. La tradition catholique romaine a élaboré et conservé la doctrine de la virginité perpétuelle de Marie en identifiant les frères de Jésus comme des « parents » ou des « cousins ». Par contre, dans la tradition orthodoxe dont on retrouve l'influence dans cette peinture, ces personnages sont les fils de Joseph, nés d'un mariage précédent.

Après avoir franchi près de 10,000 kilomètres depuis Tel Aviv, subi de sérieuses fissures durant le voyage et été restauré avec succès, l'ossuaire de « Jacques, fils de Joseph, frère de Jésus » a été présenté pour la première fois au public au Musée royal de l'Ontario à Toronto en novembre 2002.

Brian Boyle, Musée royal de l'Ontario, Toronto

OH, MY GOD!

2,000-year-old relic linked to Jesus cracked on way to ROM
— Page 3

AFTER

BEFORE

— Shanks' Biblical Archaeology Review/AP

— Royal Ontario Museum/Re

A LIMESTONE box said to have contained the bones of Jesus' brother James was found to have cracks in it yesterday when the crate it was travelling in was opened by Royal Ontario Museum staff. The box, called an ossuary, arrived in Toronto after being shipped from Israel via New York. ROM said it will be repaired and ready for its international public debut Nov. 1

À la une du tabloïd canadien le *Saturday Sun* du samedi, 2 novembre 2002, un article illustre bien la stupeur et la consternation ressenties par le public en apprenant que l'ossuaire de Jacques, le frère de Jésus, avait été sérieusement endommagé durant son voyage de Tel Aviv à Toronto.

Faith is to believe what you do not see; the
reward of this is to see what you believe.

- Saint Augustine

And we know that in all things God works for
the good of those who love him, who have been
called according to his purpose.

- Romans 8:28

God gave us the gift of life; it is up to us
to give ourselves the gift of living well.

- Voltaire

So do not fear, for I am with you; do not be dismayed,
for I am your God. I will strengthen you and help you;
I will uphold you with my righteous right hand.

- Isaiah 41:10

Taste and see that the Lord is good; blessed is the
one who takes refuge in him.

- Psalms 34:8

We have different gifts, according to the grace given to each of us. If your gift is prophesying, then prophesy in accordance with your faith; if it is serving, then serve; if it is teaching, then teach.

- Romans 12:6-7

You have made us for yourself, O Lord, and our
hearts are restless until they rest in you.

- Saint Augustine

For God is not unjust so as to overlook your work
and the love that you have shown for his name in
serving the saints, as you still do.

- Hebrews 6:10

Remember your leaders who first taught you the word of God. Think of all the good that has come from their lives, and trust the Lord as they do.

- Hebrews 13:7

Be on your guard; stand firm in the
faith; be courageous; be strong.

- 1 Corinthians 16:13

May the God of hope fill you with all joy and
peace as you trust in him, so that you may over-
flow with hope by the power of the Holy Spirit.

- Romans 15:13

Made in the USA
Coppell, TX
18 May 2021

55918207R00056